Toevluchtsoord

LYDIA VERBEECK

Toevluchtsoord

Manteau
THRILLER

© 2007 Uitgeverij Manteau / Standaard Uitgeverij nv en
Lydia Verbeeck
Standaard Uitgeverij nv, Mechelsesteenweg 203, B-2018 Antwerpen
www.manteau.be
info@manteau.be

Vertegenwoordiging in Nederland: Uitgeverij Unieboek BV,
Houten – www.unieboek.nl

Eerste druk april 2007

Omslagontwerp: Wil Immink

ISBN 978 90 223 2140 9
D 2007/0034/41
NUR 330

Catharina gleed tussen de schone, door de zon gebleekte lakens. Het verse stro in de matras plooide zich naar haar slanke lichaam en gaf bij elke beweging een weeë vertrouwenwekkende geur af, die herinnerde aan haar kinderjaren. Het was de geur van argeloosheid en onschuld. Het was de geur van voor haar huwelijk, en nu was het de geur van de tweede kans.

Het was zo stil dat ze haar hart hoorde bonzen en dat hield haar wakker. Toen ze dan toch wegzonk in een onrustige slaap, werden haar dromen bevolkt door het zure gezicht van haar schoonmoeder, de priemende ogen van haar schoonvader en de graaiende handen van haar zwager, die haar bij het middel greep en in een hooiopper gooide.

De stekende pijn toen hij bij haar naar binnen drong, was zo levensecht dat ze er kreunend van wakker schrok. Met het angstzweet parelend op het voorhoofd schoot ze overeind. Het duurde even voor ze besefte dat het deze keer maar een droom was.

Ze was amper ingedommeld toen ze alweer wakker schrok. Er was geschraap en geluid van hollende voetstappen en dat gebeurde allemaal vlak bij haar woning. Haar blote voeten maakten geen geluid op de plankenvloer toen ze naar het raam in de zijgevel van haar huis liep.

Vandaar had ze vrij uitzicht op de Rechtestraat, de hoofdstraat van het begijnhof. De deuren van de huizen en de poortjes in de ommuurde voortuinen aan de overkant zaten potdicht. Er was nergens een lichtschijnsel achter de ramen.

Ze had zich blijkbaar vergist. Waarschijnlijk had ze van hollende voetstappen gedroomd. Het laatste jaar werd ze geplaagd door onrustige dromen, al had ze de indruk dat het beter werd.

Nu haar proefperiode in het convent voorbij was, leek de wilde rivier die haar leven was, gekalmeerd. Hij trad niet meer buiten zijn oevers, kabbelde maar wat voort. Ze had nooit durven denken dat alles toch nog tot op zekere hoogte op zijn pootjes terecht zou komen.

Gerustgesteld bleef ze nog even naar buiten staan kijken, genietend van de nachtzwaluwen die langs de gevels scheerden. Binnenkort zouden de zwaluwen vertrekken en voor ze het wisten, zou de herfst ook voorbij zijn en zaten ze alweer in de winter.

Het werd haar eerste winter op het hof als volwaardige begijn. Als ze vergeleek met vorig jaar deze tijd, toen ze verward en doodongelukkig was gearriveerd, was ze nu een gelukkig mens. Een slaperig mens ook. Ze zou maar weer naar bed gaan.

Toen maakte ze een beweging die van haar leven plots weer die wilde rivier zou maken die ze zo verafschuwde. Toch deed ze niets bijzonders. Ze opende alleen het raam, snoof de nachtlucht op en boog zich een stukje naar buiten. Dat had ze niet moeten doen, want nu zag ze de waterput die slechts op een paar voet afstand van de zijmuur van haar huis verwijderd lag.

Op de rand van de put hing iets dat leek op een grote, bleekroze zak, maar toen een wolk verschoof en het maanlicht opflakkerde, had de zak twee benen.

Ze smoorde een gil in haar handen en stond als versteend, niet wetend wat te doen.

Eén ogenblik wilde ze weer in bed kruipen en zichzelf wijsmaken dat ze niets had gezien, maar Catharina was geen lafaard. Ze sloeg haar omslagdoek om en daalde met het kaarsenpannetje in de hand de smalle trap af. Haar hand beefde en ze ademde vlug en oppervlakkig als een angstig vogeltje.

Ze sloeg een kruis voor ze de straat op ging, in de hoop dat het zou helpen om de verschrikking die voor haar lag aan te kunnen.

Grootjuffrouw Amandine ergerde zich omdat er iemand midden in de nacht op haar voordeur bonkte. Niet dat het haar wakker had gemaakt. Ze had toch niet kunnen slapen omdat ze geplaagd werd door kiespijn.

Nachtelijk gebons betekende echter brand of muitende Spaanse soldaten die amok maakten en het begijnhof binnendrongen. Of erger nog. Vorig jaar, het jaar des Heren 1595, waren geuzen afkomstig uit Breda erin geslaagd Lier in te nemen. Na hun allesvernielende tocht in het stadscentrum zakten ze ook naar het begijnhof af en raasden ze door de straten, alles vernielend wat er op hun pad lag. Drie dagen had het geduurd vooraleer de Spaanse gouverneur Don Alonzo de Luna Y Carcamo dankzij hulp vanuit Antwerpen en Mechelen de stad kon heroveren.

Ze luisterde gespannen of ze buiten rumoer hoorde. Het was er stil. Er ontsnapte haar een zucht van verlichting. Het kon nooit zo erg zijn als toen. Ze hoorde haar dienstmeid, de bejaarde juffrouw Clara, mopperend naar de deur sloffen. Een stem sprak gedempt maar dringend, hield aan, ging verder een octaaf hoger.

Grootjuffrouw Amandine zat al rechtop met één voet uit

bed bungelend, klaar om op te staan, toen Clara handen-wringend de kamer in kwam. Ze werd opzij geduwd door de nieuwe begijn, juffrouw Catharina, die er, doodsbleek en met haar grote, blauwe ogen wijd opengesperd, uitzag alsof ze de duivel had gezien.

'Wat een brutaliteit!'

Catharina was niet eens fatsoenlijk aangekleed. Ze droeg alleen een onderkleed dat weinig van haar stevige vormen verhulde. Haar sluier bedekte amper haar dikke bos koper-kleurig haar. De grootjuffrouw zag dat het te lang was. De statuten schreven voor dat haar zo kort moest gehouden worden dat men het niet kon binden. Ze zou daar een van de volgende dagen op wijzen.

'Juffrouw Catharina, wat be...'

Ze kreeg niet de tijd om haar zin af te maken.

'Het spijt me dat ik u stoor, grootjuffrouw, maar u moet met me meekomen. Alstublieft.'

Het dringende verzoek klonk ondanks dat 'alstublieft' en de aanhef oneerbiedig, om nog maar niet te spreken over het ongevraagde binnendringen in haar privéruimte. Het klonk alsof de vrouw in werkelijkheid zei: maak als de blik-sem dat je met mij meekomt.

Even stond ze in twijfel of ze de begijn een berisping zou geven en haar zou laten wachten tot de ochtend. Wat be-zielde haar in 's hemelsnaam om zich zo oneerbiedig te gedragen?

'Wat is er zo dringend?'

'Ik... ik weet niet of ik erover kan praten.'

Grootjuffrouw Amandine fronste de wenkbrauwen. Ze zag de nerveuze blik die de begijn op juffrouw Clara wierp. Was het om haar dat ze niets kwijt wilde? Als iemand in die arme oude Clara al een bedreiging zag, moest het wel heel ernstig zijn.

'Ik hoop dat je hiervoor een goeie reden hebt, juffrouw Catharina. In het andere geval zul je het je beklagen! Geef me mijn falie, Clara. Ik ga me niet helemaal aankleden.'

Clara legde de tot aan de knieën reikende omslagdoek die als mantel fungeerde, zorgzaam over de schouders van haar meesteres.

'Dank je Clara. Je hoeft niet mee te gaan.'

Catharina ging haar met grote passen voor. Grootjuffrouw Amandine drong aan op uitleg, maar Catharina maakte een ongeduldige handbeweging die ook al niet van veel eerbied getuigde. De grootjuffrouw twijfelde of ze er toch niet beter aan had gedaan haar weg te sturen.

Ze stond op het punt rechtsomkeert te maken, toen een pijnscheut in haar onderkaak haar eraan herinnerde dat ze toch niet kon slapen zolang die rotte kies daar zat. Ze kon dus evengoed Catharina's probleem oplossen of ten minste toch aanhoren en haar nadien uitkafferen omdat ze voor zoiets onbelangrijks lastig was gevallen.

Catharina hield halt bij de put voor haar huis, vlak bij het convent, de Woemelgeemsehuse. Er lag iets groots op de rand van de put, afgedekt met een grauwe doek.

'Wat is dat?'

'Schrik niet, grootjuffrouw', fluisterde Catharina.

Ze haalde met een ruk de doek weg die ze over het lichaam had gelegd.

De schok was hevig.

Niet omdat het een lijk was. Grootjuffrouw Amandine had in haar leven lijken in alle maten en gewichten gezien. Zelfs niet omdat het een man was. Ze kende het mannenlichaam in al zijn facetten.

Ze was twee keer getrouwd geweest, als bij toeval elke keer met een ziekelijke man. Een derde keer was ze er maar niet meer aan begonnen.

Ook niet omdat het naakt was. Hoewel de combinatie van al die dingen, een naakte dode man op het begijnhof, 's nachts als alle mannen verondersteld werden het hof te hebben verlaten, zéér compromitterend was, was dat niet het allerergste.

'Mijn God, het is kanunnik Dodoens!'

Een naakte, dode kanunnik met een bloederig gat in het achterhoofd 's nachts in het begijnhof over de rand van een waterput gedrapeerd, zijn achterste obsceen de lucht in, betekende de doodsteek voor het begijnhof. In deze tijd van godsdienstoorlog en inquisitie was de verdachte dood van een geestelijke een aanwijzing voor ketterij. Iedereen wist wat er met ketters gebeurde en de begijnen zouden de eerste verdachten zijn.

Grootjuffrouw Amandine hapte naar adem. Ze gooide de doek vlug over het afgrijselijke toneel.

'Hij moet weg', fluisterde ze schor. 'Hij moet weg en hier mag niemand iets van weten. Niemand!'

De vrouwen keken elkaar vragend aan.

Ze wisten dat er een gemakkelijke oplossing was. Eén beweging en het lijk zou in de put verdwijnen.

'Hoe moeten we de anderen uitleggen dat ze het water niet meer kunnen gebruiken?' fluisterde juffrouw Catharina. 'En wat als hij komt bovendrijven?'

De grootjuffrouw knikte. Ze vermoedde al dat Catharina intelligent was, maar nu wist ze het zeker. Was ze echter ook loyaal? Zou ze haar mond houden?

'Hier mag nooit over gepraat worden, Catharina. Zelfs niet in de biecht. Kun je dat? Beloof je dat? Zweer het!'

'Soms is zwijgen het enige wapen van de zwakken', fluisterde Catharina. 'Ik weet wanneer het nodig is het te gebruiken. U kunt op mij vertrouwen. Ik zweer het.'

De blauwe, schitterende ogen van Catharina staarden

vastberaden in de bruine, oudere ogen in de verrimpelde oogkassen van de grootjuffrouw. Heel even bleven ze zo staan. Roerloos.

'Goed. Ik geloof je. De put is geen oplossing. De rivier wel.'

Grootjuffrouw Amandine spiedde de omgeving af. Er was geen spoor van nieuwsgierige ogen te bekennen. Dat zou echter niet lang meer duren. De nacht vertoonde al slierten van de ochtendschemering. Spoedig zouden de eerste begijnen zich naar de kerk haasten. Er was geen tijd te verliezen.

Ze tastte naar haar sleutelbos aan de gordel die ze dag en nacht droeg en vond de sleutel van de poort. Niet die van de poort aan het begin van de Rechtestraat, maar die van de kleinere poort die toegang gaf tot de bleekweide met de washuisjes op de oever van de Nete.

Er waren geen woorden nodig. De vrouwen kantelden het lijk op de doek, grepen elk twee hoeken vast en droegen het half slepend tot aan de rivier.

Met een plons verdween het lijk, geknoopt in de grauwe doek, in het water. Misschien bleef de kanunnik ergens steken tussen het riet op de oever, misschien zakte hij naar de bodem en vond hij een eeuwige rustplaats tussen het slib.

De maan was getuige, rond en blinkend als een pasgeslagen goudstuk prijkte ze aan de nachtelijke hemel. Er was te veel licht en dat maakte de twee begijnen nog nerveuzer dan ze al waren. Ze wensten dat het donker was als de hel.

Grootjuffrouw Amandine prevelde een haastig gebed en sloeg een kruis. Het was verkeerd zo met een dode om te gaan. Ze zou er voor de rest van haar verdere leven wroeging over hebben, maar het was nog slechter het bestaan van haar begijnen in gevaar te brengen. Soms is een mens verplicht te kiezen. Ze was er nooit voor teruggeschrokken verantwoordelijkheid te nemen. Juist daardoor was ze tot grootjuffrouw verkozen. Misschien zou de Heer het haar daarom vergeven nadat ze boete had gedaan.

'Dit is niet gebeurd', zei ze streng.

'Het is niet gebeurd', herhaalde Catharina.

Ze draaiden zich om en liepen terug naar het hof.

2

De reis van Antwerpen naar Lier was goed verlopen tot zijn merrie een hoefijzer verloor. Het dier begon te manken en trok de kar met tegenzin.

'Het is niet ver meer, meisje. Ik zie de omwalling al. Laat me nu niet in de steek. Een beetje op de tanden bijten, Cornelia. Je krijgt straks een extra zak haver als je nu dapper bent.'

Toon van Gent sprak vaak met zijn paard. Als hij wat te veel bier op had, beweerde hij dat Cornelia antwoord gaf.

Nu voelde Toon zich door haar in de steek gelaten.

De merrie was steeds onwilliger geworden en daardoor stond hij voor een gesloten stadspoort. Maar Toon was niet haatdragend, zelfs al zou het moeite kosten om zijn vrouw ervan te overtuigen dat het écht niet zijn schuld was dat hij een dag later dan beloofd op kwam dagen.

Toegegeven, het gebeurde wel vaak dat hij niet op het afgesproken tijdstip opdaagde. Meestal kon hij het ook niet helpen.

De kar waarmee hij zijn handel vervoerde, had minstens al vijf eigenaars voor hem gehad. Hij was gewoon versleten. De wielen liepen om de haverklap van de assen. Als dat niet gebeurde, dan brak er wel een as.

Eén keer was hij een deel van zijn lading verloren, omdat de planken van de bodem zo rot waren dat ze het begaven.

Vandaag was dus de arme Cornelia de oorzaak. Zij was al niet van de jongste en ook niet in al te beste conditie, waardoor ze uiterlijk heel goed bij de kar paste. Toon zelf bood ook een haveloze aanblik. Zijn hemd was al zo vaak opgelapt dat er meer lap dan hemd te zien was.

Hij had de merrie uitgespannen en haar goedmoedig mopperend op een plekje met sappig groen gras, waar ze naar hartenlust kon grazen, vastgemaakt. Cornelia had hem aangekeken met een berouwvolle, maar ook dankbare blik.

Zelf had hij het zich gemakkelijk gemaakt, leunend tegen de stam van een boom, een vuile deken om de schouders. Zo was hij ingedommeld.

Hij was gewend ook in zijn slaap op zijn hoede te zijn. Als je met een lading onderweg was, moest je beducht zijn op rovers, wilde je die lading niet kwijtraken.

Bij de plons was hij dan ook meteen wakker. Niet dat hij wist dat het een plons was. Zijn hand zocht zijn mes aan zijn gordel, zijn ogen schoten naar zijn kar. Pas toen hij zag dat daar geen onraad te bespeuren was, richtte zijn blik zich tussen twee rietpollen door naar de Nete. Daar was iets aan de hand.

Er stonden twee vrouwen op de andere oever. De ene was lang en mager. De andere stond met haar rug naar hem toe. Ze maakten een kruis en liepen weg.

Terwijl de vrouwen zich omdraaiden, zag Toon één ogenblik het gelaat van de tweede vrouw in het maanlicht oplichten.

Toon van Gent had haviksogen. Hij kon volgens eigen zeggen van een kraai op de torenspits van de grote kerk vertellen onder welke vleugel ze pikte op zoek naar luizen. Hij had ook een uitstekend geheugen en hij wist dat hij de gezichten van de vrouwen tot het einde van zijn dagen overal zou herkennen.

Hij volgde hen met zijn blikken en zag hen in het begijnhof verdwijnen. Zijn vermoeden dat het begijnen waren, werd hiermee bevestigd. Wat hadden die vrouwen in de Nete gegooid?

Hij kroop tot vlak bij de rivier. In het maanlicht zwaaide een hand naar hem, een hand die midden op de Nete dreef en vastzat aan een grauwe massa.

Na enige ogenblikken van verbijstering keerde hij weer naar zijn plek bij de boom. Hij schikte de deken om zijn schouder en besloot voor zijn eigen gemoedsrust het gebeurde te vergeten. Hij had niets gehoord, niets gezien, zeker geen zwaaiende hand.

Hij probeerde in te slapen, maar zijn gedachten draaiden in kringetjes rond en elke keer belandden ze bij die vrouwen, de plons en wat er in de Nete dreef.

Vloekend stond hij op, spande Cornelia in en mende haar met een slakkengangetje tot bij de buitenste Eekelpoort op de Eekelveste, waar hij ongeduldig bleef wachten tot het ochtendgloren zich zou aandienen en de poortwachter het hek zou ophalen.

Als twee schaduwen gleden ze langs de gevels van het hof. Catharina verdween in haar huisje. Een minuut later bevond ook de grootjuffrouw zich tussen de muren van haar woning.

'Ik ben vannacht niet weggeweest, Clara', zei ze.

'Natuurlijk niet, grootjuffrouw. U hebt de hele nacht geslapen', zei de oude begijn die haar meesteres met zorg instopte.

'Dat nu ook weer niet, want ik heb tandpijn', zei grootjuffrouw Amandine. '...had tandpijn...' verbeterde ze zich.

De pijn was verdwenen. Vreemd dat een schokkende ervaring gewone probleempjes teniet kon doen. Niet dat het haar zou helpen om in te slapen, ze had nu iets anders om wakker van te liggen.

Wanneer zou kanunnik Dodoens in het kapittel gemist worden? Niet bij het eerste koorgebed. Zelfs nog niet bij het laatste. Ze wist uit goede bron dat kanunniken wel meer niet in het koor verschenen.

Zijn afwezigheid zou waarschijnlijk genoteerd worden, maar het zou niemand verontrusten. Pas na herhaaldelijke afwezigheid zou het aan de decaan gerapporteerd worden en zou hij een boete krijgen, of een berisping volgens de ernst van het geval en dan zou het duidelijk worden dat hij nergens meer te vinden was.

Natuurlijk zou de huismeid van de kanunnik haar meester vroeger missen, die ochtend al of op zijn laatst 's middags.

Grootjuffrouw Amandine sloot de ogen en probeerde zich alles voor de geest te halen wat ze over kanunnik Dodoens wist. Dat was heel wat en dat betekende niet veel goeds. Ze wist alleen veel over kanunniken die de begijnen slecht gezind waren.

Volgens kanunnik Dodoens hoorden vrouwen ofwel in een klooster thuis, ofwel onder de hoede van een strenge echtgenoot of vader. Begijnen kenden in zijn ogen geen genade. Hij beschuldigde hen ervan aan dat mannelijke toezicht te ontsnappen, sluw en hypocriet door zich vroom voor te doen, maar met het doel argeloze mannen in hun netten te vangen en zo veel mogelijk macht te verkrijgen. Hij was een geregelde bezoeker op het hof en stak de reden daarvoor niet onder stoelen of banken: hij speurde naar tekenen van onzedelijk gedrag of van ketterij die hij kon aanvoeren als reden om het begijnhof te laten sluiten.

Precies hij was die nacht in zijn blote kont op datzelfde begijnhof gevonden.

Grootjuffrouw Amandine zag zijn bleke billen weer voor zich met alle details, zoals een dikke puist op de rechterbil en onder aan zijn reet een toefje grijsbruin haar op zijn verrimpelde scrotum.

Ze was een nuchtere vrouw die de waarheid niet uit de weg ging, ook al was die waarheid hoogst onaangenaam. Ze wist dat er maar één reden was voor een man om bij een nachtelijk bezoek zijn kleren uit te trekken.

Ze liet in haar verbeelding de begijnen voor haar oog passeren, vooral bij de jongste en knapste vrouwen bleef ze wat langer stilstaan. Eén vrouw drong daarbij op de voorgrond: een lange, slanke vrouw in de bloei van haar leven met grote ogen, die veel te blauw waren om fatsoenlijk te zijn en koperkleurig golvend haar dat volgens de begijnenregel te lang was.

Die vrouw, wist ze, had enkele weken geleden nog de aandacht van kanunnik Dodoens getrokken. Zijn kleine varkensoogjes hadden zich samengeknepen en hij had met zijn hoge stem gevraagd, elk woord afschietend als een giftige pijl: 'Wie... is... dat?'

Was het toeval dat net zij het lichaam had gevonden?

Grootjuffrouw Amandine geloofde niet in toeval. Ze sloeg een kruis, liet zich naast het bed op haar knieën zakken en bad om hulp.

Catharina ging niet meer naar bed. Ze bukte zich bij de haard en stapelde hout om een vuurtje aan te leggen. Haar handen trilden toen ze met de tondeldoos aan het werk ging en slechts met veel moeite kreeg ze een klein vlammetje in het hout.

Ze blies naar het oranje sliertje en volgde hoe het groter werd en aan het fijn gekapte hout likte. Het vlammetje werkte hypnotiserend, slorpte al haar gedachten op. Alleen vuur en warmte waren nu belangrijk.

Catharina voelde zich ijskoud tot in de kern van haar ziel, alsof het dode lichaam haar levenswarmte mee de Nete in had genomen.

Ze bleef blazen en met haar handen wapperen om het groeiende vuur de nodige lucht te geven. Even later straalde de hitte op haar af. Maar Catharina bleef ijskoud. Ze begon te trillen als een riet. Slechts met moeite slaagde ze erin een stoel bij het vuur te trekken en erop neer te vallen vooraleer haar benen het begaven.

Toen kwamen de tranen, onafwendbaar als hoog tij.

Ze huilde niet alleen om het gebeuren van die nacht, maar ook om een gevoel van onheil dat bezit had genomen van haar nieuwe huisje. Alsof ze plots niet meer zeker was dat ze uit haar vorige leven was ontsnapt.

Het leek alsof er in de donkere hoeken herinneringen klaar zaten om haar te bespringen en weer tot leven te komen. Ze probeerde haar kalmte te herwinnen, bezwoer zichzelf dat ze niet meteen het ergste moest denken. Het gebeuren hoefde niets met haar te maken te hebben. Niet alles draaide om haar. Een beetje meer bescheidenheid zou haar sieren.

Kanunnik Dodoens was een onaangenaam man, die ongetwijfeld vijanden had. Een van die vijanden was te ver gegaan. Het gebeurde zou haar nieuwe leven niet beïnvloeden. Absoluut niet. Geen sprake van.

Hoe meer ze dit bij zichzelf herhaalde, hoe harder ze eraan twijfelde.

3

Maria was eigenlijk te jong om huishoudster te zijn. Met haar twaalf jaar was keukenhulpje meer voor de hand liggend. Ze was ook te vrolijk en te levendig en te goedlachs voor het huishouden van een kanunnik, maar kanunnik Dodoens zei dat net dát een reden was om haar in dienst te nemen.

Hij had naast iemand die zijn huis schoonhield en kookte – en dát kon Maria als de beste – vooral iemand nodig die hem opfleurde als hij met een bezwaard gemoed van zijn talrijke verplichtingen, letterlijk en figuurlijk besmeurd met aardse vuiligheid, thuiskwam.

Toen hij haar in het Maegdenhuis uit een aanbod van zo'n twintig vrouwelijke wezen uitkoos, was ze vereerd geweest omdat de zuster hoog opgaf over haar kwaliteiten. Eén ervan, blijkbaar een heel belangrijke, want de zuster gebruikte het woord wel drie keer, was gehoorzaamheid.

'We zullen zien', zei de kanunnik. 'Als ik niet tevreden ben, breng ik haar terug.'

Maria had zich voorgenomen dat ze niet teruggebracht zou worden als een paar handschoenen waarover de koper niet tevreden was. Ze zou gehoorzaam zijn, zelfs als ze sommige dingen niet begreep. Trouwens, hoe zou een nederig meisje als zij zo'n geleerde godvrezende man als de kanunnik kunnen begrijpen? Ze probeerde het niet eens, erop vertrouwend dat elk van zijn handelingen een hoger doel diende.

De eerste avond had hij haar kapje afgezet en de haarspelden verwijderd, zodat haar lange blonde haren in haar dunne hals golfden. Hij noemde haar 'zijn eigen kleine engel'.

Ze was beginnen te blozen en had niet naar hem durven opkijken. Hij was twee hoofden groter dan zij en twee keer zo breed.

Hij had zijn hand onder haar puntige kin gelegd en haar hoofd opgeheven. Toch had ze hem niet in de kleine koolzwarte ogen durven kijken. Ze had haar blik gefixeerd op zijn neus die iets weg had van een peer.

Langzaam had hij met zijn wijsvinger langs haar wang gestreken en toen had hij het nog een keer herhaald: mijn eigen kleine engel. Hij voegde er nog een resem lieve dingen aan toe, zoals dat haar ogen fonkelden als sterren en dat haar huid zo zacht was als de huid van een baby, maar dat had niet veel indruk gemaakt. Ze zou echter nooit van haar leven vergeten dat hij haar zijn kleine engel had genoemd.

'Je wilt toch mijn kleine engel zijn, Maria? Want als je dat niet wilt, dan eerbiedig ik dat.'

Nog nooit had iemand zoiets liefs tegen haar gezegd of haar met een vederlichte streling aangeraakt. Dat gebeurde wel met een dikke, forse vinger, die veel weg had van een verfrommelde varkensworst, maar daar wilde ze niet aan denken.

Ze verzekerde hem gretig dat ze graag zijn kleine engel was. Haar beloning was een streling over haar andere wang.

'Dan heb ik een geschenk voor je.'

Hij opende een zware eikenhouten kist. Maria voelde haar hart in haar keel kloppen en kon bijna niet wachten tot hij zich zou omdraaien en ze het geschenk zou kunnen zien.

'Trek het aan en dien dan mijn eten op.'

Ze had gewacht tot ze in de keuken was om het geschenk goed te bekijken. Het was een spierwitte jurk van een dunne, glanzende stof, zacht en soepel als een rozenblaadje.

Het jurkje kwam niet eens tot aan haar knieën, maar ze herinnerde zich de engeltjes in de kerk. Ook die hadden zeer korte jurkjes aan.

Ze droeg de schaal met het speenvarken dat ze die dag aan het spit had geroosterd, behoedzaam op armlengte van zich af uit schrik dat er spatten op haar glanzende jurk zouden komen en ze hem zou bederven.

Zijn ogen volgden haar terwijl ze heen en weer liep om de andere schalen en het brood te halen. Zacht en soepel plooide het doorzichtige, witte weefsel zich als een tweede huid om haar jonge lichaam.

Terwijl ze haar arm met de wijnkruik optilde en ze voorzichtig zijn beker vulde, spande het kleed zich over haar ontluikende borsten. De tepels verhieven zich als knopjes aan de fruitbomen in de lente.

Terwijl hij zijn ogen liet betoveren, groeide er een gelukzalige warmte in zijn lendenen, een gloed die zich over zijn hele lichaam verspreidde en zijn wangen kleurde met een donkerrode blos. Hij stak zijn handen onder zijn soutane en vond zijn geslacht dat als een paal rechtop stond.

Terwijl hij zich onder de bescherming van de tafel afrukte, bleef hij haar aankijken tot ze er nerveus van begon te giechelen. Zijn gezicht verkrampte en een laag gegrom ontsnapte aan zijn lippen alsof hij erge pijn had of verschrikkelijk boos was. Ze slikte geschrokken haar lach in.

'Kleed je om.'

Zijn stem klonk nors en ze barstte in tranen uit, omdat ze zo oneerbiedig had gelachen.

'Maak dat je wegkomt.'

Voor ze de kamer uit glipte, zag ze nog hoe hij naast zijn stoel op de knieën zeeg en begon te bidden.

'Heer, geef mij de kracht om te weerstaan aan de slang, het sluwe serpent dat mij de appel van het Kwade voorhoudt. Vergeef uw zwakke dienaar.'

In de keuken had ze huilend haar eigen plunje weer aangetrokken. Het witte jurkje had ze zorgzaam opgevouwen en ergens gelegd waar er geen vlekken op konden komen.

Toen was ze op een stoel gaan zitten, bang afwachtend tot hij zou binnenkomen en haar weer naar het Maegdenhuis zou sturen. Maar hij kwam niet.

Ze vroeg zich af of ze op die stoel moest blijven zitten tot ze oud en versleten was. Het beeld van zichzelf met spierwitte haren, verrimpelde wangen en bevende handen, bracht haar vrolijke aard naar boven. Ze kreeg de slappe lach.

Hij had haar niet weggestuurd.

De volgende avond was ongeveer hetzelfde verlopen, alleen had ze erover gewaakt niet te giechelen. Toch was hij weer boos op haar geworden en was zij in tranen uitgebarsten, terwijl hij op zijn knieën neerzeeg en luid riep dat hij aan de appel zou weerstaan.

De derde keer had ze het alleen nog lachwekkend gevonden.

De vierde keer had ze de deur op een kier gelaten en was ze erachter blijven staan.

De kanunnik jammerde nog even door, stond dan op, zette zich neer en stortte zich op het voedsel dat hij gretig opschrokte, terwijl het vet en de wijn waarmee hij alles wegspoelde, hem over de kin dropen.

Ze had het zichzelf in de keuken makkelijk gemaakt en zich te goed gedaan aan haar eigen portie die ze daar had klaargezet.

Elke avond noemde hij haar 'zijn kleine engel' en wat

later 'slang', het was een gewoonte als iedere andere geworden. Er was de laatste tijd wel iets bijgekomen. Als ze naast hem stond om wijn in te schenken, streelde hij haar been tot net onder de zoom van het jurkje, waarna hij zijn hand terugtrok alsof hij zich aan een vuur had verbrand. Zijn geroep om de Heer was daarna nog smartelijker geweest dan anders, maar ook dat was alweer een gewoonte geworden waarover ze zich niet druk maakte.

Dit alles spookte door haar hoofd terwijl haar jonge, sterke handen het deeg voor het dagelijkse brood kneedden, lostrokken van de tafel en het met een smak weer op het hout lieten neerkomen. Ze keek voor haar doen een beetje te ernstig. Gewoonlijk deed ze haar werk met een vrolijk gezicht. Eigenlijk had ze het tot nu toe best naar haar zin.

Ze had tijd om met andere meisjes te staan kletsen, vooral met Tilly, die huishoudster was bij kanunnik Verhaert, en geen meisje meer was maar een volwassen vrouw. Tilly had kennis met Joris, de tuinman die onder andere de tuinen van de twee aanpalende kanunnikenhuizen onderhield.

Tilly wist alles van het 'kleine engel'-gedoe omdat Maria het haar had verteld.

'Het duurt niet lang meer of hij zal de appel willen plukken', had ze gezegd.

De beschrijving die Tilly gaf van wat de kanunnik volgens haar van plan was, leek zo erg op wat honden met elkaar doen, dat het Maria hoogst onwaarschijnlijk voorkwam.

'Wat heeft dat met een appel te maken, Tilly?' giechelde ze.

Eigenlijk wilde ze die avond de kanunnik als grap gestoofde appels voorzetten. In de tuin hingen de reinetten geel te blinken tussen de bladeren, klaar om geoogst te worden.

Terwijl ze het deeg voor het brood tot een bol vormde en er een doek over legde om het te laten rijzen, viel het haar plots op dat ze hem niet naar de kerk had horen gaan of had horen terugkomen.

Hij had nog niet eens om zijn ontbijt gevraagd. Hij liep ook niet boven rond, want dat zou ze horen. Hij had een zware pas die de plankenvloer deed kraken en zijn aanwezigheid verraadde.

Ze bleef staan en luisterde. Het was doodstil in huis. De enige geluiden kwamen van buiten. Een kar die voorbij ratelde en geroep van dakwerkers die aan de torenspits van de grote kerk bezig waren.

Ze veegde haar handen schoon en liep naar boven. Zijn bed was onbeslapen. Het was ongewoon, maar de kanunnik zou wel een reden hebben om te doen waar hij mee bezig was, waar en wat dat ook mocht zijn.

Toch knaagde er een gevoel van onrust aan haar terwijl ze de tuin inliep om appels te plukken.

4

Juffrouw Theresa wist het zeker. Haar buurvrouw had het achter de ellebogen. Van in het begin had ze haar al niet vertrouwd. Niet dat Catharina onvriendelijk was, alleen maar veel te bijdehand, maar niet bijdehand genoeg om te verbergen dat ze geschrokken was. Juffrouw Theresa was ervan overtuigd dat het te maken had met de bruinrode vlekken op de stenen van de waterput.

Ze had er juffrouw Catharina op gewezen.

'Wat zit daar toch op de rand, Catharina?'

De ogen van juffrouw Catharina, die rood omrand waren alsof ze had gehuild, hadden zich geschrokken opengesperd. Even maar. Toen had juffrouw Catharina per ongeluk – alsof iemand dat geloofde – de emmer die ze net had opgehaald, eroverheen gestort.

'Ik ben toch zo onhandig vandaag. Ik had een kwartier nodig om mijn vuur aan te maken.'

Juffrouw Theresa goot water in de ketel en hing die aan de haak boven het houtvuur.

Toen zag ze haar handen.

Die zaten vol bruinrode vegen. Ze had op de rand gesteund terwijl ze de emmer optakelde. Ze kende die kleur, ze kende de geur. Ze was een boerendochter, had vaak genoeg meegeholpen bij het slachten van varkens.

Opgewonden zette ze zich neer. Wat had juffrouw Catharina te maken met bloedvlekken op de waterput? Vlekken die er gisteravond niet op zaten. Dat wist ze wel zeker, want ze was er na het avondgebed langsgekomen op haar weg van de kerk naar huis. Meer nog, ze had 's avonds nog water geput omdat ze haar pijnlijke voeten met een warm voetbad wilde verwennen. Het zou haar ongetwijfeld opgevallen zijn als de waterput onder het bloed had gezeten.

Ze besloot de vlekken eens wat beter te gaan bekijken. Er moesten nog resten te zien zijn, zelfs na die scheut water die eroverheen was gegaan. Maar toen ze bij de waterput stond, was er geen spoor meer van te bekennen. Ze waren weggepoetst.

'Heeft er weer iemand kippen geslacht bij de put?'

Grootjuffrouw Amandine legde verontwaardiging in haar stem.

'Wie?'

Het woord zinderde na. Juffrouw Theresa werd er nerveus van. Ze had verslag uitgebracht van het eigenaardige gedrag van juffrouw Catharina en de bloedvlekken, maar nu begon ze te twijfelen. Was ze te vlug geweest?

Ze had aan die kippen moeten denken en moeten zwijgen. Het was een paar maanden geleden gebeurd en de schuldige was nooit gevonden.

De grootmeesteres was er heel boos om geweest, omdat ze had gevreesd dat ingewanden en pluimen uit gemakzucht in de waterput waren gegooid. De grootmeesteres had er in het kapittel over gesproken en ten stelligste verboden nog in de buurt van de put te slachten.

Elke begijn had toen verzekerd dat ze het begrepen had, en nu was het nogmaals gebeurd. Die keer lag er bloed bij de put, maar er waren ook pluimpjes. Die waren er nu niet.

Juffrouw Theresa zong dan wel een toontje lager dan in

het begin van het onderhoud, maar ze waagde het toch daarop te wijzen.

'De dader heeft van vorige keer geleerd. Toen waren het de pluimen die opvielen. Zonder pluimen hadden we het bloed over het hoofd gezien.'

Juffrouw Theresa voelde zich plots heel dom. Dat had ze toch zelf kunnen bedenken? Ze had beter niet kunnen komen. Nu had ze de aandacht maar op dat gebeuren gevestigd waarvan ze zelf niet écht de ernst inzag. Wat was er verkeerd aan een kip slachten naast de waterput? Ze had het zelf ook weleens stiekem gedaan. Het bespaarde gesleep met water.

Catharina had het haar best kunnen vertellen als dat erachter zat. Ze zou het niet hebben overgebriefd. Eigenlijk was het een belediging dat Catharina haar erbuiten hield. Alsof ze haar niet vertrouwde.

'Bedankt voor uw opmerkzaamheid, juffrouw Theresa. Mag ik vragen om er met niemand over te praten? Ik ga een onderzoek instellen en deze keer wil ik de schuldige vinden.'

Juffrouw Theresa beloofde te zwijgen. Terwijl ze naar haar huis liep, dacht ze dat ze het niet erg zou vinden als de grootmeesteres bij Catharina een kippetje in de pot zou vinden.

Grootjuffrouw Amandine vroeg zich af of haar gespeelde verontwaardiging overtuigend genoeg was geweest. Ze was er zeker van dat Theresa niet zou zwijgen. Theresa was een echte klappei. Het nieuws zou als een vuurtje de ronde doen.

Het speelde alleen maar in haar kaart. Het gaf haar een plausibele reden om op inspectiebezoek te gaan en op die manier Catharina te kunnen spreken zonder dat het opviel of enige argwaan zou wekken.

Ze besloot het kleine officie van Maria in haar gebeden-

boek te lezen om kracht te vergaren en dan aan haar in-
spectieronde te beginnen, maar haar gedachten dwaalden
steeds af. Met een klap sloot ze haar boek. Waarom uitstellen wat gedaan moest worden?

5

Ze had al verscheidene huizen geïnspecteerd en de gebruikelijke overtredingen vastgesteld die allemaal op hetzelfde
neerkwamen: een ongepaste hang naar luxe.

Werktuigelijk had ze berispingen uitgedeeld. Juffrouw
Agatha had het habijt een beetje te vrijelijk geïnterpre-
teerd, juffrouw Constantia probeerde kleur te brengen in
haar kleding en ze had wel gemerkt dat juffrouw Bernardine een halssnoer wegmoffelde.

Elke keer had ze in de keuken in de potten gekeken. Aan
de reacties zag ze een paar keer dat Theresa haar werk had
gedaan. Het nieuws over de kip die bij de waterput geslacht
zou zijn, was haar vooruit gesneld.

Ze naderde het huis van Catharina. Haar inspectie van de
woningen werd steeds korter en oppervlakkiger. In gedachten was ze al bij het gesprek dat ze met Catharina wilde voeren.

Nu liep ze het huis van Barbara in. Juffrouw Barbara was
zestien en iedereen wist dat ze slechts enkele jaren begijn
zou blijven. Ze was verloofd met jonkheer Gerald Berthout,
die op een diplomatieke missie aan het Engelse hof verbleef.

In afwachting van het huwelijk had haar vader, die een
rijke poorter van Antwerpen was, zijn onechte dochter in
het Lierse begijnhof ondergebracht. Zijn vrouw duldde de
knappe, vrolijke Barbara niet langer in haar huishouden.

De grootjuffrouw stuitte er op een mannelijke bezoeker. Het was een forsgebouwde man met grove gelaatstrekken, maar met een eerlijke blik. Hij was zonder veel opschik gekleed.

Hij stond op en boog hoffelijk.

'Godfried Lesage, om u te dienen, grootjuffrouw.'

Amandine knikte kort. Ze kende Lesage. Hij was door Barbara's vader aangesteld om de financiële en juridische belangen van Barbara te behartigen.

Ze vond het geen wijze beslissing. Zelf zou ze een oudere man als mombeer hebben aangesteld, niet een krachtige man in de bloei van zijn leven, die ongetwijfeld vatbaar was voor de bekoorlijkheden van Barbara.

Niet dat er van enig ontoelaatbaar gedrag ook maar iets te bespeuren viel.

Op de tafel lag een document dat vermoedelijk het onderwerp van het gesprek had uitgemaakt. Lesage had zo te zien een bonafide reden voor zijn bezoek.

Ze had een onderzoek naar zijn achtergrond laten instellen. De informatie die ze had gekregen, was niet volledig geweest, maar toch voldoende om zich een beeld van hem te vormen.

Lesage was, net als de toekomstige echtgenoot van Barbara, ook op een diplomatieke missie geweest. Welke, daar was ze niet achter gekomen. Wel dat hij tijdens die missie gewond was geraakt en nog steeds herstellende was.

Grootjuffrouw Amandine had inderdaad, toen ze hem op een keer door het hof zag lopen, gemerkt dat hij lichtjes hinkte met zijn rechterbeen. Om zijn tijd niet nutteloos door te brengen, was hij op het verzoek van Barbara's vader ingegaan. Hij had in Lier een woning gehuurd die hij met een minimum aan huispersoneel bewoonde.

Amandine doorliep vlug Barbara's huis. Ze maakte een

halfslachtige opmerking over het fijne linnengoed waarmee het ledikant was opgemaakt. Te fijn voor een begijnenbed.

'Maar je hoeft je geen ander aan te schaffen. Het bedlinnen maakt ongetwijfeld deel uit van je uitzet', zei ze.

Nadat ze voor de vorm ook hier een blik had geworpen in de kookpot die aan een haak boven het haardvuur hing te pruttelen, verliet ze de woning.

Aan de overkant van de straat leunde het huis dat Catharina bewoonde tegen het convent aan, de Woemelgeemsehuse. Zou ze het gemeenschapshuis overslaan? Naast enkele vrouwen die nog in hun proefperiode zaten, woonden er begijnen die niet kapitaalkrachtig genoeg waren om een eigen woning te betalen.

Haar voorzichtige aard dwong haar het gebouw toch in te gaan. Niemand mocht haar ervan beschuldigen dat ze uitzonderingen maakte. Bovendien lag het convent vlak bij de put. Zou de kanunnik bij een van deze vrouwen op bezoek zijn geweest?

Ze doorliep de kamers en zag ook hier sporen van ongepaste ijdelheid.

De conventmeesteres klampte haar aan, wilde het hebben over een ruzie die tussen een paar bewoners was ontstaan omdat de ene de andere beschuldigde van diefstal.

'Leg het voor tijdens het volgende kapittel', zei Amandine, terwijl ze ook hier in de keuken de inhoud van de kookpannen controleerde.

Eindelijk stond ze dan voor de deur van de Benedictie des Heeren, het nieuwe witgekalkte hoekhuis van juffrouw Catharina.

Op de andere hoek poetste juffrouw Theresa overijverig haar stoep.

Theresa knikte samenzweerderig naar de grootmeesteres, die zonder aan te kloppen in de woning van Catharina naar binnen ging, zoals ze ook bij de anderen had gedaan.

Ze controleerde even of er geen inkijk mogelijk was, vooraleer ze zich neerzette.

'We moeten praten, juffrouw Catharina.'

Grootjuffrouw Amandine herinnerde zich hoe ongeveer een jaar geleden Catharina voor haar stond met het verzoek in het hof opgenomen te worden. Ze wilde als weduwe vroom leven, had ze verklaard.

Grootjuffrouw Amandine had toen al vermoed dat het niet de hele waarheid was. Vroom leven was nooit de hele waarheid. Bij geen enkele van haar begijnen. Vrouwen voor wie dat wel het geval was, verkozen een klooster boven een begijnhof.

'Het hof is soms een toevluchtsoord', had ze een visje uitgeworpen.

Ze had gehoopt dat de vrouw haar hart zou openen. Dat was niet gebeurd. Ze had niet aangedrongen. Had ze daar verkeerd aan gedaan?

'Is er iets wat ik moet weten, Catharina?'

'Hoe bedoelt u, grootjuffrouw?'

De stem klonk zacht, goedmoedig en eerbiedig, maar grootjuffrouw Amandine vergiste zich niet in de angst die ze heel even in de blauwe ogen van de vrouw las.

Ze koos voor de aanval.

'Was hij vannacht bij jou?'

'Maar nee, grootjuffrouw, nee... ik verzeker u... U moet me geloven dat ik nooit... nooit... een man... hij was niet hier...'

Catharina was zo ontsteld over die vraag dat ze bijna in tranen uitbarstte.

'Ik geloof je.'

Maar de waarheid was dat ze Catharina niet geloofde. Er was iets met die jonge vrouw waar ze de vinger niet op kon leggen. Haar jarenlange ervaring vertelde haar dat.

'Is er iets anders dat je overstuur maakt?'

Maar ook dat ontkende Catharina hevig.

'Je weet toch dat je me alles kunt vertellen, Catharina. Alles.'

'Er is niets, grootjuffrouw. Werkelijk niet.'

Grootjuffrouw Amandine stond op.

'Dan ga ik maar.'

Bij de deur keek ze om. Ze las opluchting op het gezicht van de begijn.

Catharina sloot de deur achter de grootjuffrouw en viel op haar knieën.

'Help mij Heer, wees mij genadig.'

De woorden voor een persoonlijk gebed wilden niet komen uit de donkere poel van verdriet die haar verstikte. Ze zocht haar heil in de standaardformules die ze herhaalde tot het beven ophield.

De vermoorde man had bezit genomen van haar hoofd. Ze wilde dat ze zijn beeld uit haar gedachten weg kon branden of snijden, maar ze kon aan niets anders meer denken. Niet alleen aan hoe hij met ingeslagen hoofd over de rand van de put lag, maar ook hoe hij pas een dag geleden in deze kamer stond.

Ze hoorde nog zijn lijzige stem.

'Waar is uw echtgenoot, juffrouw Catharina?'

Voor ze antwoord kon geven, voegde hij er nog een druppel venijn aan toe.

'Zeg niet dat hij overleden is. Ik heb een getuige die hem vorige week in Breda heeft gesproken.'

Zijn woorden haalden haar onderuit. Even maar. Een

onvermoede kracht nam het over en met slechts een lichte trilling in haar stem, zei ze: 'Uw getuige heeft zich vergist. Wijlen mijn echtgenoot had een heel gewoon uiterlijk. Honderden mannen lijken op hem.'

'Getuigen van een dienaar van de Heer vergissen zich niet.'

Hij schoot een laatste giftige pijl af.

'Wie ligt er begraven in zijn graf? Je hoeft het mij niet te vertellen. Ik kom het wel te weten, juffrouw.'

Met een grijns om de lippen was hij weggegaan.

Ze had hem door het raam nagekeken. Buiten was hij opgelopen tegen juffrouw Barbara. Hij had de piepjonge begijn nagestaard tot ze in haar huis verdween, zijn ogen tot spleetjes samengeknepen. Pas toen was hij uit haar gezichtsveld verdwenen.

Catharina bad hardop tot haar stem brak en ze in huilen uitbarstte. Dat luchtte op en na een poos kwamen er geen tranen meer.

Er daalde een vreemde rust over haar heen.

Ze wist dat het begonnen was.

Het was beangstigend dat ze niet zeker wist wie de kar aan het rollen had gebracht. Ze zou erop moeten springen, of ze wilde of niet.

6

Toon van Gent wou dat hij nooit getrouwd was. Hij kende meer mannen die spijt hadden van die stap. Was het de normale gang van zaken dat in amper een jaar tijd een lief, volgzaam, knap ding door het huwelijk veranderde in een bazige, lelijke kenau?

Niet dat hij zich nog druk maakte over haar geraas. Hij sloot zich af en dacht aan prettigere zaken. Gewoonlijk was dat aan Minneke, een goedlachse, gewillige dienster in De Zwarte Hond, een afspanning halverwege Antwerpen en Lier.

Zij dook graag voor een paar stuivers met hem het hooi in, iedere keer dat hij er langskwam. Vandaag was jammer genoeg niet zij de reden van zijn verstrooidheid. Om de haverklap dwaalden zijn gedachten af naar het onprettige beeld van twee begijnen en een zwaaiende hand in de stroming van de Nete.

'Hoor je me?'

'Wat?'

'Je luistert niet eens naar wat ik zeg!'

'Waarom zou ik? Je gelooft me toch niet. Het paard was mank. Ik kwam net te laat aan de stadspoort.'

'Als je écht had gewild, was je op tijd geweest, al had je dat stomme paard op je schouders moeten dragen!'

'Als jij écht wilde, zou je mij voor één keer eens geloven.'

'Toon...'

Het vroegere, vriendelijke meisje kreeg plots weer de bovenhand. Ze kon zijn naam bijzonder doen klinken en dat deed hem nog altijd iets. Daarom ging hij niet de kamer uit, zoals hij van plan was, maar keek hij haar aan.

Het was niet waar dat ze lelijk was geworden. Een beetje gevulder misschien, maar dat stond haar goed. Hij stak zijn hand naar haar uit en trok haar tegen zich aan.

'Roos, mijn roos, mijn bloem.'

'We krijgen een kind.'

Het leek alsof er iets aan zijn oren mankeerde.

'Toon, we krijgen een kind!'

Het duurde nog even voor het tot hem doordrong, maar toen voelde hij zich overspoeld door een golf van vreugde. Hij slaakte een kreet en grabbelde haar beet.

Ze gooide haar hoofd achterover en lachte klaterend. Zoals alleen zij kon.

Fier als een pauw, hoofd in de wolken, stapte Toon richting kroeg. Hij moest dringend met zijn maats op het goede nieuws drinken. Iedereen mocht meegenieten van zijn toekomstige vaderschap.

Hij zou er niet te lang blijven rondhangen, want vandaag was het de eerste dag van een nieuw leven. Vanaf nu zou hij harder werken, zijn verantwoordelijkheid opnemen voor zijn vrouw en kind, kinderen, want het zou niet bij één blijven. Hij wilde dat ze het goed hadden en trots konden zijn op hem. Later zou zijn oudste zoon de handel overnemen en hem dankbaar zijn.

Tot nu toe had hij vooral genoten van de geneugten van het dagelijkse leven, niet dat die hem zo gul werden toebedeeld, maar hij had zich altijd overal met een lach van afgemaakt.

Hij had geleefd van de ene dag in de andere, gepakt wat er te pakken viel en de rest kon hem gestolen worden.

Een opmerkzame toeschouwer kon de verandering lezen in zijn manier van lopen. Zijn passen waren langer, zijn rug rechter, zijn hoofd opgeheven, zijn blik brutaler.

Natuurlijk kon die toeschouwer niet in het hoofd kijken van de opgewonden, toekomstige vader. Hij zou geschrokken zijn, want in dat hoofd groeide er een plan om een arme marktkramer te veranderen in een bemiddeld koopman. Het enige wat hij nodig had, was een aardig beginkapitaaltje en werklust.

Het laatste gloeide in hem als een houtskoolvuurtje, het hoefde alleen maar aangeblazen te worden en het eerste... wel daar schoot hem ineens een mogelijkheid te binnen.

Toon was een man van opwellingen. Hij kreeg een ingeving en meteen sloeg hij een nieuwe weg in zonder te wachten tot het plan rijp was om uitgevoerd te worden. Het was deze keer niet anders. De kroeg kon wachten.

Hij draaide de weg naar het begijnhof in. Het was geen omgeving waar hij vaak kwam. Er waren geen kroegen of winkels, dus had je er niet veel te zoeken. Het feit dat er alleen vrouwen woonden, sprak dan weer tot de verbeelding.

Er werd gezegd dat 's avonds, als de poorten van het begijnhof gesloten werden, de vrouwen, die overdag zedig de kerk platliepen, hun habijt afwierpen en met binnengesmokkelde mannen van bil gingen.

Sommige begijnen zouden zo loops staan als teven en overdag een onschuldige mannelijke voorbijganger binnenlokken en hem in een opkamertje opsluiten tot ze 's nachts hun duivels loslieten.

Laat het duidelijk wezen dat de onschuldige man de volgende dag met hoogrode wangen, glazige ogen en een eigenaardige glimlach het hof uit sloop en er nooit een woord

37

over losliet. Je kon het echter aan zo'n man zien, daar waren ze het over eens. Er volgden knipoogjes en wetende blikken over en weer. Dronkemansgelal dat zijn invloed niet miste.

Toon betrapte er zichzelf op dat hij speurde naar wulpse blikken van de vrouwen die zich her en der spoedden. Ze bekeken hem inderdaad, maar zelfs zijn overspannen verbeelding kon er niets wulps in ontdekken, alleen nieuwsgierigheid.

Hoe vond hij tussen al die vrouwen die twee van vannacht? Eén was al voldoende om zijn plan uit te voeren.

Hij liep langzaam de hoofdstraat door, bij elk zijweggetje vertragend en speurend. Op het einde van de straat twijfelde hij. De keuze was links naar de bleekvelden waar op dit uur van de dag waarschijnlijk veel begijnen bezig waren met het wassen en bleken van wol of gewoon van hun wasgoed, of naar rechts een zijstraat in die ook links en rechts door huisjes werd afgeboord.

Besluiteloos bleef hij staan.

Toen zag hij haar. Het was de oudste van de twee. Ze ging een grote woning binnen.

Toon glimlachte tevreden. Zijn speurtocht was niet tevergeefs geweest. Hij liet zijn knokkels ritmisch op het hout van de deur roffelen.

Het duurde een tijdje voor er een gelaat achter het traliewerk van het spionnetje verscheen.

'Ja?'

'Zou ik u kunnen spreken?'

Het spionnetje ging dicht en het duurde zo lang voor er weer enige reactie kwam dat Toon aanstalten maakte om nogmaals aan te kloppen. Zijn opgeheven hand sloeg potsierlijk in de lucht toen de deur openzwaaide.

Het stokoude begijntje dat hem priemend aankeek, was niet degene die hij hebben moest.

'Oh... ik ben verkeerd. Ik dacht nochtans dat ik...'

'Moet u de grootjuffrouw hebben?' vroeg het begijntje.

'Die woont hier ook?'

'Waar zou ze anders wonen?'

Het vrouwtje bekeek hem alsof ze aan zijn verstand twijfelde.

'Dan denk ik dat ik de grootjuffrouw wil spreken', zei Toon.

Hij wilde al over de drempel stappen, toen de deur voor zijn neus dichtviel. Binnensmonds vloekend deed hij een pas terug. Was het de bedoeling dat hij wachtte of werd er verondersteld dat hij verdween? Dat laatste was hij niet van plan, als die heks dat maar niet dacht.

Toen zwaaide de deur weer open. Deze keer mocht hij binnen.

Toon bekeek de grootjuffrouw uitdagend. Hij had haar gelaat zien verstrakken en een blos op haar wangen zien groeien naarmate hij beschreef waar hij die nacht getuige van was geweest.

Hij was in zijn eisen niet té gulzig geweest; trouwens als hij zo rondkeek in de woning, was die begijn rijk genoeg om te betalen wat hij in ruil voor zijn stilzwijgen vroeg. Er stonden zware, eikenhouten meubels die heel wat gekost moesten hebben.

'U vergist zich', zei ze zuur.

Toon lachte schamper.

'Ik kan altijd nog naar die andere begijn gaan. Misschien kunt u mij haar naam geven? Ze was groot en slank en jonger. Eigenlijk mocht ze er best wezen. Ja, ik denk dat ik maar eens naar haar op zoek ga. Als ik haar uiterlijk beschrijf aan andere begijnen, zal er wel iemand zijn die mij haar huis kan wijzen. Alleen zullen ze allemaal wel nieuwsgierig worden.

Zo zijn vrouwen, nietwaar? Overal hun neus tussen steken en maar gissen wat ik bij hen ga doen... Ik kan het ze natuurlijk ook meteen zeggen.'

'Misschien kan ik u geven wat u vraagt', zei de grootjuffrouw.

'Ik wist wel dat u verstandig zou zijn!'

'Niet omdat wat u beweert ook maar een greintje waarheid bevat, maar omdat u het geld zo te zien kunt gebruiken', zei ze haastig.

Toon grinnikte. Als ze het zo wilde spelen... voor hem niet gelaten.

'U bent té vriendelijk', zei hij schamper. 'Mijn arme vrouw en mijn tien dutsen van kinderen zullen eindelijk hun buikjes rond kunnen eten.'

'Kom morgen terug', zei ze. 'Er zal een beurs met geld voor u klaarliggen.'

Twee tellen later stond hij op straat, breed lachend en bijna huppelend haastte hij zich naar de kroeg.

7

Catharina haastte zich door de stad richting marktplaats. Voor het bordes van het stadhuis was er een kleine volkstoeloop. Ze zag dat er onder toezicht van enkele Spaanse soldaten een verordening werd voorgelezen.

Ze bleef niet staan luisteren, maar draaide naar rechts, liep de Hogebrug over waaronder net een vissersboot met platgelegde mast richting Vismarkt koers zette. Wat verder stak ze de Minnevliet over en haastte ze zich langs de grote kerk met het kerkhof richting Leuvense binnenpoort.

Ze was diep in gedachten verzonken, keek niet op of om. Ze liep zo snel dat het bijna leek op een vlucht. Daardoor trok ze de aandacht, maar daar was ze zich niet van bewust. Een bedelaar lachte dat ze op weg was naar haar minnaar en dat vurig verlangen haar voortdreef. Hij zei het wel heel wat schunniger.

Ze stak de Kerkhofmolenloop over, een vliet dicht bij het kerkhof die een watermolen aandreef. Uiteindelijk bereikte ze haar doel, het gasthuis toegewijd aan de Heilige Elisabeth van Hongarije.

Het gebouw leunde tegen de gekanteelde stadsmuur aan, dicht bij de poort. Het lag niet ver van de Grote en de Kleine Nete. Elk jaar traden de rivieren bij storm en ontij minstens éénmaal buiten hun oevers. Het gasthuis deelde dan in de waterellende. Soms was het zo erg dat de behoeftige mannen en vrouwen die er verpleegd werden omdat ze zo ziek waren dat ze niet meer konden werken of bedelen, op de hooizolder moesten worden gelegd.

Zeven gasthuiszusters hadden de handen vol met de dagelijkse verzorging van de patiënten, met koken en schoonmaken en met het wassen van de gebruikte windels in de Nete.

In de keuken hielp een inwonende dienstbode. Een tuinman verzorgde de moestuin en de boomgaard. Vanuit de boerderij die buiten de stadspoorten lag, werd een paar keer per week hout en voedselvoorraad aangevoerd, zodat het gasthuis zichzelf kon bedruipen.

Catharina draaide de ingang van het gasthuis in en knikte tegen de zuster die in de bergplaats waar de kleding van de zieken werd opgeslagen, aan het vegen was.

De kleding bestond meestal uit niet meer dan lompen, maar was zelfs in die toestand nog enkele stuivers waard. Als de patiënt overleed – slechts heel zelden verliet iemand genezen het gasthuis – was dat de enige betaling die het gasthuis kon innen.

Zo gauw ze de ziekenzaal betrad, overmande haar de weeë geur van ziekte en dood die opsteeg uit de rijen koetsen, hoge bedden die als een alkoof met een gordijn afgesloten konden worden.

In elk bed lagen twee of zelfs drie patiënten naast mekaar, naakt onder grauwe dekens. Aan de ene kant van de zaal lagen de mannen, aan de andere kant de vrouwen.

Sommigen ijlden van de koorts, kreunden van pijn, riepen grove verwensingen omdat niemand hen nog kon helpen, of schreeuwden om hulp.

Een gasthuiszuster voerde een patiënt pap. Er liep meer naast de kin van de zieke dan er in zijn mond verdween, omdat hij zijn kaken maar een vingerbreedte kon bewegen.

Twee andere gasthuiszusters waren in het middenpad bezig de stinkende, etterende wonden van een jonge man te verbinden. Een van de twee was degene die Catharina hebben moest.

'Magdalena?'

De gasthuiszuster hoefde niet op te kijken om te weten wie de bezoekster was. Ze herkende de stem van haar zus uit duizenden.

'Catharina?'

'Ik moet je spreken.'

Catharina liep de ziekenzaal door naar het binnenhof, walgend van wat ze in de zaal zag. Ze bleef er onder de galerij staan, de tuin in turend zonder iets te zien.

Magdalena dook naast haar op.

'Ik heb niet veel tijd.'

De witte schort van Magdalena zat vol bruinrode vlekken van opgedroogd bloed en gelere van pus. Er hing ook een waas van de bedorven geur uit de ziekenzaal om haar heen.

Catharina raakte door die geur nog meer in de war dan ze al was.

'Hij is dood', stamelde ze. 'De schedel ingeslagen.'

'Wie?'

'Die vreselijke kanunnik.'

Catharina huiverde. Het beeld van het tot moes geslagen achterhoofd en het grauwe, naakte lichaam zou haar achtervolgen tot het einde van haar dagen.

'Hij lag bijna op mijn stoep. Het kan geen toeval zijn. Het is een teken van... van hem.'

'Bedoel je dat... Heb je hem gezien?'

'Neen, maar de kanunnik wist het. Hij wist bijna alles. Iemand heeft hem het zwijgen opgelegd, wie anders dan...'

Hoe meer tijd er verstreek, hoe minder ze twijfelde aan de identiteit van de dader.

'Ik moet het weten. Ik ga het hem vragen.'

'Ga hem niet opzoeken, Catharina. Je kunt niet tegen hem op. Dat weet je.'

'Hoe kan ik zo verder leven?'

'Bidden, dat moet je. Bidden om vergeving en om sterkte.'

'Alsof ik dat niet doe...' zuchtte Catharina. 'Misschien is de tijd gekomen om de zonden uit het verleden recht te zetten, Magdalena. Je weet waarover ik het heb.'

Hun blikken dwaalden naar de tuin, haakten even vast aan het huisje van de cholerapatiënten. In dat huisje, waar uit vrees voor besmetting niemand kwam die er niks te zoeken had, hadden ze de zonde in de kelder begraven tot het tijd was voor herstel.

'We kunnen het niet blijven uitstellen.'

Beide vrouwen leken wel te verschrompelen onder het gewicht van de grote verantwoordelijkheid die op hun schouders rustte.

Een gil vanuit de ziekenzaal maakte een einde aan het gesprek.

'Ze hebben mij nodig', zei Magdalena. 'Ik kan nu niet met je blijven praten.'

Een tweede, nog wanhopigere schreeuw deed haar op een holletje het gebouw in lopen.

'We hebben het er binnenkort over. Beloofd. Ik zal erover nadenken', riep Magdalena nog.

'Morgen? Kom je morgen naar het hof?'

Catharina zuchtte. Magdalena had haar waarschijnlijk niet eens meer gehoord. Ze zou morgen niet komen opdagen. Zo ging het hier nu altijd. Ze zou de volgende keer Magdalena mee de straat op moeten nemen om rustig met haar te kunnen spreken.

Ze was er wel zeker van dat Magdalena niet naar de binnenplaats zou terugkeren. Ze volgde haar met tegenzin.

In de ziekenzaal wendde ze met afschuw haar blik af van de vrouw die door hoge koorts buiten zinnen was en wild om zich heen sloeg.

Magdalena greep een arm en samen met een tweede zuster slaagde ze erin de patiënte plat op de rug te krijgen door er met haar volle gewicht op te gaan liggen.

De andere zieke in het bed trok zich in paniek jankend als een jong poesje zo ver mogelijk terug en werd bijna geplet tegen de muur. Ook zij schreeuwde het op haar beurt uit.

Misselijk van al die ellende vluchtte Catharina het gasthuis uit.

8

De tafel was gedekt. De stoofappelen geurden zoet. Het gebraad had een knapperig korstje, droop van de vettigheid en was klaar om van het spit gehaald te worden. De kruik stond naast de kristallen roemer gevuld met robijnrode wijn.

Ze had het witte jurkje aangetrokken en een borstel door haar lange lokken gehaald.

Alles was klaar en zag eruit zoals hij het graag had. Het eten smaakte bovendien om duimen en vingers bij af te likken. Daar was Maria zeker van. Ze proefde altijd uitgebreid tijdens het koken.

Het was dus zoals het moest zijn, behalve dat de kanunnik schitterde door afwezigheid. Maria was ervan in de war en ook een tikkeltje boos. Die twee emoties hadden elkaar gedurende de dag om de haverklap afgewisseld. Er wrong zich zelfs een spoor van ongerustheid tussen.

Tilly had dat laatste weggelachen.

Over de haag tussen de tuinen van de kanunnikenhuizen konden ze met elkaar praten als ze allebei op de toppen van hun tenen gingen staan. Dat was deze keer zelfs niet nodig geweest, want Maria stond op een ladder reinetten te plukken.

Er lagen al wat vruchten in haar mandje, maar nog niet genoeg.

Ze rekte zich uit en trok een dikke appel los. Ze hield hem onder haar neus en snoof. Appels konden zalig naar de zomer ruiken, de hele winter lang.

De appel had haar weer aan de kanunnik herinnerd.

Wat zei hij ook altijd weer, nadat hij haar eerst liefkozend zijn kleine engel noemde? Dat ze moest weggaan met de appel van het Kwade. Eigenlijk was hij toch maar een rare!

'Waar denk jij dat hij is?' riep ze.

Ze had een goed zicht op Tilly, die wasgoed op de bleek uitspreidde.

'Hij zal wel een minnares hebben', zei Tilly.

'Denk je?'

'Natuurlijk, hij heeft ergens een warm bed én een lekker warm lijf om tegenaan te kruipen gevonden.'

'Dat weet je niet zeker. Misschien ligt hij ergens ziek in een goot. Dat kan toch?'

'Dan hadden ze hem allang thuis gebracht en hing jij niet in die boom met mij te kletsen, maar had je de handen vol met hem op te lappen.'

'Heeft jouw kanunnik een minnares?'

Daar moest Tilly hard om lachen. Kanunnik Verhaert was, behalve dat hij oud was, ook een halve heilige. Bovendien was hij slecht ter been. Kanunnik Verhaert ging nergens meer naartoe behalve naar de kerk voor de koorgebeden.

'Hij is al heel tevreden als hij erin slaagt zonder kleerscheuren in zijn eigen bed te geraken. Laat staan dat hij ergens een vreemd bed zou opzoeken.'

'Maar waarom zou mijn kanunnik dat dan wél doen?'

'Jij bent écht nog een kind, Maria. Je kent werkelijk nog niets van mannen. Of doe je maar alsof? Je kunt toch niet zo onnozel zijn.'

Vooraleer Maria daarop kon antwoorden, was Tilly weggeroepen. Maria had haar mandje vol geplukt en was ermee naar binnen gegaan, een tikkeltje verongelijkt omdat Tilly haar een kind had genoemd en onnozel ook nog.

Ze had gedurende de dag haar gewone, huishoudelijke werk gedaan, een beetje verstrooider dan anders, dat wel.

Geregeld schoot haar het beeld te binnen van haar kanunnik die ergens op een afgelegen plek kermend ziek lag te wezen, dat van die minnares had ze als mogelijkheid geschrapt.

Het was namiddag, toen er op de voordeur werd geklopt.

Maria schrok. Ze zag in haar verbeelding een doodzieke kanunnik, gesteund door sterke, helpende schouders op de stoep staan en holde naar de voordeur.

Het was echter een andere kanunnik, die zei dat hij een afspraak had en vroeg of die afspraak toch nog doorging, want hij had kanunnik Dodoens tijdens het koorgebed niet gezien.

'Hij is er niet', zei Maria.

'Ik kan misschien even wachten.'

Maria maakte geen aanstalten hem binnen te laten.

'Hij... is... euh... gewoon... hij is er niet en ik weet niet...'

'Is hij op reis?'

'Ja... nee... ja... ik weet het niet', hakkelde ze.

'Zeg hem dat hij mij komt opzoeken om zich te verontschuldigen als hij zich verwaardigt op te dagen. En wat sta jij daar als een kip zonder kop! Een goede huishoudster weet wat er in haar huishouden gebeurt.'

De man beende weg, mopperend over Dodoens, die meende dat regels niets voor hem waren, dat hij zich alles kon permitteren, maar dat boontje nog wel om zijn loontje kwam!

Maria was boos op zichzelf, omdat ze de man was vergeten te vragen hoe hij dan heette. Als ze haar kanunnik vertelde dat er iemand naar hem had gevraagd, wilde hij natuurlijk weten wie dan wel en dan stond ze daar met haar mond vol tanden. Misschien was ze werkelijk een kip zonder kop. De man was ooit al eens eerder op bezoek geweest. Ze had toen een naam gehoord. Hoe was die ook alweer? Het had haar aan een beest doen denken...

Kanunnik Calcoen voelde zich op de tenen getrapt. Daar was ook niet veel voor nodig. Mensen die hem kenden, wisten dat hij héél lange tenen had. In dit geval had hij echter reden om zich verongelijkt te voelen.

Dodoens was bij hem op een avond komen doorzagen over een schandaal dat hij op het spoor was. Dodoens zag overal schandalen, dus had hij er eerst geen aandacht aan geschonken. Hij had hem maar laten praten, terwijl hij zelf in gedachten bezig was met de preek die hij volgende zondag in de hoogmis zou afsteken.

Tot Dodoens plots zei: 'Ik ben de verrader op het spoor die onze stad aan de ketters overleverde.'

'Meen je dat?'

'Er ontbreken nog enkele bewijzen, maar als ik die in mijn bezit heb, dan...'

Dodoens had zich naar hem toegebogen en gesist: '...zal Lier zodanig op zijn grondvesten daveren dat ze het tot in Spanje aan het koninklijk hof zullen vernemen!'

De theatrale manier van spreken deed lachwekkend aan.

'En hoe denk jij aan die bewijzen te geraken?' had Calcoen spottend gevraagd.

'Ik kan er op het begijnhof vinden.'

'Op het begijnhof?'

Hij was beginnen te lachen.

'Zit die verrader bij een begijn verborgen?'

'Het is niet grappig.'

'Is de verrader een begijn?'

'Ik zal je meer vertellen als ik terugkom, maar ik kan je verzekeren dat de begijnen in Lier zullen ophouden te bestaan als het bekend wordt.'

'Waar ga je dan naartoe?'

'Naar Breda.'

'Onmogelijk. De grens met de Noordelijke Nederlanden is nog altijd een bewegende frontlinie. Je geraakt er niet heelhuids doorheen.'

'Toch ga ik.'

'Maar wie ben je dan op het spoor?'

'Ik zou je nu al meer kunnen vertellen als je mee zou gaan.'

'Ik?'

'Met z'n tweeën is het veiliger. Denk erover na. Laten we overmorgen afspreken vlak na het derde koorgebed. Dan wil ik het weten. Als je niet meegaat, vertrek ik alleen.'

Een beetje lacherig had hij beloofd erover na te denken. Dat had hij gedaan ook. Meer nog, het had hem niet meer losgelaten. Hij was bijzonder nieuwsgierig geworden. Eigenlijk had hij al besloten. Hij ging met Dodoens mee!

Hij snakte ernaar om het saaie kanunnikenleventje eens een tijdje in te ruilen voor wat spanning. En nu was die verwaande kwast niet op de afspraak. Zou hij het werkelijk hebben aangedurfd hem voor aap te zetten door toch alleen te vertrekken na eerst om zijn gezelschap te hebben gesmeekt?

Maria verzekerde zichzelf dat haar kanunnik oud en wijs genoeg was om op zichzelf te passen. Hij zou dadelijk wel opdagen.

Maar dat deed hij niet.

Ze zat in het dunne, witte jurkje te verkleumen en hongerig naar het gebraad te kijken dat ze ondertussen van het spit had afgehaald.

Het werd later en later. Ze werd bozer en bozer en besloot op een gegeven moment dat het genoeg was. Ze installeerde zich in de keuken met het volledige gebraad voor zich op tafel en liet het zich smaken.

Ze was zelfs zo brutaal van de wijn te drinken en dan nog wel uit zijn kristallen roemer. Als hij dan toch op reis was... of niet... ergens moest hij toch zijn... zonder haar te verwittigen! Dat was toch maar een kleine moeite geweest, neen toch? Maar had hij dat gedaan? Neen, dus mocht zij voor al haar moeite toch wel beloond worden, zeker?

De wijn liep makkelijk naar binnen... en lekker was hij ook. Misschien moest ze in de kelder de kruik nog maar eens vullen.

9

Godfried Lesage zat aan de glimmend geboende schrijftafel om zijn tweewekelijkse rapport aan Barbara's vader te schrijven. Meestal was er weinig te melden, alleen dat Barbara het goed stelde en haar eerbiedige groeten aan haar vader overbracht en nog wat kleinere verzoeken, meestal van financiële aard. Barbara was dan wel een begijn die geacht werd in schamelheid te leven, maar haar vader had erop aangedrongen dat het haar aan niets mocht ontbreken.

Deze keer vlotte het schrijven niet erg. Er was iets gebeurd en daar zat hij mee in zijn maag.

Kanunnik Dodoens had een onterechte beschuldiging geuit en gedreigd de vader van Barbara ervan op de hoogte te stellen. Nu vroeg Lesage zich af of hij het in het rapport zou vermelden of niet. Misschien was het niet nodig. Tenslotte was er niets gebeurd. Die kanunnik dácht alleen maar dat er iets was dat niet door de beugel kon.

Alleen... als hij het incident verzweeg, kwam hij in de problemen als Dodoens zijn bedreiging om contact met Barbara's vader op te nemen, uitvoerde. Dan werd hij in de verdediging gedrongen. Iedereen wist dat een verdedigende positie niet de beste positie was.

Zijn pen nam hem de beslissing uit handen door een grote druppel inkt te laten vallen. Hij keek een beetje beteuterd naar de vlek die openwaaierde tot een bloem.

'Net een korenbloem', zei Godfried.

De oude knecht die het haardvuur oppookte – het was nog niet echt herfst maar de avonden waren al kil – wist niet of er een antwoord van hem werd verwacht. Hij bevestigde schutterig dat het wel een korenbloem moest zijn, want dat hij geen enkele andere blauwe bloem kende, alhoewel hij meende er toch al eens één gezien te hebben.

'Breek je hoofd er niet over, Wannes.'

Het bevlekte papier belandde, verfrommeld tot een prop, op het brandhout en zorgde meteen voor wat meer pit in het vuur.

Lesage nam geen ander vel. Hij besloot deze keer mondeling rapport uit te gaan brengen.

'Ik vertrek morgenochtend naar Antwerpen. Verwittig de staljongen dat hij mijn paard klaar houdt.'

Hij was aan een uitje toe, hij zou er zijn gemak van nemen en genieten van het landschap. Bovendien was een mondeling verslag makkelijker. Na een goede maaltijd en wat bekers wijn zou het incident alleen maar een lichtvoetige anekdote zijn waar smakelijk om kon worden gelachen.

Op die manier zou Barbara's vader er niet zwaar aan tillen dat zijn dochter, die verloofd was, door een kanunnik was betrapt toen ze hem, Godfried, een zoen gaf. Een kuise, vluchtige zoen op de wang als begroeting wel te verstaan.

De kanunnik die heel onbeleefd binnenkwam zonder te kloppen, begreep het helemaal verkeerd.

'Hoererij', siste de kanunnik. 'Hoererij!'

Lesage had heel beleefd uitgelegd dat het een begroetingskus was. Hij had zelfs geprobeerd er een grapje over te maken, maar dat had het alleen maar erger gemaakt.

De kanunnik was ronduit beledigend geworden, waarop hij zijn zelfbeheersing had verloren en de man eruit had gegooid. Daar was hij natuurlijk in de fout gegaan. Een man van God laat je niet ongestraft in het zand bijten.

Warme melk met honing, dacht Catharina, als dat niet helpt, weet ik het ook niet meer. Ze zette een dampende kom neer voor Barbara, die maar bleef huilen.

'Het was geen echte zoen', snikte ze. 'Nee toch?'

'Stil maar. Natuurlijk niet. Drink van je melk, toe.'

'Godfried was woedend omdat de kanunnik mij een slang noemde, een slang die met vrouwelijke listen mannen de hel in duwt. Godfried gooide hem buiten. De kanunnik zat plat op zijn achterste in mijn voortuin.'

Catharina zag het helemaal voor zich. Ze schoot in een lach.

'Vergeet het nu maar.'

De jonge begijn begon alweer te huilen.

'Godfried is nog een tijdje bij me blijven zitten om me te kalmeren. Hij was boos om al de lelijke dingen die de kanunnik had gezegd en ik was erg van streek.'

'Hij heeft je getroost.'

'Maar Godfried heeft niets gedaan wat niet toelaatbaar is. Hij heeft mij nooit met een vinger aangeraakt!' haastte Barbara zich. 'Je mag niet denken dat...'

'Natuurlijk. Ik geloof dat hij een goede man is.'

'Ja,' zuchtte Barbara, 'hij is een echte vriend, maar hij is ook een man en daarom zal ik hem nooit... zal ik hem nooit... nu ja.'

'...alles kunnen vertellen', maakte Catharina de zin af.

'Godfried ging weg en toen heb ik mijn avondpap gekookt en toen...'

'En toen?'

'Was hij daar weer.'

'Lesage?'

Barbara schudde het hoofd.

'Kanunnik Dodoens.'

'Begon hij je alweer te beschuldigen?'

'Neen... neen... dat deed hij niet.'

Barbara stokte.

'Wat deed hij dan wel? Vertel het me, Barbara!'

'Hij was lief, Catharina, poeslief.'

Catharina kon zich moeilijk een poeslieve kanunnik Dodoens voorstellen.

'Hoe bedoel je?'

'Hij streelde heel zacht over mijn wang en zei dat ik zijn kleine engel was.'

'Hij streelde je wang?'

'Ja. Even maar, hoor. Ik schrok er wel van.'

'En toen?'

'Ging hij zitten en keek hij alleen maar.'

'Naar jou.'

'Ja.'

'En?'

'Wat en?'

'Vond je dat fijn?'

'Weet ik niet. Ik was blij dat hij niet meer boos was. Ik vroeg of hij iets wilde drinken, of eten. Maar hij wilde niets hebben.'

'En toen?'

Barbara aarzelde. Het was duidelijk dat het moeilijkste gedeelte eraan kwam.

'Je mag mij alles vertellen, Barbara. Alles. Wat gebeurde er toen?'

'Toen zei hij dat ik aan de Heer vergiffenis moest vragen. Hij wilde er getuige van zijn en dan zou hij mij ook vergeven en niet naar mijn vader schrijven.'

'Maar je had niets verkeerds gedaan. Je hoeft toch geen vergiffenis te vragen voor iets wat je niet deed?'

'Het leek mij dat het geen kwaad kon dat ik vergiffenis vroeg. Als daarmee alles in orde was... Ik wilde niet dat hij mijn vader lastigviel!'

'Wat moest je dan doen? Bidden tot de Heer?'

'Ja.'

'Dus je knielde neer en bad.'

'Neen... ik... hij zei dat ik mij eerst mooi als een engel moest maken om voor de Heer te verschijnen, anders zou mijn gebed niet aanvaard worden. Ik moest mijn hoofddoek afzetten en mijn haar borstelen. Je weet dat ik mijn haar lang mag houden omdat ik ga trouwen. Toen zei hij dat het nog niet genoeg was. Ik... ik moest mijn bovenkleed uittrekken. Hij zei dat mijn witte onderjurk mij onschuldig als een kind maakte en dat de Heer daarom glimlachend naar mij zou luisteren. Ik moest vlak voor hem komen staan zodat hij goed kon horen wat ik precies tegen de Heer zou zeggen. Ik moest hardop bidden met mijn ogen stijf dichtgeknepen en mocht niet ophouden met bidden en ook niet kijken tot hij zou zeggen dat ik mocht stoppen... maar... dat heeft hij niet gedaan. Plots was hij weg.'

'Je zag hem weggaan.'

'Nee. Ik had toch mijn ogen gesloten! Ik hoorde eerst... een soort gegrom, zoals een grote boosaardige hond doet voor hij aanvalt... en daarna voetstappen en de deur die open en dicht ging en daarna niets meer en toen ik door mijn wimpers gluurde... was hij weg.'

'Ben je hem achterna gegaan?'

'In mijn onderkleed? Natuurlijk niet. Ik heb mij vlug aangekleed en heb mij naar de kerk gehaast voor het avondgebed. Ik was er net op tijd.'

Catharina drong aan. Dit kon toch niet alles zijn?

'Jawel', zei Barbara.

Catharina kende Barbara niet goed genoeg om te weten of ze werkelijk zo onschuldig was als ze leek. Deed ze zich zo maar voor? Schiep ze een rookgordijn om te verbergen dat de kanunnik niet alleen maar gekeken had, maar zich had uitgekleed en zich aan haar had opgedrongen? Dat zij om zich te verdedigen het eerste het beste had vastgepakt en hem op het hoofd had geslagen. Eén, misschien twee of zelfs meer keren tot het gevaar was afgewend? Dat ze gewacht had tot het donker was en iedereen sliep en ze hem daarna tot bij de put had gesleept?

Of was Lesage niet weggegaan en was de verhouding tussen hem en Barbara niet zo onschuldig als ze beweerde? Was de kanunnik erachter gekomen en wilde hij dát aan de vader van Barbara schrijven? Had Lesage de moord al vroeger op de dag gepleegd en had hij gewacht tot het donker was om zich van het lijk te ontdoen?

Maar waarom zouden hij of Barbara het lichaam op zo'n opzichtige manier achterlaten? Zij zouden er meer belang bij hebben dat de kanunnik ergens buiten het hof werd gevonden. Ze zouden immers niet willen dat er iemand zou denken dat hij bij een vrouw op bezoek was geweest?

'Waarom zeg je niets? Geloof je me niet?' riep Barbara.

Catharina schrok op.

'Jawel, Barbara.'

'Waar zit je dan aan te denken?'

'Ik ben moe. Ik denk dat je nu beter naar huis kunt gaan. Het is al laat.'

Ze liet de jonge vrouw buiten en terwijl ze de grendel achter haar op de deur schoof, nam ze een besluit. Ze zou morgen de confrontatie aangaan met de enige die ze kon verzinnen die er baat bij had dat de kanunnik het zwijgen werd opgelegd én dat er een schandaal op het begijnhof ontstond.

10

Er was een gat in de haag. Niet zo een gat laag bij de grond waar alleen maar een kat of een kind zich doorheen kan wurmen, maar een dunne plek waar een volwassen mens die niet te dik is, zich makkelijk doorheen kan wringen zonder takken te breken.

Gewoonlijk ging Maria daarlangs op bezoek bij Tilly, overdag, maar meestal laat op de avond als de boel aan kant was en de kanunnik zich had teruggetrokken.

Ze dronken dan samen een avondmutsje tot Joris op het raam tikte. Dat was het signaal voor Maria om met een samenzweerderig knipoogje te vertrekken en het verliefde paartje alleen te laten.

Een enkele keer kwam Tilly buurten, als ze niet met Joris had afgesproken of als ze ruzie met hem had. Deze keer had ze dringend behoefte aan een babbel.

Terwijl Tilly haar jurk lostrok omdat die achter een tak van de haag was blijven haken, vroeg ze zich geprikkeld af waarom Joris die avond niet was komen opdagen. Gisteravond had hij ook al zijn kat gestuurd. De hele vorige week had hij zich koel en afwezig gedragen als hij bij haar was, al beweerde hij dat zij het zich maar verbeeldde.

'Er is niets aan de hand. Ik heb gewoon hard gewerkt.'

'Wat heb je dan gedaan?'

'Zeur niet zo.'

'Ik zeur niet. Ik wil het alleen maar weten. Uit belang-stelling.'

'Ik moet weg.'

Sindsdien had ze hem alleen maar van ver gezien als hij in een van de tuinen aan het werk was. Ze had een paar keer naar hem geroepen, naar hem gezwaaid, maar hij had haar niet gezien of gedaan alsof.

Ze hadden deze week slechts één keer gevrijd, helemaal in het begin van de week. Toen was alles nog in orde ge-weest. Nu vreesde ze dat hij niet meer van haar hield en een ander had. Ze kon zich alleen niet voorstellen wie hem van haar had afgepakt.

Joris was geen vrouwenloper. Hij beweerde dat zij pas zijn tweede liefje was. Eerder was hij verliefd geweest op het meisje dat vóór Maria bij kanunnik Dodoens in dienst was. Tilly wist niet wat er van haar geworden was. Ze was toen zelf nog niet bij kanunnik Verhaert in dienst.

Het tuinpad slingerde door de boomgaard, langs de bloe-mentuin naar het huis toe. Het was vollemaan en het zach-te licht maakte alles mooi en vredig.

Tilly had daar vanavond geen oog voor. Ze was vergeten een omslagdoek over haar schouders te gooien en nu huiver-de ze. Het was nog niet echt koud, maar toch al frisser dan een week geleden. Je voelde dat de herfst voor de deur stond.

Een flauwe lichtschijn verlichtte het keukenvenster dat Tilly's doel was. Vlak ernaast groeide er een kamperfoelie tegen de muur. De struik was uitgebloeid, maar was voor haar het zinnebeeld voor romantiek.

Joris had haar de eerste keer gezoend op een avond toen de wind de zwoele geur van de kamperfoelie tot in de buur-tuin had gevoerd.

Tilly tikte op het raam. Maria trok de deur open. Gewoon-lijk was Maria erop beducht zo weinig mogelijk geluid te maken om niet de aandacht van haar kanunnik te trekken. Vanavond riep ze giechelend: 'Kom binnen, kom binnen!'

Ze sprak met dubbele tong en sproeide Tilly onder met speeksel. Ze bleef de zin maar herhalen. Het schalde door de tuin en Tilly schoof haastig de grote keuken in en sloot de deur achter zich.

'Ssst! Zo maak je hem wakker!'

'Neeeeuueeee! Ik maak hem niet wakker!'

'Je bent dronken', zei Tilly geïrriteerd.

'Stiepelzat! Goed he? Wil je ook?'

Maria wachtte het antwoord niet af, maar schonk voor Tilly een beker boordevol wijn. Hoewel ze wankelde op haar benen, slaagde ze erin geen druppel te morsen. Misschien kwam dat wel omdat net op het moment dat de wijn over de rand van de beker dreigde te lopen, de kruik leeg was.

Maria loerde er beteuterd in, veegde met haar wijsvinger de laatste druppels op en likte haar vinger af.

'Er is nog... in de kelder... nog twee volle vaten. Tweeeee!'

Maria stak drie vingers de lucht in.

'Jaja', zuchtte Tilly. 'Twee zei je toch?'

Ze kon er echt niet om lachen. Net nu ze een vriendin nodig had, kwam er geen zinnig woord uit Maria. En waarom liep ze in dat korte, witte jurkje rond? Ze zag er belachelijk uit.

'Ik ga naar... naar waar ga ik? O ja! Ik ga naar de kelder wijn halen. Jij moet meegaan, want mijn benen wiebelen alle kanten op.'

Tilly schudde geërgerd het hoofd.

'Jij moet gaan slapen. Ik ga maar weer naar huis.'

Het kwam er strenger uit dan ze bedoelde. Ze was dan ook erg teleurgesteld.

'Niet boos zijn. Je hoeft niet mee als je niet wilt... en je wilt het niet, zie ik... Ik zal het wel alleen doen. In de kelder... Ik ga het nu pro...'

Een hik knalde door de keuken.

'Je hebt genoeg gehad.'

'Pro-be-e-eren', maakte Maria giechelend en hikkend haar woord af.

Ze wees naar de bank bij de zware, blankhouten tafel.

'Zit... ik ben in een wi-i-ip terug. Zit!'

Zonder af te wachten of het bevel werd opgevolgd, wankelde ze richting kelderdeur.

Tilly dacht er niet aan te gaan zitten. Ze hield haar tegen.

'Jij hebt wel genoeg gehad en ik wil niks drinken. Je gaat nu slapen en ik ga naar huis.'

Maria keek haar vriendin met lodderige ogen aan.

'Ja, ik ga slapen,' zei ze, 'als jij niet boos bent. Geef mij een ku-u-u-s.'

'Goed', zei Tilly terwijl ze zich naar haar toe boog en even haar lippen tuitte. 'Dan ben ik weg. Kruip in je nest.'

Ze aarzelde nog even bij de deur. Moest ze Maria in bed stoppen? Maar die was nu ook weer niet zo ver heen dat ze haar strozak in de bijkeuken niet zou vinden. Ze liet haar blikken over de haard glijden. Het vuur brandde nog amper, dus dat kon ook geen kwaad.

'Doe de grendel op de deur als ik buiten ben', zei ze nog. 'Tot morgen.'

Ze trok de deur achter zich dicht en liep geërgerd naar het gat in de haag. Veel later zou ze zich afvragen of ze gehoord had dat Maria de grendel op de deur schoof, maar nu was ze alleen maar bezig met kankeren op Maria's gedrag.

Ze had helemaal niet met haar over Joris kunnen praten en over zijn koele gedrag en over haar vrees dat hij een ander lief had.

Eigenlijk was Maria een losbol. Ze had niet veel aan haar. Zwaar teleurgesteld schoof Tilly door de haag en liep ze weer naar haar eigen kanunnikenhuis toe, waar haar kanunnik braaf in zijn bed lag te ronken.

11

Het leven is goed, het leven is mooi, het leven is prachtig...

Toon van Gent kon zo nog wel een tijdje doorgaan. Hij legde zijn hand op de naakte buik van Roos, vlak boven het gouden bergje krulhaar. Daar groeide het kind dat hij zou beschermen en een mooie toekomst zou bezorgen. Hij was er zeker van dat het een zoon zou worden.

Roos kroop in haar slaap tegen hem aan, tevreden glimlachend. Dat kwam natuurlijk omdat hij een goede minnaar was die een vrouw gelukkig kon maken. Daar had hij zich het laatste halfuur intens mee beziggehouden en aan haar gekreun en gehijg te horen, was hij daar best in geslaagd.

Hij vond dat zijn aanstaande vaderschap hem had veranderd in een verstandig man. Een van de bewijzen daarvan was dat hij zich voortaan tot één vrouw zou beperken, omdat ze de moeder van zijn toekomstige kinderen was en ook nog knap en vrolijk. Bovendien kon ze goed koken.

Hij zag zijn leven al helemaal voor zich. Op één detail na: hij was er nog niet uit wat hij precies zou gaan verhandelen.

Het moest iets zijn waar hij vlug rijk mee kon worden, maar dat toch niet te veel risico met zich meebracht.

Hij had horen vertellen dat met de handel in kruiden veel te verdienen viel. Zou hij zich met zijn kapitaal bij zo'n handelaar kunnen inkopen als compagnon? Of was dat te hoog gegrepen? Naar het schijnt had je om kruiden te verhandelen een fortuin nodig, maar kon je er ook fortuinen mee verdienen.

Wat die begijn zou ophoesten, was wel een aardige som, maar nu ook weer geen fortuin. Waarom had hij niet meer gevraagd? Hij was veel te braaf geweest. Dom eigenlijk, als je iets deed, moest je ervoor gaan.

Niets belette hem echter het te zien als een voorschot, als de start van een regelmatig inkomen.

De begijn zou niet durven tegensputteren, ze had te veel te verliezen. Van een zwakke vrouw had hij fysiek ook niets te duchten. Ze zou hem heus niet in een donkere steeg opwachten om hem de schedel in te slaan.

Alhoewel... die begijnen hadden wél een lijk in de Nete gegooid. Hadden ze het ook zelf een kopje kleiner gemaakt?

Toon ging met een ruk overeind zitten, ontdaan omdat hij zich dat niet eerder had afgevraagd. Was het dan toch waar wat Roos vaak beweerde?

'Je kijkt nooit verder dan je neus lang is, Toon. We moeten morgen ook nog vooruit kunnen en overmorgen en over tien jaar.'

Nu hij een zoon kreeg, moest hij ook daarin veranderen. Hij moest in de toekomst kijken en over alles beter nadenken. Dus... hoe zat het met dat lijk?

Er schoot hem een onrustbarende mogelijkheid te binnen.

Misschien zaten alle begijnen van het hof wel in één groot complot. Hadden ze een inbreker betrapt en hem een tikkeltje te hardhandig overmeesterd? Maar dan hadden ze toch gewoon de baljuw kunnen verwittigen? Nee, er moest een reden zijn waarom ze stiekem van het lichaam af wilden.

Iets in hem zei dat het lijk een man was. Misschien een

die niet voor het sluiten van de poorten uit het begijnhof was geraakt en die de vrouwen zo suf hadden geneukt dat hij er het loodje bij had neergelegd?

Hij was zo in gedachten verdiept dat hij niet eens merkte dat Roos slaapdronken haar hoofd van het kussen ophief.

'Je kijkt zo raar, Toon.'

Als een kind dat met de vinger in de honingpot betrapt werd, vond hij niet direct een antwoord.

'Raar?'

'Is er iets?'

Hij dacht koortsachtig na.

'Nee... ja... ik moet naar het privaat. Buikpijn.'

Hij trok een grimas.

'Je had niet zoveel moeten eten. Je hebt je vol zitten proppen.'

'Jouw schuld. Je wilt mij vetmesten.'

Hij deed een poging om het schertsend te laten klinken. Het lukte niet echt, maar het was voldoende om Roos om de tuin te leiden.

Ze draaide zich met een glimlachje op de lippen op haar zij en viel weer in slaap.

Voorzichtig, om haar niet nogmaals te wekken, stapte Toon uit de alkoof. Hij zou, nu hij toch wakker was, inderdaad maar een bezoekje aan het privaat brengen.

Het was misschien een eigenaardigheid van hem, maar hij vond het gemakhuisje een prima plaats om na te denken. Zijn beste ideeën ontstonden daar.

Hun huis was klein, zodat ze elkaar makkelijk voor de voeten liepen. Ze hadden maar twee kamers met daarboven een zolder waar hij zijn waren stapelde.

De ene was de beste kamer, die diende om gasten te ontvangen. Niet dat ze zo vaak gasten te eten hadden. Daar was ook de alkoof ingebouwd.

De andere was de keuken waar Roos kookte en waar ze meestal aten.

Er stonden niet veel meubels en wat er stond, had hij ofwel zelf getimmerd ofwel tweedehands gekocht. Het was een allegaartje, maar Roos hield de kamers netjes aan kant en had er een hand van om het gezellig te maken.

Naast het huis was een doorgang met een poort. Er kon net een kar doorheen. Soms schuurden de uiteinden van de assen tegen de muur als hij Cornelia erdoorheen mende naar het plaatsje erachter. Daar was een stal waar de merrie op haar beurt ook weer net in paste. De kar moest op de met onkruid overgroeide binnenplaats blijven staan. Tegen de stal leunde het privaat aan.

Toon zette zich op het gat in de houten plank. Hij liet de deur openstaan. Er was toch geen mens en dan kon het maanlicht zijn geest verlichten. Bovendien hing er in het huisje een penetrante geur die draaglijker werd als hij door een briesje werd verdund. Het was wel een beetje frisjes, maar dat hield hem scherp.

Hoe ver was hij in zijn redenering gekomen? Zover dat hij nu besefte dat hij die vrouwen niet moest onderschatten.

Als hij zich morgen op het hof waagde, zou hij op zijn hoede zijn. Die grootjuffrouw was al niet meer van de jongsten en dat andere vrouwtje daar in huis was hoogbejaard. Dat tweetal duwde hij met één vinger om. Van hen had hij niets te duchten.

Het gevaar kwam van de andere begijnen. Hij moest er zich dus voor hoeden zich niet door mooie praatjes te laten meelokken in het huis van een jongere begijn waar er misschien een heleboel van die vrouwen op hem zaten te wachten. Wie weet wat ze allemaal met hem van plan waren voor ze hem ook in de Nete kieperden?

Hij kapte zijn verbeelding vlug af, maar het was al te laat. Zijn geslacht roerde zich en het kopje rees parmantig boven het gat in de houten plank uit. Voor de eerste keer in zijn mannenleven was hij er boos om. Het drukte hem met zijn neus op zijn zwakke plek, maar er viel natuurlijk iets aan te doen.

Hij besloot dadelijk Roos nog maar een beurt te geven, om morgen zeker aan de verleiding van die vrouwen te kunnen weerstaan.

Voor de rest zouden ze een sterke man als hij, die op alles bedacht was, toch niet aankunnen? Zeker niet als hij een stok meenam, een die voor een wandelstok kon doorgaan. Misschien moest hij om het geloofwaardig te maken dat hij een stok nodig had, een beetje hinken.

Er was natuurlijk ook nog die andere begijn die hij een bezoekje wilde brengen. Misschien viel er bij haar nog meer te rapen? Iedereen wist toch dat begijnen rijk waren. Hoe zouden ze anders zonder een man om voor hen te zorgen in leven kunnen blijven?

Hij zou zich dan wel in haar woning moeten wagen, of zou hij wachten tot hij haar ergens in de veilige buitenlucht kon aanspreken? Begijnen gingen vaak genoeg de stad in en daar waren ze bij wijze van spreken op zijn terrein. Het was veiliger om dat te doen. Hij zou de kat uit de boom kijken, ogen en oren openhouden en haar bij de kladden grijpen als de tijd er rijp voor was.

Toon voelde zich ineens weer vol zelfvertrouwen. Hij verliet het privaat om bij Roos in het warme bed te kruipen en zich door de geneugten van haar zachte lichaam te wapenen tegen vrouwelijke verleiding.

Toon zou er meteen weer ongerust van geworden zijn, als hij had geweten wat grootjuffrouw Amandine net op dat ogenblik lag te denken.

Ze was niet van zins ook maar één duit te betalen aan die afperser. Geen sprake van. Met zoiets wist je waar je aan begon, maar niet waar je eindigde. Daarom had ze hem niet meteen uitbetaald, maar had ze hem laten terugkomen om tijd te winnen, in de hoop dat ze wel een plan zou bedenken om hem op andere gedachten te brengen.

Dat hij erop in was gegaan, was het bewijs dat hij nog onervaren was in het afpersingsvak en dus beïnvloedbaar. Hij leek ook niet doortrapt slecht, veeleer een zwakke persoonlijkheid die uit armoede zijn kans greep om een graantje mee te pikken. Een sluwe afperser zou onmiddellijk poen hebben geëist, desnoods met geweld.

Hoewel ze er al de hele dag haar hoofd over had gebroken, was haar nog geen bruikbaar plan te binnen geschoten.

Gewoonlijk zou ze in zo'n geval zonder aarzelen knielen en steun vragen van boven, maar deze keer was ze er wel zeker van dat de Heer afkeurend bekeek wat ze allemaal aan het uitvoeren was en dat hij haar zou straffen in plaats van helpen. Ze hoopte maar dat Hij, zolang ze Hem niet met haar zorgen lastigviel, een oogje dicht wilde knijpen en zijn toorn niet over haar uit zou storten. Ze had haar avondgebed voor ze in bed was gestapt daarom heel algemeen gehouden, kwestie van geen slapende honden wakker te maken.

Ze blies de kaars uit en besloot van strategie te veranderen. Als over iets piekeren geen oplossing bood, hielp het soms om het hoofd helemaal leeg te maken. Ze ging daarom maar schaapjes tellen.

Bij het honderdste schaapje schoot haar een oplossing te binnen. Dat maakte dat ze nu gerustgesteld in slaap kon vallen. Morgen werkte ze het plan wel uit.

12

'Geef mij een ku-u-us', lalde Maria. 'Tilly, geef mij...'

Ze knikkebolde, schoot met een ruk weer overeind omdat haar voorhoofd tegen het tafelblad knalde.

'...een ku-u-us.'

Toen ging het licht uit, niet het kaarsenvlammetje, hoewel de kaars intussen ook tot een stompje gereduceerd was, maar het licht in haar hoofd.

Als een voddenbaal hing ze volkomen buiten westen over de tafelrand, de armen slap bungelend naast het lichaam. Haar wang rustte op de tafel.

Ze kwijlde. Het liep in een dun straaltje over haar kin tot in het putje waar haar slanke hals begon en droogde er op, zilverig glinsterend zoals het spoor van een slak na een vochtige nacht.

De kaars flakkerde nog even en doofde. Een sliertje zwarte rook kringelde omhoog. Niet veel later was ook alle hout in de haard opgebrand.

De keuken rook naar de resten van het eetmaal, die stonden te bederven en naar Maria, die met elke ademstoot een geut bedorven lucht van verschaalde wijn uitstootte.

Toen Maria wakker schrok, was het koud en donker in de kamer. Alleen het vlak van het raam lichtte op door het maanlicht buiten.

Op haar wang zat de afdruk van een broodkorst die op de

tafel had gelegen. Ze veegde de kruimels weg en ook de kwijl die op haar kin en hals plakte.

Ze herinnerde zich dat ze had zitten drinken, eerst alleen, toen samen met Tilly. Nu ja, zij had gedronken, of Tilly ook aan de wijn had gezeten, wist ze niet meer. In ieder geval was Tilly op bezoek geweest. Dát wist ze nog wel.

Waar was Tilly nu? Waarschijnlijk naar huis. Maria wist er niet veel meer van, alleen maar dat ze veel plezier had gehad.

Nu was dat plezier ver te zoeken. Barstende hoofdpijn en een vieze smaak in de mond waren haar straf. Zo gauw ze enkele stappen had gezet, voegde ze ook nog 'slappe benen' aan het lijstje toe.

Onzeker scharrelde ze rond op zoek naar een nieuwe kaars. Ze vervloekte zichzelf dat ze het haardvuur had laten uitgaan en ze de kaars nu niet aan het houtvuur kon ontsteken. Wat anders een routinehandeling was, was nu onhandig gepruts omdat haar handen trilden als die van een hoogbejaarde.

Eindelijk brandde de kaars dan toch.

Ze zag met afgrijzen dat ze de eetboel niet aan kant had gezet. Wat zou de kanunnik zeggen als hij dat onder ogen kreeg? Niet dat hij vaak in de keuken kwam, maar je zou zien dat hij net nu... Zou ze vlug het vuur weer aanmaken en water verwarmen om de vaat te doen?

Toen schoot het haar te binnen dat ze niet eens wist of de kanunnik intussen thuis was gekomen. Dat moest toch wel? Hij zou toch niet in het donker 's nachts door de stad lopen dwalen? Waar kon hij anders naartoe dan naar huis? Natuurlijk was hij thuisgekomen! Dat hij op reis zou zijn, geloofde ze nog steeds niet.

Wat als hij haar zo had zien liggen? Zijn eigen kleine engel, dronken als een tor in een biervat? Ze wist wel zeker dat een engel, en zeker niet een kleine engel, zich zo niet misdroeg.

Als hij om haar had geroepen en zij had hem met haar zatte kop niet gehoord en hij was dan in hoogsteigen persoon in de keuken komen kijken, dan... Ze durfde haar gedachten niet eens af te maken.

Hiermee waren dus haar dagen in het kanunnikenhuis geteld. Morgen zou hij haar ofwel zodanig uitkafferen dat zijn dikke hoofd bloedrood dreigde uit elkaar te knappen, ofwel zou hij haar alleen koud aankijken als een snoek die een baars gaat oppeuzelen.

In beide gevallen zou het er ongetwijfeld op uitlopen dat ze weer naar het Maegdenhuis werd gestuurd. Ze zou er het scherpe commentaar van de zusters moeten trotseren. Waarschijnlijk werd ze zelfs gestraft, omdat ze hen had teleurgesteld.

De andere meisjes zouden haar uitlachen en daar zou het niet bij blijven. Ze zouden wraak nemen door haar ongenadig te pesten.

Waarom ook had ze zo erg opgeschept toen ze het weeshuis verliet? Ze voelde zich toen uitverkoren en ze had zich ook zodanig gedragen, hoog van de toren blazend. Daar had ze nu evenveel spijt van als er haren op haar zere hoofd stonden.

Er was nog één kans... als hij er nu toch eens niet was, dan ...

Maria haalde diep adem, greep de kaars, liep over de koele plavuizen de gang in en sloop de trap op.

Hoe voorzichtig ze ook was, een paar keer kraakte er een traptrede en dan verstijfde ze en wachtte ze angstig af of er reactie van boven kwam. Dat gebeurde niet. Even later stond ze op de overloop voor een gesloten kamerdeur.

Ze legde haar oor te luisteren tegen het glanzend gewreven eikenhout. Het enige wat ze hoorde, was haar eigen ademhaling en het bonken van haar hart dat tekeerging alsof ze uren had gerend.

De kanunnik snurkte, dat wist ze. Als ze 's ochtends de trap afstofte, sliep hij meestal nog en dan hoorde ze het door de dikke deur heen tot waar ze bezig was. Eigenlijk was het niet snurken, maar flapperen. Het klonk als de vleugelklap van vleermuizen, maar dan wel van heel veel vleermuizen tegelijk. Ze wist natuurlijk niet of hij constant flapperde of alleen tegen de ochtend, dus het kon best dat hij er toch was, ook al hoorde ze hem niet. Luisteren alleen bracht haar geen stap verder, ze zou in de kamer moeten kijken.

Met een klein hartje duwde ze de deurkruk langzaam omlaag. Zachtjes gleed de deur op een kier. Ze luisterde. Niets. Nu duwde ze de deur helemaal open en gleed ze naar binnen.

In het licht van het flakkerende kaarsvlammetje zag ze dat het bed niet alleen leeg was, maar ook onbeslapen. Het was nog steeds onberispelijk opgedekt zoals ze het de vorige ochtend was geweest.

'Is hij dan toch op reis?' zei ze hardop.

Dat moest dan wel. Ze werd er weer helemaal de vrolijke, onbezorgde Maria van. Hardop giechelend omdat ze zo erg voor niets in de rats had gezeten, liep ze... neen... zweefde ze de trap af.

In de keuken bekeek ze de rommel met andere ogen. De vaat kon wel tot morgen wachten, nu ze het rijk voor zich alleen had. Ze moest er gewoon voor zorgen dat er iets in de kookketel pruttelde, voor het geval hij onverwachts thuiskwam, maar voor de rest zou ze het ervan nemen, lekker lang uitslapen en wat rondlummelen. Voor haar part mocht hij weken wegblijven. In de winkels waar de kanunnik een rekening had, kon ze kopen zoveel ze wilde zonder ook maar één stuiver te hoeven betalen.

Ze spon als een tevreden poes die dikgegeten op een vensterbank ligt te zonnen. Haar hoofdpijn was verdwenen, alleen haar mond voelde droog aan als leer en smaakte er ook naar. Wat zij nodig had, was nog een paar slokken wijn om die vuile smaak weg te spoelen.

Ze nam de kruik in haar ene hand en het kaarsenpannetje met de nieuwe, brandende kaars in de andere en daalde in de donkere kelder af.

Het kaarsvlammetje flakkerde wat harder dan anders, omdat haar hand nog altijd een beetje beverig was, net als haar benen trouwens. Die voelden ook nog steeds aan alsof ze niet tot haar lichaam behoorden, alsof ze op geleende benen rondliep.

De kelder was behoorlijk volgestouwd, vooral met rommel. Het gedeelte het dichtst bij de trap ging nog. Daar lagen de wijnvaten, stonden de kuipen met gepekeld vlees en waren er zakken graan en andere voorraden opgestapeld. Maar daarachter was de ruimte volgestouwd met rotzooi: manden, kapotte meubelen en bestofte, krakkemikkige kisten waarin muizen en, erger nog, ratten nestelden.

Op een keer had ze in een ervan een blik geworpen. Hij zat vol halfvergaan beddengoed. Een rat was er piepend uit gesprongen en was angstig tussen de rommel weggeschoten. Zij had zich, al even bang als het dier, ook uit de voeten gemaakt.

Ze hoopte maar dat de kanunnik haar nooit op zou dragen de kelder uit te mesten. Niet dat het niet nodig was.

Als ze vergat het keldergat in de tuin open te leggen, hing er een walgelijke geur van rottend ongedierte en resten van de prooien die ze naar hun nest sleepten om hun jongen te eten te geven.

Ze rilde al van afschuw als ze eraan dacht dat ze dat allemaal zou moeten verslepen. Het voorste gedeelte van de kelder veegde ze soms aan, de rest probeerde ze te vergeten.

In het opgeruimde stuk lagen drie wijnvaten naast elkaar. Op een ervan plaatste ze de kaars. De kruik zette ze onder het tapgat van het vat dat aangebroken was.

Ze trok de stop uit het gat en wachtte tot de kruik gevuld was.

Tot haar ergernis werd al na enkele ogenblikken het straaltje dunner, om uiteindelijk helemaal op te drogen. Leeg, dat verdomde vat was leeg.

Een nieuwe tap slaan was haar toch te veel werk zo midden in de nacht.

Ze zou tevreden moeten zijn met een paar druppels en in haar bed moeten kruipen.

Ze zette de kruik aan haar mond, gooide haar hoofd achterover en liet de straal wijn tussen haar lippen lopen.

Haar bewegingen waren traag, ongecontroleerd, hoekig en te breed. Normaal zou ze nooit met de kruik in de buurt van de kaars gekomen zijn, maar nu maakte ze zo'n brede zwaai dat ze de kaars van het wijnvat keilde en dan ook nog met zoveel kracht dat het ding wat verder tussen de rotzooi belandde.

Het werd plots pikdonker.

'Verdomme.'

Ze stommelde op de tast naar de schemerige vlek van het trapgat, maar kon niet vermijden dat ze zich links en rechts stootte aan de opgestapelde voorraad. Onder het slaken van pijnlijke kreten, afgewisseld met nerveus gegiechel en wat verwensingen, bereikte ze de onderste traptrede.

Toen werd het plots licht.

Het leek wel een wonder, de Heer die medelijden kreeg met haar gestuntel in het donker en met een vingerknip het licht schiep.

Ze kreeg een lachstuip.

'Dat is beter', giechelde ze.

Ze draaide zich nog even om voor ze de trap opging. Toen begreep ze dat God niets met die gloed achteraan tussen de rommel te maken had.

'De kaars! Oh, nee!'

Ze holde naar het vuur, sleepte een kist opzij en nog een. Ze leek plots over onvermoede krachten te beschikken en weer nuchter na te kunnen denken.

Het brandje was nog beperkt in omvang. Ze kon het nog blussen als ze vlug was.

Paniekerig keek ze rond.

Er lag een opgerold tapijt tegen een kist aan met daarop een zeildoek dat ze kon gebruiken om de vlammen uit te slaan.

Ze trok het zeil naar zich toe en sloeg op het vuur.

De tapijtrol zakte opzij, vouwde een stukje open.

In het schijnsel van de laatste vlammen rolde er een bal uit het tapijt tot vlak voor haar voeten. Alleen was het geen bal, maar een bleek doodshoofd met zwarte gaten in plaats van ogen.

Uit de tapijtrol stak een knokige hand in haar richting alsof die haar wilde vastgrijpen.

Gillend holde ze naar de keldertrap. Het was nu weer pikdonker en ze vluchtte zonder ook maar één moment rekening te houden met wat er in de kelder stond. Ze klapte tegen een wijnvat aan, struikelde over een zak gerst, schoof onderuit over de brokstukken van de kruik en viel plat op haar rug. Haar schedel kraakte en spatte open als een rotte pompoen.

Nog één snik ontsnapte er uit haar mond. Onder haar achterhoofd groeide er een plas bloed, maar dat zag niemand in het donker, net zoals niemand de gebroken blik in haar ogen zag.

13

Wanneer hij precies zou komen, wist ze niet, maar dat hij niet lang op zich zou laten wachten, daar was ze zeker van.

Grootjuffrouw Amandine was dan ook niet verrast dat ze amper haar ochtendpap op had, toen Clara met het nieuws kwam dat die man van gisteren weer voor de deur stond. Goed, ze zou dat varkentje eens gaan wassen.

Ze ging zelf tot aan de voordeur. Clara stommelde verbaasd achter haar aan.

'Dag beste man', groette grootjuffrouw Amandine joviaal.

Ze wendde zich geërgerd tot de dienstbode.

'Juffrouw Clara, waarom heb je onze achtenswaardige bezoeker op de stoep laten staan? Je had hem toch in mijn schrijfkamer kunnen laten?'

Het oude begijntje mompelde verward een verontschuldiging en maakte een vaag uitnodigend gebaar de gang in.

Toon van Gent triomfeerde. Die grootjuffrouw zat aardig in de piepzak. Zou ze anders zo slijmerig vriendelijk zijn?

Hij had wel een beetje medelijden met het oude begijntje dat op haar kop kreeg.

Hij knipoogde haar daarom kameraadschappelijk toe, terwijl hij langs haar de gang in schoof en samen met de grootjuffrouw in de kamer verdween waar hij ook de vorige dag had gezeten.

Van de weeromstuit was hij vergeten te hinken en vond

hij het nu belachelijk van zichzelf dat hij de wandelstok mee had genomen. Die begijn at uit zijn hand.

Clara slofte snuivend om wat zij noemde 'baldadig gedrag van een snotneus' naar de keuken. Naar haar knipogen, stel je voor. Toch vond ze het ook een beetje leuk. Brutaal maar ook... leuk.

Het herinnerde haar aan lang vervlogen tijden, toen ze nog een meisje was en de buurjongen naar haar knipoogde elke keer als hij haar op straat zag voorbijkomen.

'Gaat u toch zitten, meneer...'

'Toon van Gent.'

Het was eruit voor hij het besefte. Meteen wist hij dat hij een flater had geslagen.

Het was nergens voor nodig dat ze zijn naam kende.

'U weet waar ik voor kom', zei hij geïrriteerd. 'Dus laat alle flauwekul maar achterwege.'

'Natuurlijk weet ik dat. U wilde geld.'

Ze glimlachte zoetsappig.

Toon van Gent schoof ongemakkelijk op zijn stoel heen en weer. Wat had het mens toch? Ze zat daar achter haar schrijftafel te stralen alsof zij zo dadelijk een pak geld zou krijgen in plaats van dat ze het af moest schuiven.

'U wilde geld om uw vrouw en kinderen een beter leven te kunnen geven.'

'Euh... ja, daar komt het op neer. Kunnen we dan nu...'

'Maar natuurlijk. Ik heb, zoals beloofd, een beurs met geld klaarliggen. Begijnen houden altijd hun belofte, meneer Van Gent.'

Zo, dat verliep dan toch makkelijk. De spanning vloeide uit zijn lichaam, om zijn mond verscheen een glimlach. Die was echter geen lang leven beschoren. Zijn mond verstrakte omdat ze niet zoals hij verwachtte de beurs tevoorschijn haalde, maar hem onschuldig aan bleef zitten staren.

Wat was er nu toch? Moest hij iets doen of zo? Beleefd buigen? Of bedanken? Natuurlijk, dat was het. De heks zat te wachten tot hij haar bedankte.

'U bent te goed voor mij, grootjuffrouw. Ik dank u van ganser harte uit naam van mijn kinderen en mijn vrouw', zei hij onwillig.

'Wilt u haar dan langs sturen?'

'Wie?'

'Uw vrouw.'

'Mijn vrouw?'

'U wilt toch geld? Als u uw vrouw langs stuurt, zal ik haar de geldbeurs graag overhandigen. Eigenlijk verbaast het mij dat u haar niet hebt meegebracht.'

Toon van Gent staarde haar verward aan. Hij hief protesterend een hand op, maar de grootjuffrouw was hem voor.

'U weet toch dat... of weet u het niet?'

'Wat? Wat weet ik of weet ik niet?'

Zijn geduld was op. Die heks was hem voor de gek aan het houden, maar ze zou vlug merken dat hij niet met zijn voeten liet spelen.

'Dat begijnen nooit rechtstreeks geld aan een man mogen geven, omdat die man dan... hoe moet ik het zeggen. Het is nogal delicaat. Omdat hij... het is echt heel vervelend dat u dat niet weet.'

Grootjuffrouw Amandine voelde tot haar voldoening dat ze zich zo goed in haar rol inleefde dat ze warempel begon te blozen. Ze sloeg verlegen haar ogen neer, schuifelde ongemakkelijk op haar stoel heen en weer en gluurde intussen door haar wimpers naar de man aan de andere kant van de schrijftafel.

Ze wachtte tot hij aanstalten maakte om te beginnen met praten en sneed hem toen vlug de pas af.

'Ik moet het u zeggen, omdat u anders mij verantwoordelijk gaat stellen voor...'

'Mens, wat is er nu?' riep Toon uit. 'Kom op met dat geld of wilt u dat ik iedereen vertel dat begijnen 's nachts lijken in de Nete gooien?'

'Als een begijn geld geeft aan een man, meneer Van Gent, heeft dat zware gevolgen voor die man, dan verschrompelen zijn ballen tot ze amper nog zo groot zijn als doperwten en de rest van zijn... verschrompelt mee... U weet wel wat ik bedoel... bedgenoegens zullen er niet meer bij zijn, meneer Van Gent. Maar als u het risico wilt lopen...'

Grootjuffrouw Amandine trok met een groot gebaar de la van haar schrijftafel open en stak haar hand erin alsof ze de geldbeurs tevoorschijn wilde halen. Er gebeurde wat ze gehoopt had. Hij maakte een afwerend gebaar.

'Wacht... Is dat de waarheid?'

Ze sloot de la, legde haar lege handen op het tafelblad en staarde hem onschuldig in de ogen.

'Natuurlijk, meneer Van Gent. Het verbaast mij dat u het niet weet. In hogere kringen is het algemeen bekend, maar misschien niet in de kringen waarin u zich beweegt.'

In de kroeg bedoelt ze, dacht Toon van Gent. Er circuleerden heel wat verhalen over begijnen, maar dát had hij nog nooit horen vertellen. Hij geloofde haar niet, maar je wist maar nooit. Gevaar lopen dat het tussen zijn benen op een verwelkte bonenstruik ging lijken, wilde hij niet.

'Maar ik wil u echt wel betalen, meneer Van Gent. Als u dus uw vrouw langs wilt sturen, zal ik haar met plezier de geldbeurs overhandigen op voorwaarde natuurlijk dat u geen praatjes rondstrooit over wat u die nacht meent gezien te hebben.'

'En als zij het geld daarna aan mij geeft, kan het dan geen kwaad meer voor... voor mijn...?'

'Dan is het helemaal veilig voor uw... voor uw mannelijkheid.'

Ze stond op en trok de deur open.

'Dat is dan afgesproken? Ik verheug mij erop kennis te maken met mevrouw Van Gent.'

Even later stond hij beteuterd op straat.

Grootjuffrouw Amandine sloot met een tevreden glimlach de deur achter hem. Dat had ze mooi opgelost. Als je een man maar in zijn kruis pakte, dan kreeg je hem waar je hem hebben wilde. Misschien was het maar een tijdelijke oplossing. Het kon dat zijn vrouw inderdaad op kwam dagen, maar ze zou dan wel zien hoe ze haar aanpakte. Vrouwen kon ze altijd de baas. Meer waarschijnlijk was het dat het hiermee afgelopen was, omdat Van Gent zijn vrouw niet wilde betrekken in zijn afpersingspraktijken. Alleen zou ze er wel goed aan doen juffrouw Catharina te verwittigen. Stel dat die kerel Catharina ook benaderde, dan moest hij wel van haar hetzelfde verhaal over verschrompelende teelballen te horen krijgen.

Grootjuffrouw Amandine wachtte lang genoeg om Toon van Gent de kans te geven het begijnhof te verlaten; toen haastte ze zich naar de Benedictie des Heeren, de begijnen die ze passeerde vriendelijk groetend.

De deur van Catharina's woning was afgesloten.

'Ze is al vroeg de stad in gegaan', zei juffrouw Theresa, die plots naast haar opdook. 'Ik wil geen kwaad spreken, grootjuffrouw, maar juffrouw Catharina doet de laatste tijd eigenaardig.'

'Als je geen kwaad wilt spreken, zwijg dan, juffrouw Theresa.'

Verbouwereerd keek Theresa de grootjuffrouw na terwijl die weer naar haar eigen woning liep.

14

Eigenlijk zou het moeten stormen of toch ten minste regenen zodat het landschap er somber bij zou liggen en in harmonie zou zijn met haar gemoed, dacht Catharina, maar dat was niet het geval. De zon scheen en de lucht was blauw op een wolkensliert na.

De velden dampten niet zoals ze in volle zomer zouden doen, daarvoor had de zon al te veel aan kracht ingeboet, maar ze koesterden zich tevreden in de zachte warmte. Tevreden, omdat ze alweer een oogst hadden opgebracht en ze zich klaar konden maken voor hun winterslaap.

Ze schoot goed op. De stadswal lag al een eindje achter haar. De baan naar Antwerpen die ze moest volgen tot ze het grondgebied van Boechout bereikte, was al vlug van een kasseiweg in een aarden baan veranderd.

Het wegoppervlak was doorploegd met karrensporen, bulten en kuilen. Omdat het al een hele tijd droog weer was, dwarrelde er stof op elke keer als er een ruiter voorbij stoof. Karren en koetsen moesten het noodgedwongen kalmer aan doen, wilden ze hun assen sparen.

Het fijne stof van de rijbaan legde een grauwe sluier over haar begijnenkleed. Ze voelde zich slordig en vies en dat versterkte nog haar nervositeit. Het maakte dat ze zich klein en zwak voelde, net nu ze sterk moest zijn.

Zonder dat ze het merkte, begon ze trager te lopen, alsof

haar benen zwaarder wogen. Dat kon echter niet beletten dat ze ten slotte toch haar doel bereikte.

De Broekhoeve was vanaf de weg niet te zien. De hoeve lag achter een houtkant met daarachter een bosje. Er liep een aarden pad naartoe dat om het bosje boog en vandaar recht naar de toegangspoort van de hoeve leidde.

Vorig jaar omstreeks deze tijd was ze over dit pad door een knecht met een kar naar het begijnhof van Lier gevoerd.

Op de kar waren een bed, een tafel en stoel, een kast, een krat met eet- en kookgerei en haar klerenkist gestapeld. Op haar lichaam had ze al het geld waarop ze de hand had kunnen leggen verborgen, samen met haar juwelen en de eigendomspapieren van de gronden die ze van haar vader had geërfd.

Ze had de hoeve met ruzie verlaten. Een bezoek was dus niet vanzelfsprekend. Ze bleef bij het begin van het pad even staan om moed te verzamelen. Achter haar rug ratelde een kar voorbij. De voerder riep haar een schunnige opmerking toe, waarop het knechtje naast hem begon te joelen. Het ging aan haar voorbij.

Ze haalde diep adem en dwong zichzelf om verder te gaan.

Rond de hoeve liep een gracht die elk jaar werd uitgediept. De brug erover kon afgesloten worden door een houten poort. Die stond wijd open.

Het erf lag er, op wat rondscharrelende kippen en een poes na, verlaten bij. In het midden ervan dampte de mesthoop. Recht tegenover de ingangspoort lag het woonhuis, links waren de stallen en rechts de schuur en het karrenhok.

Er kwam een dienstmeisje uit het woonhuis met een bezem gemaakt van wilgentenen in de hand. Ze begon het stuk erf voor het woonhuis aan te vegen. Catharina glimlachte. Haar schoonmoeder stond erop dat elke dag dat stuk aangeveegd werd. Catharina had het vaak zelf gedaan. Er was blijkbaar niet veel veranderd.

Het meisje merkte haar pas op toen Catharina in beweging kwam. Ze hield op met vegen en bekeek de begijn verbaasd van kop tot teen alsof ze een verschijning zag.

'Is de vrouwe thuis?' vroeg Catharina, die zag dat het een nieuw dienstmeisje was.

'Misschien', zei het meisje brutaal.

'Wil je zo goed zijn te gaan kijken in de beste kamer? Daar zit ze rond deze tijd van de dag te handwerken bij het raam. Je zou haar kunnen vragen of ze mij kan ontvangen.'

Dat maakte indruk. Toch goed dat haar schoonmoeder een gewoontedier was.

Het meisje was nu duidelijk geïnteresseerd. Ze zette haar bezem tegen de gevel aan.

'Ik zal haar zeggen dat er een non op het erf in de kippenstront staat te trappelen', zei ze. Met een grijns voegde ze er nog aan toe: 'Ik geloof niet dat ze u dan in huis zal laten.'

Catharina keek omlaag. Haar schoenen zaten onder een wit-groene smurrie.

'Zeg maar dat er een begijn in de kippenstront staat te trappelen', verbeterde ze, met de nadruk op het woord begijn, 'of nee, zeg maar niets. Ik ken de weg.'

Ze gleed langs het dienstmeisje het achterhuis in.

'Hé! Dat gaat zo maar niet! Wacht... ik zal onmiddellijk vragen of...'

Het meisje slaakte een verwensing en liep de indringster achterna. Wat dacht dat mens wel? Dadelijk kreeg zij op haar kop omdat...

Verbaasd bleef ze staan. De begijn lag in de armen van de kokkin die tranen met tuiten huilde.

'Catharina... dat je ons komt bezoeken... ik heb zo veel aan je gedacht... laat mij je bekijken...'

Ze hield de bezoekster op een armlengte afstand. Wat ze zag, stond haar niet aan.

'Eet je wel genoeg?'

Het dienstmeisje maakte van het ontroerende tafereeltje gebruik om voorsprong te nemen. Ze schoot de gang in naar de voorkamer.

In haar haast vergat ze aan te kloppen.

'Martha! Waar zijn je manieren?'

De bejaarde vrouw bij het raam, die in een hooggesloten zwarte jurk stijf rechtop zat te borduren, haar grijze haren naar achteren getrokken onder een smetteloos witte muts, keek het dienstmeisje afkeurend aan.

Elke keer als ze dacht dat het met dat kind de goede kant uit ging, gebeurde er wel iets. Het onnozele wicht wist toch dat ze moest aankloppen, wachten op een antwoord en dan pas...

'Er is een begijn die u te spreken vraagt', stamelde het meisje.

'Een begijn?'

'Ik geloof dat ze Catharina heet. De kokkin noemde haar zo.'

'Catharina? Heb je dat goed verstaan? Waar is ze?'

Het dienstmeisje maakte beteuterd een vaag gebaar. Vooraleer ze antwoord kon geven, schoof de oude vrouw langs haar heen de gang in. Het meisje schudde verbaasd het hoofd: wie in 's hemelsnaam was die Catharina?

15

De kokkin wreef met haar schort haar wangen droog. Ze had het vreselijk gevonden toen Catharina de hoeve verliet, maar ze had het wel begrepen. Er waren altijd ruzies en ze had wel gezien dat Catharina niets van meneer Balthazar moest hebben.

Hij liet haar niet met rust, liep overal achter haar aan en hij kon niet verkroppen dat ze hem afwees. Voor hem was het simpel: zij was weduwe, hij haar zwager en op zoek naar een vrouw. Het was toch gebruikelijk dat hij zich over haar ontfermde door haar tot zijn vrouw te nemen? Maar Catharina wilde niet en Balthazar werd steeds lastiger.

Hij had zelfs zijn vader gevraagd haar te verplichten, maar daar was meneer niet op ingegaan. Op een avond, toen ze in de keuken bezig was met de lamsschotel voor de volgende dag, had ze hen op het erf vlak voor het keukenraam bezig gehoord.

'Catharina heeft alle recht om te weigeren. Je weet heel goed waarom. De komedie moet ergens stoppen, Balthazar. Zoek een andere vrouw. Er zijn er genoeg', had ze meneer horen zeggen.

Balthazar had aangedrongen en gevloekt.

'Ik wil er geen woord meer over horen', had zijn vader streng gezegd.

Een paar dagen later was er iets gebeurd dat Catharina

erg van streek had gemaakt. Ze had nooit willen zeggen wat, maar de kokkin kon het wel raden. Wat betekende het als een vrouw huilend met gescheurde kleren uit de hooischuur kwam gerend en even later een man, breed glimlachend zijn broek ophalend, uit dezelfde schuur het erf op slenterde? Juist ja, dát betekende het dus...

In de daaropvolgende week was Catharina naar het begijnhof vertrokken zonder dat iemand haar tegenhield. Niet dat ze hartelijk werd uitgezwaaid, dat nu ook weer niet. De sfeer was in die tijd erg verzuurd geweest. Het was geen prettige periode om aan terug te denken.

Balthazar had heel kleinzielig nog geprobeerd de kar te saboteren door de bouten van een wiel los te draaien, maar de stalknecht had het opgemerkt en had gewoon de andere kar genomen.

Er was in die tijd vreselijk over geroddeld, zowel in de keuken als in de stallen en op het veld. Soms gebeurde het nog dat het verhaal werd opgerakeld.

'Ik vreesde dat je nooit terug zou komen', zuchtte de kokkin.

'Ik kom ook niet terug', zei Catharina. 'Ik kom alleen maar kijken hoe het hier met jullie gaat.'

Het was een leugentje om bestwil. Ze kon moeilijk zeggen dat ze op zoek was naar een moordenaar.

'Vooral met jou, natuurlijk', voegde ze er nog aan toe.

De kokkin straalde en begon te vertellen hoe het haar vergaan was sinds Catharina de hoeve had verlaten.

Toen zwaaide de gangdeur open.

'Catharina!'

De kokkin hield midden in een zin op.

'Mevrouw, mijn schoonmoeder.'

Achter de rug van de statige, oude vrouw gluurde het dienstmeisje nieuwsgierig naar de begijn. Dat was dus de verdwenen schoondochter, die niet met meneer Balthazar wilde hertrouwen. Het was allemaal van voor haar tijd, maar daarom niet minder interessant.

'Kom mee.'

Terwijl Catharina de smalle, kaarsrechte rug van haar schoonmoeder volgde, zag ze dat de vrouw nog altijd in het zwart gekleed was. De officiële rouwperiode voor Johan was nochtans afgelopen. Het ergerde Catharina dat haar schoonmoeder bleef rouwen om iemand die niet eens dood was.

Even later zaten ze aan weerskanten van het naaitafeltje bij het raam.

'Hoe gaat het met meneer mijn schoonvader?' vroeg Catharina beleefd.

De oudere vrouw verstarde. Ze keek Catharina kil aan.

'Hij is enkele weken geleden van ons heengegaan. Zoals je heel goed weet.'

Catharina keek verschrikt, schudde het hoofd. Het was het eerste wat ze erover hoorde.

'Het spijt me verschrikkelijk.'

De lippen van haar schoonmoeder krulden minachtend.

'Balthazar is het je komen zeggen. Ik had gehoopt dat je je respect tegenover je schoonvader zou tonen door op de dodenwake te verschijnen. Je bent niet gekomen.'

'Maar ik heb Balthazar n...'

Ze kreeg niet de kans haar zin af te maken. Had de oudere vrouw eerst ijzig kalm, op een ingehouden, monotone manier gesproken, nu snauwde ze. Haar grijze ogen in het rimpelige, magere gelaat flikkerden boosaardig.

'Niet liegen, Catharina. Hij is bij je geweest in dat begijnenhuis van je. Benedictie des Heeren, zo heet het, nietwaar? Hij heeft het mij helemaal, vanbinnen en vanbuiten, beschreven. Je woont daar goed, Catharina.'

'Mevrouw, ik begrijp het niet.'

Dat was nog zacht uitgedrukt. Niet alleen was Balthazar niet gekomen om het nieuws van de dood van haar schoonvader over te brengen, maar bovendien had ze hem niet op het hof gezien en zeker niet in haar woning ontvangen. Hoe kon hij dan haar huis beschrijven? De buitenkant, om over de binnenkant nog maar te zwijgen. Was hij stiekem in haar huis geweest?

Catharina rilde van afschuw bij het idee dat zijn blikken haar woning hadden onteerd.

'Mijn zoon bracht een boodschap en jij spuwde hem in het gelaat. Hoe kon je, Catharina? Heb je dan geen enkel respect meer voor de familie die jou liefdevol in haar schoot heeft opgenomen?'

'Ik verzeker u dat ik hem nooit in het g...'

'Je hebt hem niet alleen in het gelaat gespuwd, je hebt ook geschreeuwd dat je met de Overbroekes niets meer te maken wilde hebben, dat je nooit nog een voet in de hoeve zou zetten. Je hebt er gemene bewoordingen voor gebruikt, de vuilste taal die ik ooit heb gehoord. Balthazar heeft het vol afschuw overgebracht, met tegenzin omdat hij mij wilde sparen. Nu ben je hier toch. Wat kom je doen? Waarom ben je zo verschrikkelijk zelfvoldaan dat je denkt dat je hier nog welkom bent?'

Catharina stak protesterend haar hand uit alsof ze de beschuldigingen daardoor weg kon vagen. Alle bloed was uit haar gezicht weggevloeid. Haar hoofd bonsde alsof het elk ogenblik uit elkaar kon spatten.

'Het is niet waar. Ik weet niet waarom Balthazar dat heeft verteld. Hij liegt, mevrouw. Ik wist niet dat meneer mijn schoonvader... ik zweer op alles wat mij lief is, God is mijn getuige, dat...'

'Maak het niet nog erger door de naam van God ijdel te gebruiken. Hoe durf je mijn zoon van bedrog te beschuldigen? Dat is het bewijs dat je door en door verdorven bent.'

'Mevrouw...'

Ze viel op haar knieën. De tranen schoten haar in de ogen.

'Hou op. Niets is je nog heilig. Je hebt je ziel aan de duivel verkocht en nu toon je eindelijk je ware gelaat. Nu het te laat is. Misschien heb jij wel mijn andere zoon die hemeltergende onzin over dat protestantse geloof ingefluisterd, en nu doe je je vroom voor als begijn. En te weten dat ik je de hand boven het hoofd heb gehouden, dat ik voor je ten beste heb gepleit bij mijn echtgenoot, dat ik hem gesmeekt heb jou genoeg financiële middelen te geven. Ik heb een slang aan mijn borst gedrukt. Ga! Nu!'

Dat laatste schalde door de kamer als een zweepslag.

Terwijl Catharina totaal van streek de kamer uit holde, viel de oude vrouw krachteloos tegen de rugleuning van de armstoel aan. Een snik ontsnapte aan haar lippen, daarna huilde ze geluidloos. Het enige wat de oude vrouw nog verlangde, was haar echtgenoot in de dood achterna te gaan.

16

Hij geloofde het niet én hij geloofde het wel. Hij kwam er niet uit.

Als het waar was wat die grootjuffrouw beweerde, als... dan had hij nu wel een fantastische roddel voor in de kroeg. In het andere geval maakte hij zichzelf hopeloos belachelijk als hij erover zou durven te beginnen. Hij hoorde ze al in lachen uitbarsten. Hun spotternij zou hem tot het einde van zijn dagen achtervolgen.

Hij kon er dus maar beter zijn mond over houden en voorzichtig proberen uit te vissen of er al iemand ooit geld van een begijn had aangenomen en daardoor zijn klokkenspel had zien verschrompelen.

Intussen zou hij afwachten en nadenken over een manier om het geld te pakken te kunnen krijgen. Die begijn was nog niet van hem af!

Er was geen sprake van dat hij Roos zou sturen, zoals dat sluwe mens had gevraagd. Roos zou er alles van naaldje tot draadje over willen weten.

Als hij eerlijk vertelde wat hij die nacht had gezien, zou ze erop staan dat hij naar de baljuw ging in plaats van geld voor zijn stilzwijgen te vragen. Ze zou denken dat het geld ongeluk bracht en er geen stuiver van willen gebruiken. Liever nog zou ze het op haar beurt ook in de Nete smijten, zoals die begijnen met dat lijk hadden gedaan.

Maar moest hij het haar eerlijk vertellen? Hij was best goed in smoezen en een smoes meer of minder... Er schoot hem een goeie te binnen.

Om het te overpeinzen, bleef hij zo bruusk staan dat een voorbijganger tegen hem op botste.

'Hé! Loop door, man!'

Hij ging een pas opzij, liet de man die een vracht hout op de rug droeg, passeren en slenterde nadenkend verder. Hij zou kunnen beweren dat hij iets aan de grootjuffrouw had verkocht, maar dat hij geen tijd had om zelf de betaling op te halen.

Op het eerste gezicht was dat een goede oplossing, ware het niet dat die grootjuffrouw Roos natuurlijk kon vertellen wat zij zelf wilde. Wie weet wat spelde zij zijn vrouw op de mouw?

Ze kon hem afschilderen als een verschrikkelijke afperser. Wat hij wel een beetje was, moest hij toegeven, maar hij was toch niet zo'n verwerpelijk sujet dat zijn slachtoffer de keel afsnijdt als er geen poen op tafel komt? Hij was alleen een brave huisvader die het gewoon wat beter wilde krijgen. Daar was toch niets verkeerds aan? Een man moest nu eenmaal strijden met de wapens die hij had.

Hij wilde echter niet dat zijn Roos door de woorden van die begijn zou gaan denken dat hij een slecht mens was.

Er was nog een tweede reden om haar uit het begijnhof weg te houden. Er werd verteld dat begijnen andere vrouwen opstookten om hun man uit hun bed te bannen en naar hun voorbeeld in onthouding te gaan leven.

Het idee dat hij niet meer tegen zijn zachte, heerlijke Roos aan zou kunnen kruipen en haar en zichzelf niet meer met zijn strelingen tot in de hemel zou kunnen voeren, deed hem een besluit nemen: zijn Roos zou geen stap in het begijnhof zetten. Hij zou de zaak wel op een andere manier afhandelen.

Plotseling besefte hij dat hij voor zijn stamkroeg De Bonte Os stond. Zoals een paard vanzelf naar de stal terugkeert als je het de vrije teugel geeft, zo zetten als vanzelf zijn benen koers naar de kroeg waar een kroes schuimend bier altijd troost, vergetelheid of inspiratie bracht.

Er was niet veel volk. Op een bank, met zijn rug tegen de muur aan, zat Gerrit, een leegloper die nu en dan een klusje opknapte waarmee hij net genoeg verdiende om in leven te blijven.

Aan de andere kant, dicht tegen de haard, dommelde Jan, zijn kin op zijn borstkas. Hij was een leerlooier en stonk uren in de wind naar het looizuur dat hij gebruikte. Niemand nam hem echter zijn lijfgeur kwalijk. Op een of andere manier stonken ze allemaal. Leerlooien was een zwaar ambacht. Daarom begon Jan, waar hij zich ook bevond, zijn schaarse vrije tijd altijd met een dutje.

Toon meed het gezelschap van Gerrit en aan Jan had hij op dit moment ook niks, dus hoopte hij op een praatje met de waard. Die was echter nergens te bekennen.

'Volk!' riep hij.

'Jaja! Ik kom!' antwoordde een vrouwenstem geprikkeld.

Even later daagde de eigenares van de stem op, verhit en van plan haar boosheid uit te werken op het eerste het beste slachtoffer dat haar voor de voeten liep.

'Wat moet je?' snauwde ze.

'Verwelkom je al je klanten zo, Nettie?'

'Oh... ben jij het?'

Toon bekeek lachend het spinrag op haar muts en de zwarte vegen op haar blozende wangen, waarvan hij uit eigen ervaring wist dat ze zacht waren als babybilletjes. Niet alleen haar wangen waren zacht... de rest... oh maar... als hij daaraan dacht, kreeg hij er spijt van dat hij buitenechtelijke pleziertjes had afgezworen.

Zijn ogen dwaalden af naar de melkwitte borsten die boven haar keurslijfje opbolden. Waar was de tijd dat Nettie in de keuken, terwijl de gelagzaal bomvol zat en er driftig om haar werd geroepen, voor een paar stuivers haar rokken voor hem opschortte en hem zijn gang liet gaan.

'Ik moet vandaag alles alleen doen, opdienen, de voorraad bijvullen en dan valt er zo'n verdomde stapel kratten om die Pieter slecht heeft gestapeld! Als hij niet zo ziek was, schold ik hem uit.'

'Hij is wel je baas.'

'Kan me niet schelen. Maar ik zeg hem morgen de waarheid wel, vandaag kom ik niet bij hem in de buurt. Hij hangt met zijn stomme kop boven de pispot zijn lijf binnenstebuiten te kotsen.'

'Gezellig!'

'Het is zijn straf!'

Toon poetste met wat spuug haar wangen schoon.

'Wat ben je knap als je boos bent', lachte hij. 'Nettie, lief, wil je mijn vrouw worden?'

'Je hebt er al een.'

'Oh... dat is waar, maar wil je mij dan tenminste een kroes bier brengen?'

'Onnozelaar.'

Terwijl Toon zich op een bank liet zakken, opgewonden omdat er een plan in zijn hoofd rijpte, zette Nettie een kroes met schuimend bier voor hem neer. Hij greep haar bij een slip van haar jurk toen ze weer wilde verdwijnen.

'Ik meen het', zei hij. 'Wil je mijn vrouw zijn voor een uurtje of zo?'

Ze sloeg zijn hand weg.

'Als je denkt dat ik in de stemming ben voor je flauwe grapjes, denk dan rap iets anders.'

Gerrit lachte zijn twee enige tanden bloot.

'Pas op, want ze mept struisere kerels dan jij tegen de vlakte', zei hij.

Er klonk gestommel op de trap. Twee benen en daarboven een dikke pens werden zichtbaar.

'Kom niet hier beneden alles onderkotsen!' riep Nettie. 'Ik vermoord je.'

De halve mens werd een hele mens naargelang hij verder de trap afdaalde.

'Ik voel me beter', zei de waard, 'dus hou je grote bek maar, Nettie.'

Hij priemde een vinger naar Toon.

'Jou moet ik hebben! Ik heb een vrachtje voor je.'

Gewoonlijk zou Toon onmiddellijk naar de aard van het vrachtje gevraagd hebben en naar de bestemming ervan, maar deze keer was het anders. Een zichzelf respecterend koopman, en zo wilde hij voortaan toch bekeken worden, hield zich niet bezig met het voor een habbekrats vervoeren van een of andere partij gestolen goederen. Hij had trouwens wel wat beters te doen.

'Ik heb geen tijd', zei hij.

'Je hebt wel tijd om hier midden op de dag te zitten drinken.'

'Ik kom alleen Nettie even van je lenen.'

Nettie schudde het hoofd.

'Ik hou mij niet meer bezig met datgene waar jij aan denkt. Ik ben nu een fatsoenlijke vrouw.'

'Het schuift goed, Nettie, en het is niet wat jij bedoelt.'

'Hoeveel?'

Toon fluisterde iets in haar oor.

'Zoveel?'

Ze keek verrast, maar meteen ook argwanend.

'En wat moet ik dan wel voor jou doen?'

Gerrit begon zo hard te lachen dat Jan er wakker van schrok.

'Wat moet ik doen, zegt ze! Wat moet ik doen! Kom eens hier, liefje, ik zal het eens demonstreren', gierde hij.

'Is er iets aan de hand?' geeuwde de leerlooier.

'Slaap maar verder', zei Toon geprikkeld. 'Nettie, kom je nu?'

'Ik kan haar niet missen. Nettie gaat nergens naartoe', zei de waard.

Maar dat was buiten Nettie zelf gerekend.

'Oh nee? Ga ik nergens naartoe? Ik werk mij sinds gisteren te pletter, omdat jij het per se op een zuipen wilde zetten, zodat je de klanten in je eigen herberg ging gebruiken als voddenbalen waar je naar hartenlust op kon meppen. Als ik jou niet buiten westen had geslagen en naar je bed gesleept, dan hadden we nooit nog één klant gehad en nu ga jij... na alles wat ik heb gedaan... bepalen dat ik niet even weg kan!'

Ze maakte haar schort los en gooide die de waard in het gezicht.

'Reken maar dat ik wél weg kan.'

Ze haakte haar arm in die van Toon en sleepte hem mee naar de deur.

'Kom lekkere, zeg je vrouwtje eens wat ze voor jou moet doen.'

17

Balthazar zag haar komen. Het nieuwtje van haar aanwezigheid op de hoeve was als een lopend vuurtje rondgegaan. Het dienstmeisje had erover gepraat met de melkmeid, die op haar beurt met een stalknecht en zo had het hem in de kortste keren bereikt.

Meteen had hij met een grijns de zeis neergegooid waarmee hij bezig was het laatste grasland te hooien en was hij het bosje in gelopen. Hij zou haar de weg afsnijden als ze over het pad naar de weg liep.

Tegen de stam van een eik geleund had hij op haar staan wachten en daar was ze dan.

Het lelijke begijnenhabijt flatteerde haar niet. Als hij eraan dacht hoe begeerlijk ze er had uitgezien als ze 's zondags haar mooiste japon aantrok om naar de kerk te gaan, voelde hij ergernis. Ook in haar dagelijkse plunje had ze er altijd verleidelijk bijgelopen en moest je haar nu zien! Wat een verspilling.

Ze naderde snel, want ze stapte met grote, haastige passen, alsof iemand haar op de hielen zat, er zich niet van bewust dat het gevaar niet achter haar maar tussen de bomen op haar loerde.

Net toen ze voorbij hem zou schuiven, landde hij met een sprongetje voor haar voeten neer.

'Mijn lieve Catharina! Kom je mij opzoeken? Dat is vriendelijk van je.'

Een piepend schrikgeluidje was het enige wat ze uit kon brengen. Ze deinsde achteruit.

'Wat zie ik? Heb je gehuild? Zal ik het afzoenen?'

Hij zette plagend een pas in haar richting. Haar ogen schoten schichtig heen en weer, zoekend naar een vluchtweg. Het pad werd door hem versperd, maar ze kon door het bos naar de houtkant lopen en er daar doorheen breken. Hij zou haar echter te snel af zijn, wist ze. Hij kon vlugger lopen en droeg geen lastige rokken die overal achter bleven haken. Ze zou geen enkele kans maken.

Toen zag ze een afgebroken tak liggen, net groot en zwaar genoeg om als knuppel te dienen. Ze raapte de tak op, klemde hem stevig vast en staarde Balthazar recht in de ogen. Neen, ze zou niet wegvluchten. Ze zou haar eer verdedigen tot haar laatste snik én hij zou antwoord geven op de vragen die ze hem had voorgenomen te stellen.

Ze begon met de voornaamste.

'Waarom heb je hem vermoord?' siste ze.

'Zo... heb ik hem vermoord? Het verbaast me dat je het weet. Alhoewel... jij bent niet dat onschuldige lammetje dat je voorwendt te zijn, nietwaar. Jij weet waarschijnlijk alles.'

Ze had niet verwacht dat hij zo makkelijk de moord op de kanunnik zou bekennen.

'Waarom? Waarom heb je dat gedaan?' herhaalde ze.

'Je doet het weer! Kijk, die onschuldige blik! Dat weet je toch!'

Hij zag verwarring op haar gezicht en begon te lachen. Wat staarde ze hem nu toch aan alsof ze ergens de bliksem zag inslaan?

'Wil je het zelf niet hardop zeggen? Om hem te kunnen begraven, stomme koe! Geen begrafenis zonder lijk. Je echtgenoot had het hier zo erg verkorven dat hij beter dood en begraven kon zijn, weet je nog?'

Het begon haar te dagen. Hij had het niet over de dode kanunnik, maar over de arme knecht die ze in de plaats van haar echtgenoot hadden begraven. Het bloed steeg haar naar de wangen.

'Het was de stier,' protesteerde ze heftig, 'de stier heeft de knecht op de horens genomen.'

'Dan had die stier toch een kop die leek op een riek', grijnsde Balthazar.

Met veel plezier weidde hij uit over de bloederige details. Het trof doel. Hij zag haar ineenkrimpen alsof ze zelf de pijn van de knecht voelde.

'Zijn gezicht was zo vreselijk toegetakeld dat zelfs zijn moeder hem niet meer herkend zou hebben. Kwam ons dát even goed uit! We hadden hem anders nooit voor Johan door kunnen laten gaan.'

'Maar de stier...'

Balthazar maakte een ongeduldig gebaar. Zijn sarcastische toon maakte plaats voor venijn.

'Hou op met je dommer voor te doen dan je bent. Ik heb hem in de stal van de stier gegooid en het bloed heb ik weggeveegd met een bundel stro. De stier ging wat met het lijk aan het stoeien en de volgende ochtend was het voor iedereen duidelijk dat hij de dader was.'

Catharina huiverde. Waarom had ze het slachtoffer niet beter bekeken? Ze hadden haar er alleen maar van ver een blik op laten werpen. Om haar te sparen, zeiden ze. Omdat ze er anders ziek van zou worden. Ze had niet tegengesputterd. Het was toen allemaal zo verschrikkelijk geweest, een nachtmerrie.

Hij bekeek haar aandachtig, begon te twijfelen.

'Wist je het niet? Maar wacht 's... als jij nog altijd geloofde dat de knecht door de stier was gedood... dan... Wie zou ik verdomme dan vermoord moeten hebben?'

In haar hoofd stormde het. Het relaas over de dood van de knecht zou haar tot misselijkmakend toe overweldigd hebben als de aanwezigheid van Balthazar en de dreiging die van hem uitging, niet dringender was. Hij wilde een antwoord.

'Wie?'

Koortsachtig dacht ze na. Als Balthazar niets te maken had met de dode kanunnik, dan mocht hij er ook niks over weten. Hij zou het maar tegen haar gebruiken. Ze stamelde de eerste naam die haar te binnen schoot.

'Johan.'

Hij barstte in lachen uit.

'Johan? Denk je dat die écht dood is? Door mij vermoord nog wel? Laat mij jou ervan verzekeren dat hij springlevend is. Jouw echtgenoot noemt zich nu Johannes Broek. Vanuit het hoge noorden laat hij een oogje op zijn weduwe houden. Soms zakt hij zelf naar hier af. Ik moest je trouwens van hem zeggen dat je best weleens bij zijn graf op bezoek kon gaan. Je komt daar naar het schijnt nooit. Niet netjes van je, Catharina en waarom laat je in de grote kerk geen mis opdragen als jaargetijde? Je echtgenoot is niet tevreden over jou.'

De laatste zin fluisterde hij in haar oor. In haar verwarring had ze hem de kans gegeven te naderen. Ze voelde zijn ijzeren greep om haar pols. Lachend nam hij de knuppel uit haar hand.

'Je zou je er toch maar alleen pijn mee doen, liefje en dat zou jammer zijn, want we gaan ons nu gezellig samen amuseren.'

Terwijl hij haar tegen zich aan trok, stootte zij zo hard ze kon haar knie in zijn kruis. Met een gil vouwde hij dubbel. Ze schoot als een pijl uit een boog langs hem heen.

18

Godfried Lesage had zich aan zijn voornemen om van zijn reisje naar Antwerpen te genieten, gehouden. Niemand wist dat hij kwam, dus werd hij ook niet tegen een bepaalde tijd verwacht.

Zonder zich te haasten, was hij de stad uit gereden. Enkel en alleen voor het genot van de wind op zijn gezicht had hij een stukje gegaloppeerd over het grasland dat er armetierig bij lag omdat het was gehooid. Hij ademde met volle teugen en voelde zich een tevreden mens.

De zorg over het behoud van zijn goede naam en de eer van Barbara leek nu een onbenullige futiliteit. Zodanig zelfs dat hij zich afvroeg of het echt nodig was om er straks tegenover Barbara's vader over te beginnen. Hij besloot het te laten afhangen van de sfeer waarin het bezoek plaats zou vinden en van het humeur van zijn gastheer.

Bovendien hoopte hij te weten te komen of Barbara's verloofde, Gerald Berthout, binnenkort uit Engeland terugkeerde. Als dat laatste gebeurde, zat zijn taak in het begijnhof erop.

De wond aan zijn been die hij opgelopen had toen hij, als lid van hetzelfde gezelschap als Gerald Berthout, werd overvallen door struikrovers, was eindelijk bijna genezen. Hij snakte ernaar om weer aan zijn gewone werk te gaan.

Hij zou deze keer waarschijnlijk niet naar Engeland

gezonden worden. Die onderhandelingen hadden nu wel lang genoeg geduurd. Hopelijk bracht Gerald goed nieuws mee en raakte de wolhandel uit het slop, waardoor de slabakkende lakennijverheid nieuw leven in kon worden geblazen. Als dat niet het geval was, vreesde hij dat de hele handel als niet meer te redden werd opgegeven. Neen, zijn volgende bestemming zou niet Engeland worden. Spanje misschien?

Het grasland liep dood op een bosje. Lesage hield zijn paard in en stuurde het weer de weg op. Stapvoets ging het dier verder. Hij wilde het net tot draf aanzetten, toen hij tot zijn verbazing een begijn met wapperende rokken over een pad zag hollen. Er rende een man achter haar aan. Haar voorsprong slonk zienderogen. Zij schreeuwde het uit en viel.

Lesage aarzelde geen ogenblik. Hij gaf zijn paard de teugels en draafde het pad op.

Balthazar graaide Catharina door haar hoofddoek bij de haren vast, rukte haar overeind.

'Ik heb je, teef.'

Ze gilde van de pijn en dat versterkte nog zijn triomf.

'Dit is nog maar het begin. Ik zal je laten schreeuwen tot je geen stem meer hebt.'

Hij schudde haar door elkaar. Ze verzette zich niet meer. Als de ledematen van een voddenpop wiebelden haar armen heen en weer.

Toen drong het doffe geluid van dravende hoeven tot hem door. Hij keek gealarmeerd op. Er stormde een ruiter in vliegende vaart op hen af. Hij liet haar los, alsof hij zich aan haar brandde en verdween ijlings tussen de bomen.

Lesage hield zijn paard in en keek op het hoopje ellende neer dat zacht kermend op het pad lag. Lang, koperkleurig haar lag als een gordijn over haar gelaat. Hij vroeg zich af waarom een begijn zonder hoofddoek op pad ging, maar toen zag hij het ding een paar passen verder liggen, verfomfaaid en helemaal onder het stof.

De vrouw duwde zich kreunend in zithouding. Daardoor kon hij haar beter bekijken en meteen herkende hij haar. Het was de begijn die in het huis tegenover dat van Barbara woonde. Als hij zich niet vergiste, konden de vrouwen het wel met elkaar vinden en keek Barbara nogal naar haar op.

'Juffrouw Catharina!'

'Heer Lesage.'

'Wat doet u hier? Wie was die man die u lastigviel? Hij kan nog niet ver weg zijn. Misschien krijg ik hem nog te pakken.'

Ze maakte een afwerend gebaar, keek hem smekend aan.

'Laat hem gaan. Het is niet belangrijk.'

'Maar hij kan hier toch niet ongestraft mee wegkomen?'

Ze begon moeizaam overeind te krabbelen.

'Ik dank u voor uw tussenkomst, heer Lesage, maar nu wil ik u niet langer ophouden. Ik red me wel.'

Haar woorden werden echter onmiddellijk gelogenstraft doordat ze een kreet van pijn slaakte. Ze wankelde, trok haar rechterbeen op en kon zich nog net aan het tuigwerk van het paard vasthouden.

'Mijn enkel', zuchtte ze.

'Kunt u er niet meer op staan?'

'Ik vrees dat ik toch nog wat van uw tijd in beslag moet nemen, heer Lesage. Zou u zo vriendelijk willen zijn op de baan een kar aan te houden en de voerder te vragen mij in het begijnhof af te zetten?'

Lesage had echter een andere oplossing. Het was een opwelling, hij dacht er helemaal niet bij na. Hij trok haar bij de armen omhoog en nam haar voor zich op het paard.

'Daar hebben we geen kar voor nodig', zei hij.

Hij leidde zijn paard het pad af.

'Ik breng u zelf wel', voegde hij er nog aan toe.

Catharina sputterde tegen, maar met weinig overtuigingskracht.

Toen Balthazar gewaar werd dat de ruiter hem niet achtervolgde, keerde hij op zijn stappen terug. Van achter een boomstam bekeek hij het tweetal op het pad. Het werd hem vlug duidelijk dat ze elkaar kenden, hun manier van praten, de kleine gebaren verraadden een zekere vertrouwelijkheid.

Hij was er helemaal zeker van toen ze voor de man op het paard plaatsnam. Neen, dat was geen toevallige passant. Was hij haar minnaar? Zoals zij daar tussen zijn armen op het paard zat, wees alles erop. Waarschijnlijk was ze door die kerel ook hierheen gebracht en had hij staan wachten tot Catharina haar bezoekje aan de hoeve had gebracht.

Waarom was ze eigenlijk gekomen? Had ze horen vertellen dat vader gestorven was en was ze haar deelneming komen betuigen? En dan was er die idiote beschuldiging dat hij Johan zou hebben vermoord. Dat raakte helemaal kant noch wal.

Het was zijn vader geweest die zijn broer had verbannen. Niet omdat Johan een vurig calvinist was, dát had vader hem nog kunnen vergeven. Johan hoefde het alleen maar af te zweren. Een verrader wilde hij echter niet onder zijn dak en dat was Johan: een verrader.

Het gebeurde 's nachts. Ze waren opgeschrikt door lawaai op het erf. Toen hij en vader half aangekleed het woonhuis uit stormden, galoppeerden net enkele mannen weg. Johan stond hen op het erf na te kijken.

'Wat betekent dit?' Vader keek Johan koud aan. 'Wat heb je gedaan?'

En Johan, die zelfs nu het voor de staatsen was uitgedraaid op een nederlaag, niet kon verbergen waar zijn sympathie lag, antwoordde laconiek.

'Ik heb ze de zwakke plek in de ravelijn aan de Mechelsepoort getoond.'

Onder andere. Hij had ook geholpen de schildwacht Koenraad Peer bewusteloos te slaan en de stadspoort open te breken. Achthonderd voetknechten en honderdtwintig ruiters konden daardoor in de vroege ochtend onder leiding van hun aanvoerder Héraugère Lier binnentrekken. Ze bestormden de grote kerk, sloegen er de beelden en glasramen stuk, braken de reliekkast van Sint-Gummarus open en verstrooiden de beenderen. Ze trokken van bedeplaats naar bedeplaats, alles vernielend wat op hun pad kwam. Drie dagen lang hadden ze gedood, geplunderd en verkracht.

'En mijn zoon was er niet alleen bij, hij wees ze de weg', zei zijn vader bitter. 'Iedereen weet nu dat de Overbroekes een verrader in hun midden hebben. Je hebt schande over de familie gebracht.'

'Ik heb me vermomd als bedelaar', verdedigde Johan zich.

Maar die verdediging was voor vader Overbroeke niet voldoende.

'Je bent mijn zoon niet meer.'

Als twee kemphanen stonden ze tegenover elkaar: vader en Johan. Het was niet tot een handgemeen gekomen. Johan had wat spullen gepakt en was weggereden, galopperend, in de hoop Héraugère en zijn kompaan, die hij paarden had geleend, in te halen.

Op het erf lag een aantal spullen die de vluchtelingen hadden achtergelaten. Ze hadden alles voor nieuwsgierige blikken op de hooizolder verborgen. Daarna hadden ze hun hoofden bij elkaar gestoken. Wat konden ze doen om de naam van de familie te beschermen?

Het was zijn idee geweest Johan niet alleen dood te verklaren, maar hem ook voor het oog van iedereen te begraven. Het enige wat ze nodig hadden, was een onherkenbaar lijk. Het was een schitterend idee geweest. Het had de praatjes die al begonnen te ontstaan, in de kiem gesmoord.

Toen de laatste schermutselingen nog bezig waren, was Johan in de stal, waar hij door de stier op de hoorns werd genomen en verschrikkelijk werd toegetakeld. Een mens kon niet op twee plaatsen zijn, het lijk was het bewijs van zijn onschuld. Protestantse sympathie? Johan? Helemaal niet. Johan had hoogstens eens een hagepreek bijgewoond uit curiositeit. Johan was een echte Overbroeke en dus een overtuigd katholiek zoals de hele familie en wie iets anders beweerde, was een leugenaar. Niemand had nog iets anders durven beweren. Johan was begraven met alles erop en eraan.

Catharina had het fatsoen moeten hebben om met hem te hertrouwen, zoals iedereen dat van haar verwachtte. Maar wat deed ze? Ze wees hem af met het argument dat ze nog steeds een echtgenoot had waar ze trouw aan wilde blijven, terwijl ze nu toeliet dat haar minnaar haar voor iedereen zichtbaar op zijn paard meevoerde.

Hij zwoer dat hij die belediging zou wreken.

Terwijl dit alles hem door het hoofd schoot, haastte Balthazar zich naar de stal waar hij zijn paard zadelde. Hij draafde over het grasland en over de akkers tot hij op de weg de ruiter met Catharina tussen de armen opmerkte. Hij hield in en zorgde ervoor dat hij een eindje achterbleef zonder hen uit het oog te verliezen.

19

Haar enkel brandde. Als het paard in een kuil stapte, schoten er pijnscheuten doorheen. Ze probeerde de pijn te negeren, maar kon het niet helpen dat een kreet haar ontsnapte.

Lesage hield het paard in.

'Is het zo beter?' vroeg hij.

Catharina voelde zich opgelaten. Ze was zich zeer bewust van het sterke mannenlichaam achter haar, de twee forse armen aan weerszijden van haar lichaam en de grote behaarde handen die de teugels vasthielden. Ze voelde zijn adem in haar nek.

Zijn nabijheid gaf haar een gevoel van veiligheid, van geborgenheid én tegelijk verwarde het haar zodanig dat ze niet meer helder kon nadenken. Het enige wat ze nu nog wist, was dat het niet fatsoenlijk was samen met een man die niet haar echtgenoot was, op een paard te zitten. Tot overmaat van ramp had ze haar hoofddoek verloren.

Ze rechtte haar rug en probeerde zo afstand te scheppen, maar dat lukte maar voor even. Een kuil verder schoof ze alweer tegen hem aan.

Het ergste was dat ze zichzelf moest bekennen dat ze het best prettig vond en dat ze wou dat ze eeuwig zo samen rond zouden rijden. Ze had er zelfs nu en dan een pijnscheut in haar enkel voor over.

Eigenlijk wilde ze het liefst achteroverleunen in zijn armen, haar ogen sluiten en zich laten omhullen door zijn mannelijke geur die een mengeling was van hout, pruimtabak en paard. Natuurlijk was dat onmogelijk.

De blikken van voerders en voorbijgangers die ze kruisten, om niet te spreken van hun commentaar, wreven haar met de neus in de werkelijkheid. Het hoorde niet voor een fatsoenlijke vrouw en zeker niet voor een begijn, tussen de armen van een man op een paard te zitten en daarmee uit. Maar wat moest ze anders?

Bij Lesage duurde het wat langer voor hij begreep dat hij met iets bezig was wat opzien baarde.

In een opwelling van ridderlijkheid had hij haar zonder bijbedoelingen op het paard getild. Als hij eerlijk was, moest hij toegeven dat hij het niet zou gedaan hebben als het niet de knappe Catharina was geweest maar een oude, lelijke begijn. Waarschijnlijk had hij die wel op een kar geïnstalleerd en had hij zelf zijn tocht naar Antwerpen voortgezet. Nu reed hij eigenlijk in de verkeerde richting, maar dat vond hij niet erg. Hij had toch altijd al getwijfeld aan de noodzaak van zijn tocht.

Hij stuurde het paard om de grootste kuilen heen om het voor haar zo comfortabel mogelijk te maken. Daarmee en ook met het bewonderen van haar koperkleurige, glanzende haren vlak voor hem, had hij zozeer zijn bezigheid dat hij de misprijzende of geamuseerde blikken van de voorbijgangers niet opmerkte. Daarenboven worstelde hij ook met een heleboel vragen, maar hij aarzelde om ze te stellen. Hij wilde niet indiscreet zijn, maar toch...

Hij waagde het erop.

'Was u op weg naar Antwerpen en heeft een struikrover u van de weg gesleurd?' vroeg hij.

Zijn mond was dicht bij haar oor. Een haarlok beroerde

zijn wang. Hij voelde haar verstrakken en afstand nemen.

'Vergeeft u mij. Het zijn mijn zaken niet', zei hij vlug.

Het duurde even voor ze antwoord gaf. Zozeer zelfs dat hij dacht dat hij haar boos had gemaakt.

'Ik ben op bezoek geweest bij de familie van wijlen mijn echtgenoot', zei ze, 'en toen ik de hoeve verliet...'

Lesage herinnerde zich dat hij een grote herenboerderij door de bomen had zien schemeren.

'...was daar die... die... struikrover die me aanviel', ging ze aarzelend verder.

'U kent de aanvaller niet?'

'Neen. Ik ken hem niet', zei ze nadrukkelijk.

'Ik had achter hem aan moeten gaan.'

'Er is niets onherstelbaars gebeurd.'

'Behalve uw enkel dan.'

'Die geneest wel.'

Waardoor het kwam, wist hij niet, maar de bewering dat ze haar aanvaller niet kende, overtuigde hem niet.

Nu hij erover nadacht, was er nog iets eigenaardigs. Toen ze ontdekte dat ze niet meer op haar voet kon staan, had ze gevraagd een kar aan te houden en een voerder te vragen haar naar Lier mee te nemen. Waarom had ze niet gevraagd haar tot bij de hoeve te helpen, waar haar schoonfamilie haar had kunnen verzorgen? Een knecht had haar naar het begijnhof kunnen brengen.

'Uw schoonfamilie...' begon hij.

Catharina zuchtte. Ze wist wat hij dacht.

'Er was een ernstige woordenwisseling toen ik vertrok, ik... ik kon de familie niet om hulp vragen. Verontschuldig mij dat ik niet meer uitleg geef, maar het is een familie-kwestie waarover ik beloofd heb te zwijgen.'

Lesage verzekerde haar dat het zijn zaken niet waren en dat hij zich vereerd voelde haar te kunnen helpen.

'Alleen denk ik niet dat het een struikrover was. Ben ik verkeerd als ik veronderstel dat die familieruzie zich nog op dat pad voortzette?' drong hij aan.

Ze zweeg.

'Wie was het, juffrouw Catharina? Die man was werkelijk niet veel goeds van plan. Ik had hem een aframmeling moeten geven.'

'Mijn schoonbroer', zuchtte ze. 'Het was mijn schoonbroer Balthazar. Hij wil dat ik met hem trouw. Ik heb geweigerd en dat kan hij niet verkroppen, maar zou u mij nu willen laten afstijgen, heer Lesage, zodat ik een voerder kan vragen mij...'

Toen pas had hij begrepen dat ze opschudding baarden zo samen op het paard. Ze waren de buitenste stadsomwalling met de Antwerpse poort al gepasseerd en het werd almaar drukker. Voorbijgangers bleven staan, staarden hen na, wezen.

Hij begreep dat het zo niet verder kon, dat hij onherstelbare schade aan de goede naam van juffrouw Catharina aanbracht.

Toch liet hij haar niet afstijgen, maar hij ging zelf naast het paard lopen.

'Zo kan het ook', zei hij, terwijl hij het paard aan de teugel meevoerde.

'Niemand kan mij kwalijk nemen dat ik een gewonde begijn naar het begijnhof breng.'

Ze glimlachte. Een lichte blos deed haar wangen gloeien.

Godfried Lesage kon zijn ogen niet van haar afhouden. Ze betoverde en intrigeerde hem. Hij wist dat hij haar beter wilde leren kennen en dat niemand hem dat zou kunnen beletten.

20

Grootjuffrouw Amandine ergerde zich en dat gevoel werd steeds sterker. Zodanig zelfs dat ze zich aan niets kon zetten.

Ze was al vier keer aan een document begonnen waarin ze pleitte voor bepaalde herstellingswerken aan de kerk, maar haar gedachten dwaalden steeds af. Elke keer had ze het met groeiende ergernis opzijgeschoven.

Ze gaf Catharina de schuld van haar ongedurigheid. Waar was die vrouw toch? Nadat ze de eerste keer voor een gesloten deur had gestaan, was ze een tijd later teruggekeerd, met hetzelfde resultaat. Die bemoeial van een Theresa was alweer van de partij geweest.

Ze was bespaard gebleven van haar opmerkingen, dat wel. Theresa had de lippen stijf op elkaar geklemd, maar was er niet in geslaagd haar blikken onder controle te houden en die spraken voor zich. Het was duidelijk dat juffrouw Theresa het allemaal maar eigenaardig vond en bezig was er een uitleg bij te zoeken. Daar was ze trouwens zelf ook mee bezig. Iemand had de kanunnik gedood. Ze wilde weten wie en waarom.

Ze verzon allerlei omstandigheden die konden uitlopen op de tragische dood van de kanunnik. Tot haar ontsteltenis drong zich elke keer één mogelijke dader op de voorgrond: Catharina. Ze kon er niet omheen dat de kanunnik vragen over de jonge vrouw had gesteld. Grootjuffrouw Amandine zag hem nog hoog van de toren blazend in haar ontvangstkamer staan, informatie eisend.

Grootjuffrouw Amandine zuchtte. Ze kwam op deze manier geen stap vooruit.

De oude juffrouw Clara kwam binnen met een aftreksel van kamillebloemen.

'Wat doe je als je steeds in een kringetje rond blijft draaien, Clara?' zuchtte ze.

'Een stap in een andere richting zetten, grootjuffrouw', zei Clara nuchter, terwijl ze de gloeiend hete mok voor haar op de schrijftafel plaatste. 'Is er nog iets tot uw dienst, grootjuffrouw?'

'Nee, dank je, Clara.'

Ze nipte voorzichtig van de vloeistof. Een stap in een andere richting zetten. Juist ja. Wel, dat was wat ze nu ging doen. Alles was beter dan te zitten piekeren.

Ze kon bijvoorbeeld in de woning van Catharina op zoek gaan naar het wapen waarmee de kanunnik het hoofd was ingeslagen. Als ze het vond, zou ze er de begijn mee confronteren en de volledige waarheid eisen. Als ze het niet vond, bewees het niets, maar alles was beter dan hier te zitten piekeren.

Ze zou zich niet laten tegenhouden door de afwezigheid van Catharina. Het zou haar verbazen als aan haar grote sleutelbos geen geschikte sleutel zou hangen die haar toegang tot de woning zou verschaffen.

Nu ze besloten had tot handelen over te gaan, voelde ze zich meteen veel beter.

Ze dronk de mok leeg, stak haar pen in de pennenhouder en deed de inktpot dicht.

Voor de derde maal die dag liep ze tot bij het huis van juffrouw Catharina. Gelukkig was Theresa deze keer nergens te bekennen. Grootjuffrouw Amandine had er spijt van dat ze Theresa verkeerd had aangepakt. Ze had haar beter stroop om de mond gesmeerd dan haar de mond te snoeren. Nu ja, dat kon ze nog altijd doen de volgende keer dat ze haar zag.

Catharina was nog steeds niet thuis. Grootjuffrouw Amandine vond het eigenaardig. Van veel begijnen wist ze dat die geregeld de stad in gingen, omdat ze er zieken oppasten of omdat ze opgeroepen werden om een dode af te leggen. Het was een manier om aan de kost te komen.

Hoewel de meeste begijnen meer dan bemiddeld te noemen waren, waren ze niet allemaal zo rijk dat ze onbeperkt zonder geldzorgen konden leven. Ze had er echter geen weet van dat Catharina een baantje had. Tot nu toe had de vrouw amper het begijnhof verlaten.

Juffrouw Barbara kwam net met een emmer het poortje van haar ommuurde voortuin uit toen de grootjuffrouw besluiteloos naar Catharina's hoekwoning stond te staren.

'Moet u juffrouw Catharina hebben, grootjuffrouw? Ze is na het ochtendgebed vertrokken. Ze ging op bezoek bij haar schoonfamilie', zei Barbara, terwijl ze water ophaalde uit de put.

'Dank je, juffrouw Barbara, maar ik sta alleen het huis te bekijken. Ik vroeg mij af of de muren geen last hebben van vochtigheid met die waterput zo dichtbij', loog ze.

'Ik heb juffrouw Catharina daarover nog niet horen klagen', zei Barbara.

'Toch... ik denk dat ik het eens van dichtbij ga bekijken.'

Terwijl Barbara met de emmer water haar eigen woning in liep, sloeg de grootjuffrouw de hoek om en bleef ze bij de deur van de Benedictie des Heeren staan. De derde sleutel die ze probeerde, paste.

Zonder gewetenswroeging drong ze de woning binnen en begon ze aan haar zoektocht.

'Is dat alles?'

'Dat is alles.'

'En daarvoor geef je mij zoveel poen. Ik waarschuw je, Toon van Gent, ik krab je de ogen uit als je mij belazert!'

'Ik verzeker je dat ik alleen maar goede bedoelingen heb. Je weet wat je moet doen?'

'Jaja, zo moeilijk is het niet.'

Nettie trok haar kleren recht, voelde of haar muts goed zat en klopte aan de deur van de grote begijnenwoning aan.

'Denk eraan dat je mijn vrouw bent', siste Toon.

'Echtgenoot, hou je bakkes', sneerde Nettie.

Het spionnetje in de deur ging open. Een spichtig, verfrommeld gezicht, omkranst door een witte doek werd zichtbaar.

'Ik ben deze lekkere zijn vrouw en ik moest naar hier komen.'

'De grootjuffrouw verwacht ons', zei Toon vlug.

'De grootjuffrouw is er niet', zei het gezicht achter het spionnetje. Het deurtje klapte dicht.

'Hé! Doe open!' riep Nettie. 'Laat ons hier niet zo staan!'

Ze bonsde op de deur. Het oude gezicht verscheen voor de tweede keer en herhaalde nadrukkelijk: 'De grootjuffrouw is er niet.'

Het spionnetje viel alweer dicht en hoe Nettie ook op de deur timmerde, er kwam geen beweging meer in.

'Hou op', zei Toon geërgerd.

'Die toverkol kan ons toch binnenlaten en ons laten wachten tot die grootdinges komt?'

'Stop nu maar. Iedereen kijkt naar ons.'

Iedereen, dat waren een paar begijnen met opgeschorte rokken die zich met armen vol wasgoed naar de rivier haastten en nieuwsgierige en ook misprijzende blikken wierpen op Toon en vooral op Nettie, die duidelijk zo uit een herberg weggeplukt was.

Toon zag dat laatste nu ook en hij begon zich te scha-men. Stel je voor dat iemand dacht dat Nettie werkelijk zijn vrouw was en dat hij niets beters had kunnen krijgen dan een vrouw van lichte zeden.

'Kom', zei hij.

Hij nam haar zeer beslist bij de elleboog en voerde haar het begijnhof uit.

'Ga nu maar naar de herberg', zei hij.

'Hola, en mijn beloning?'

Nettie bleef staan en plantte haar handen op haar heu-pen.

'Je denkt toch niet dat ik voor mijn plezier met je ben meegegaan?'

'Ik kom je later nog weleens halen en dan proberen we het opnieuw en dan krijg je...'

Hij kreeg niet de kans om zijn zin af te maken.

'Niet later! Nu! Dokken of ik schop hier zoveel keet dat je echte vrouw mij tot bij je thuis hoort schreeuwen dat je mij hebt aangerand! Wat zal ze daarvan zeggen, hè?'

Toon vertrouwde op zijn charmes om de furie te be-daren. Hij trok haar arm door de zijne en gaf geruststellen-de klopjes op haar hand.

'Mijn allerliefste Nettie...

Het werkte. Er kon al een klein lachje af en ze kwam in be-weging. Hij was er zeker van dat hij haar, tegen dat ze de her-berg hadden bereikt, zover zou krijgen dat ze voorlopig met een zoen genoegen zou nemen.

Maar toen zag Toon iets wat hem volkomen van gedach-ten deed veranderen.

Plotseling wilde hij haar onmiddellijk kwijt. Hij greep naar zijn geldbeurs, schudde die leeg in haar hand en stuur-de haar weg.

'De rest komt later. Je hoort nog van me.'

Nettie ging mopperend weg.

'Mannen! Wie wordt er wijs uit?!'

Toon draaide zich om en liep weer het begijnhof in, achter het paard aan dat door een man bij de teugel werd meegevoerd.

Op het paard zat een begijn met koperkleurig haar.

Hoewel Toon haar alleen in het maanlicht had gezien, herkende hij haar meteen.

Zij was het.

De tweede begijn.

21

Grootjuffrouw Amandine had ervaring met leugenaars en bedriegers en met het web van verzinsels dat ze met veel vaardigheid sponnen. Het was de kunst om één draadje van het web te pakken te krijgen. Dan hoefde je alleen zachtjes te trekken en het hele bouwwerk stortte in. Dat was waar ze in het huis van Catharina mee bezig was: het losse draadje vinden.

Ze stond in de slaapkamer van Catharina, een opkamer met een glas-in-loodraam, voorstellende de heilige maagd, dat uitkeek op de hoofdstraat. Het meubilair was heel sober, er waren alleen een grote klerenkist en een bed op de glanzend geboende plankenvloer. Ze kon er Catharina echt niet van beschuldigen luxueus te leven.

Ze ging op de rand van het bed zitten en verbeeldde zich dat het donker was, zoals in die bewuste nacht. Met gesloten ogen luisterde ze in hoeverre de buitengeluiden tot hier doordrongen. Ze hoorde een haan kraaien, gelach van begijnen die voorbij liepen. Iemand haalde water op uit de put.

's Nachts droegen geluiden nog verder. Catharina kon dus best wakker geschrokken zijn als er zich onder haar raam iets had afgespeeld. Het kon de waarheid zijn, maar omdat het mogelijk was, was het nog niet het bewijs dat het ook zo was.

Amandine probeerde zich te herinneren wat Catharina precies had verteld.

'Er was geschuifel, alsof er iets werd versleept, en toen hollende voetstappen.'

Ze had niets gezegd over een plons. Het moordwapen kon in de put gegooid zijn. Was er een betere manier om ervanaf te geraken? Maar ze vermeldde dus géén plons... was dat het bewijs dat er juist wél een was?

Als Catharina de moordenares was, zou ze er baat bij hebben dat het moordwapen niet gevonden werd, omdat het naar haar kon verwijzen, dus gooide ze het in de put.

Was Catharina een sluwe moordenares die op een listige manier haar erbij had betrokken omdat ze het lijk niet alleen het begijnhof uit kreeg? Had Catharina doorzien dat ze te allen prijze het begijnhof de schande zou willen besparen? Had ze de kanunnik opzettelijk naakt en in een aanstootgevende houding over het metselwerk van de put gedrapeerd om haar zodanig van de wijs te brengen dat ze zou panikeren en maar één ding zou willen: ervanaf geraken? Dan was ze met open ogen in de valstrik gelopen.

Amandine huiverde. Gelukkig waren het maar veronderstellingen, niets ervan was bewezen. Catharina kon nog altijd die fatsoenlijke, godvrezende jonge vrouw zijn die ze met open armen op het begijnhof had verwelkomd.

Ze kwam overeind en liep tot bij het raam. Zonder het te openen, kon ze slechts een gedeelte van de put zien, maar net daar had de kanunnik als een zoutzak over de rand gelegen. Catharina had hem van hieruit kunnen opmerken zoals ze had verteld.

Het doffe geluid van paardenhoeven drong tot haar door. Een paard op het begijnhof was geen zeldzaamheid, maar baarde altijd enig opzien omdat de ruiter die erbij hoorde, steevast van het mannelijke geslacht was.

Deze keer was dat echter niet zo. De ruiter was een vrouw. Het was zelfs een begijn.

Grootjuffrouw Amandine zette grote ogen op toen ze zag dat de vrouw door Godfried Lesage van het paard werd getild. Hij hield haar bij haar middel vast. Het duurde lang voor hij zijn handen terugtrok, om haar dan onmiddellijk bij de elleboog vast te grijpen.

Amandine ergerde zich aan deze vrijpostigheid, maar de grootste ergernis was de identiteit van de vrouw. Het was Catharina, de veel te knappe begijn met de lange, koperkleurige haren. Waarom waren haar haren onbedekt?

Er begon al een oploop te ontstaan. Amandine zette een pas opzij en drukte zich tegen de muur aan, zodat ze van buitenaf niet zichtbaar was, maar ze zelf het toneeltje op straat goed kon volgen.

Het tuinpoortje aan de overkant zwaaide open. Barbara verscheen in de deuropening. Amandine keek de jonge begijn recht in het gelaat en las er behalve verbazing ook ergernis in en... Vergiste ze zich of zag ze ook een glimp van jaloezie?

Amandine fronste de wenkbrauwen. Catharina, Godfried Lesage en Barbara ... speelde er iets tussen dit drietal? Barbara mocht dan wel verloofd zijn, maar had ze niet bij haar onverwachte bezoek de indruk gehad dat ze iets tussen haar en Lesage verstoorde en dat ze niet welkom was?

Was er wedijver om Lesage tussen de twee jonge vrouwen en had de kanunnik er een stokje voor willen steken? Of had de kanunnik ontdekt dat Barbara haar verloofde ontrouw was en wilde Lesage hem de mond snoeren?

De mogelijkheden werden steeds maar talrijker. Maar waarom zou Lesage de kanunnik bloot als een boreling achterlaten waar iedereen hem kon vinden? Was er iets wat haar volkomen ontging?

Daarmee was ze terug bij de geheimzinnigheid die ze als een mist om Catharina heen voelde hangen en herinnerde ze zich het doel van haar stiekeme bezoek. Ze had nu alle kamers en de zolder onderzocht, maar niets gevonden dat als slagwapen was gebruikt. Hier bleven alleen nog het bed en de klerenkist over.

Haastig, omdat ze niet betrapt wilde worden, rommelde ze tussen de kleren in de kist en liet ze haar handen onder de strozak in het bed glijden. Ze bukte zich. Er lag zelfs geen stofpluisje onder het bed.

Ze hoorde Catharina en Lesage het huis in komen en sloop tot bij de deur. Ze duwde die op een kier en gluurde door de spleet. Vandaaruit keek ze neer op een deel van de woonkamer.

Lesage hield Catharina nog steeds bij de elleboog vast. Hij liet haar voorzichtig op een stoel neerzakken, alsof ze van breekbaar glas was.

'Wat kan ik voor u doen, juffrouw Catharina?'

'U heeft al meer dan genoeg gedaan, heer Lesage. Ik red me wel. Ik dank u.'

Hij boog, aarzelde nog even.

'Mag ik zo vrij zijn morgen te komen kijken hoe u het stelt?'

'Niet als u er speciaal naar het hof voor moet komen, maar als u bij Barbara langs moet, dan... het zou mij een eer zijn.'

'Ik moet morgen inderdaad iets met juffrouw Barbara bespreken', haastte Lesage zich.

'U bent welkom', zei Catharina zacht.

Grootjuffrouw Amandine zag Lesage hoffelijk het hoofd buigen. Hij draaide zich om en verdween uit haar gezichtsveld. Een paar tellen later hoorde ze de klik van de deur.

Ze vroeg zich af of ze nu tevoorschijn moest komen. Hoe moest ze haar aanwezigheid verklaren? Als grootjuffrouw hoefde ze eigenlijk geen verklaring te geven, maar toch...

Catharina zorgde zelf voor een oplossing. Ze sloeg de handen voor het gelaat en begon onbedaarlijk te wenen.

Grootjuffrouw Amandine aarzelde geen ogenblik. Ze sloop het trappetje van de opkamer af tot bij de buitendeur, opende die, liet hem meteen weer dichtvallen en deed of ze net binnenkwam.

Ze hoefde geen verontwaardiging te veinzen, ze was tot in het diepste van haar ziel teleurgesteld en vooral woedend. Haar stem klonk koud. Haar blik was streng en onverzettelijk.

'Juffrouw Catharina, wat betekent je lichtzinnig gedrag? Hoe waag je het met onbedekt hoofd in mannelijk gezelschap door de stad te rijden? Hoe durf je je door hem in het openbaar aan te laten raken en zo aanstoot te geven aan je medebegijnen? Morgenavond zul je jezelf hierover voor het kapittel moeten verantwoorden. Ik hoop dat je een zéér goede uitleg hebt!'

Met een ruk draaide ze zich om en verliet ze de woning, Catharina in opperste verwarring achterlatend.

Grootjuffrouw Amandine was zo boos dat ze er pas veel later aan dacht dat ze vergeten had Catharina over Toon van Gent te vertellen. Ze wilde echter de vrouw vandaag niet meer zien. Ze had genoeg van haar.

Dus daar woonde die tweede begijn, dacht Toon van Gent. Hij had op een afstand gevolgd hoe de man haar van het paard hielp en met haar in het hoekhuis bij de waterput verdween.

Tevreden glimlachend omdat hij nu wist waar zijn tweede melkkoe zich bevond, besloot hij wat later op de dag terug te keren, als die man en alle nieuwsgierigen verdwenen waren, om dan met haar eens een praatje te maken.

Hadden die begijnen nog nooit een paard gezien, of was het eerder het mannelijke gezelschap dat het paard had geleid waarover ze zich druk maakten? Of waren ze jaloers op de knappe begijn op het paard? In ieder geval kwetterden ze als een klad spreeuwen.

Hij draaide zich om en liep tegen een man op die, zoals hijzelf, op een afstand het toneeltje stond te bekijken.

'Wat een gedoe', lachte Toon met een knikje naar de groep begijnen.

De man reageerde niet. Hij stond wijdbeens met de voeten stevig op de grond geplant, met gekruiste armen voor zich uit te staren.

'Vrouwen. Allemaal hetzelfde, of het nu begijnen zijn of niet. Kwetter, kwetter, kwetter', ging Toon verder. 'Er zijn er wel knappe bij. Zoals die begijn op dat paard. Heb je dat haar gezien? En haar ogen! Man, man, blauw als de blauwste lucht. Bij haar zou ik weleens op bezoek willen gaan.'

Toon knipoogde en voegde er nog aan toe: 'Als je begrijpt wat ik bedoel.'

De man keek hem aan, recht in de ogen en siste: 'Wegwezen.'

'Het was maar een grapje.'

'Weg!'

Toon deinsde achteruit toen de man een pas in zijn richting zette.

'Jaja. Ik ga al.'

Op veilige afstand riep hij: 'Onbeschofterik!'

Maar de man had alle belangstelling voor hem verloren.

Toon vroeg zich af hoe hij op een aangename manier de tijd kon doorbrengen tot het zover was dat hij naar het begijnhof kon terugkeren. Zou hij even naar huis gaan? Maar Roos zou vragen waarom hij maar wat rondlummelde in plaats van de kost te verdienen.

Hij was er nog niet uit, toen een ruiter hem stapvoets passeerde. Hij herkende de man die de begijn naar het hof had gebracht. Zo, dan was de vrouw nu alleen. Misschien was het niet nodig langer te wachten. De begijnen zouden hun belangstelling verloren hebben toen de ruiter vertrok en waren waarschijnlijk weer aan hun bezigheden gegaan.

Blij dat hij in actie kon komen, draaide hij om en begon in de andere richting te lopen. Tot zijn verbazing zag hij nog een oude bekende, deze keer op een paard. De man keek even nors als daarstraks.

Toon keek hem na. Er was iets... het leek wel of de tweede ruiter de eerste volgde. De eerste stak het marktplein over en stuurde zijn paard een zijstraat in, de tweede sloeg ook de hoek om.

De nieuwsgierigheid van Toon was gewekt. Die begijn kon wachten. Hij wist nu waar ze woonde. Dat mens liep heus niet weg.

Op een holletje liep hij tot aan de hoek en gluurde eromheen. De twee ruiters reden een eindje verder. Toon zette er stevig de pas in en ging hen achterna.

De achtervolging was belachelijk vlug afgelopen. Daar waar de straat de naam Lisper Nieuwland kreeg, reed de eerste ruiter een poort in. De tweede reed er zonder veel belangstelling te tonen voorbij.

Toon dacht dat hij zich had vergist en dat de norse man gewoon toevallig dezelfde kant uit had gemoeten. Hij slenterde voorbij de woning en bedacht dat hij er niet veel mee opschoot dat hij nu wist waar de man woonde die de begijn thuis had gebracht.

Hij begreep niet meer wat hij hier eigenlijk liep te doen. Hij zou het maar beschouwen als een wandelingetje en met een omweg naar het begijnhof terugkeren.

In gedachten verzonken over hoe hij de tweede begijn ging aanpakken, miste hij bijna de ruiter die op een braakliggend stuk grond zijn paard aan een vlierstruik vastmaakte. Bijna, maar net niet omdat het paard op dat moment hinnikte en Toon daardoor onbewust in de richting van het dier keek. Daar had je die kerel dus toch.

De ruiter keek ook in zijn richting en verstarde. Toon wachtte niet af, deed alsof hij de man niet herkende en slenterde verder een hoek om. Daar bleef hij staan. Bijna onmiddellijk deed een zachte stem hem een gat in de lucht springen.

'Toon? Wat doe je hier?'

Roos keek hem verbaasd aan. Ze had een mand aan de arm waarin hij een zak meel zag.

'Ik kom van de molen', zei ze. 'Maar wat sta jij hier te doen?'

'Niets', zei hij.

'Niets? Doe niet belachelijk, Toon.'

Hij gebruikte de eerste de beste smoes die bij hem opkwam.

'Een beurzensnijder... Ik dacht dat er een achter mij aan zat die het op mijn geldbeurs voorzien had. Ik wilde hem te grazen nemen, maar nu is hij natuurlijk weg.'

Hij wierp met veel vertoon een blik om de hoek.

'Zie je wel?' mopperde hij.

'Kom,' lachte Roos, terwijl ze een arm in de zijne haakte, 'ik zal je geldbeurs beschermen door je mee naar huis te nemen.'

Ze moest eens weten dat ik na het akkefietje met Nettie volkomen platzak ben, dacht hij. Als het uitkwam, kon hij altijd nog beweren dat die beurzensnijder hem ongemerkt te slim af was geweest en toch met zijn vingers aan zijn geld had gezeten.

Stiekem feliciteerde hij zichzelf, omdat hij toch maar weer had bewezen vlug te kunnen denken. Met die eigenschap en met het kapitaal dat die twee begijnen hem zouden leveren, zou hij het maken en zijn Roos en zijn toekomstige kinderen een luxueus leven bezorgen.

Ze liepen gearmd langs het braakliggend terrein met de vlierstruik. Het paard knabbelde aan het onkruid op het veldje. De ruiter was nergens meer te bekennen.

Balthazar gleed het poorthuis in. Hij had gewacht tot de straat er verlaten bij lag. Dat had wel even geduurd, maar nu was hij toch al tot op de binnenplaats geraakt. De stal lag naast het koetshuis dat recht tegenover de ingangspoort lag. Het woonhuis strekte zich uit aan zijn rechterkant. Links was er een hoge muur, daarachter lag een leegstaand gebouw waar metselaars aan het werk waren. Dat had hij gezien toen hij ervoorbij liep.

Hij aarzelde. Die minnaar van Catharina was ongetwijfeld een rijk man – een stadswoning als deze kostte een fortuin – en had natuurlijk personeel. Zijn plan – als je het zo mocht noemen, eigenlijk was het meer een opwelling – om de kerel eens goed te grazen te nemen leek nu tamelijk onnozel en onuitvoerbaar. Bij klaarlichte dag dan toch.

Hij nam de situatie op. Er was een raam in het woonhuis dat langs het dak van een bijgebouwtje makkelijk te bereiken was. Daarlangs kwam hij wel binnen. Als de metselaars weg waren, kon hij langs de tuin van het leegstaande gebouw, over de muur de binnenplaats bereiken. Maar eerst moest het donker worden. Hij zou dus nog even moeten wachten, maar dat was niet erg. Uitstel was geen afstel, het voedde alleen maar zijn wraakgevoelens.

Hij trok zich weer terug in het poorthuis en gleed de straat op naar het braakliggend veldje waar hij zijn paard losmaakte.

22

Tilly had een mooi ribstuk op de kop getikt.

'Speciaal voor jou opzij gehouden, liefje.'

De slagersknecht had een oogje op haar. Het was best een knappe kerel en hij had goede vooruitzichten.

'Nog een paar jaar werken als gezel en dan volg ik de slager op. Hij heeft geen zoon. Hij heeft mij er al over aangesproken en als het zover is, heb ik een goeie vrouw nodig.'

De blik die hij daarbij op haar wierp, was veelzeggend.

'Eentje als jij, Tilly.'

Tilly zei maar niet dat zij met Joris was. Zij wilde haar kans op mooie ribstukken niet tenietdoen, ze vond hem aardig en bovendien begon ze te twijfelen aan Joris. Waarom had hij haar de vorige avond laten stikken? En de avond ervoor ook. Zondag was hij wel gekomen, maar ze hadden niet eens gevreeën.

Hij had er afwezig bij gezeten, alsof hij bij een oude tante op bezoek was en niet bij zijn lief. Had ze iets verkeerds gedaan? Of gezegd? Of stoorde hij zich aan Maria, die een tijdje had zitten ratelen over haar kanunnik en zijn appelgedoe, tot ze haar stiekem een schop had gegeven en veelbetekenend naar de deur had geknikt?

'Oh... Euh... ik geloof dat ik... Ja! Ik moet dringend naar huis.'

Met een knipoogje had Maria hen alleen gelaten.

'Jullie vervelen zich toch niet zonder mij?' had ze gegiecheld.

'Natuurlijk niet.'

Maar dat hadden ze wél gedaan. Joris had geen enkele interesse getoond toen ze zich op zijn schoot had genesteld. Er kon niet eens een glimlachje af.

Ze was toen maar naast hem op de bank gaan zitten, tot hij even later was opgestaan en de deur was uit gelopen.

Zonder groet! Dat ergerde haar nog het meeste. Wat dacht hij wel dat ze was? Een deel van het meubilair? Of de kat?

Nee, als Joris die avond niet kwam, of wel opdaagde maar geen behoorlijke uitleg had, zou ze hem vergeten en wat meer aandacht aan de slagersknecht besteden.

Jan-Pieter heette hij. Jan-Pieter en Tilly, dat klonk goed. Ze zag zichzelf wel in een slagerij staan.

Dit alles schoot haar door het hoofd terwijl ze naar huis liep.

Omdat ze zo verdiept was in een toekomstbeeld als slagersvrouw, merkte ze kanunnik Calcoen, die op haar toe liep, pas op toen ze de voordeur openmaakte.

'Waarom komt dat meisje, die huishoudster van kanunnik Dodoens, niet openmaken?'

Het was meer een snauw dan een vraag.

'Ze zal boodschappen gaan doen zijn, eerwaarde', antwoordde ze verbouwereerd.

'Ik was hier daarstraks ook al! Toen was ze er ook niet.'

'Soms moeten er veel boodschappen gedaan worden...' stamelde ze.

'Je tijd verspillen met lachen en stoeien met leerjongens, bedoel je.'

Tilly bloosde, maar ze werd ook een beetje boos. Ze had helemaal geen tijd verspild met Jan-Pieter en ze had ook niet met hem gestoeid, hoewel dat binnenkort wel kon gebeuren. Die kanunnik kon toch geen gedachten lezen? Geschrokken bande ze Jan-Pieter uit haar hoofd en dacht in plaats daarvan aan een onschuldig ding als het ribstuk.

De kanunnik bekeek haar vorsend.

'Kijk me aan, meisje, als ik tegen je spreek. Heb jij kanunnik Dodoens vandaag gezien?'

'Nee, eerwaarde.'

'Waar zit die kerel toch? Ik moet dringend de decaan erover aanspreken.'

Tilly keek hem na terwijl hij met grote passen naar de kerk beende en slaakte een zucht van verlichting.

Ze prees zichzelf gelukkig dat haar kanunnik een zachtaardige, bejaarde man was, die nooit het ene woord harder zei dan het andere en met alles tevreden was.

Ze ging het huis in en bedacht dat ze wel wist waar Maria was. Die lag natuurlijk haar roes uit te slapen.

Vanavond zou ze bij haar langs gaan. Als Joris niet opdaagde, natuurlijk.

23

De woorden van de grootjuffrouw waren er te veel aan geweest. Haar geest had geweigerd nog meer ellende toe te laten.

Ze huilde niet meer. Op haar wangen waren de sporen van tranen opgedroogd tot groezelige strepen. Ze verroerde zich niet, knipperde zelfs niet met haar ogen, waarin over het blauw nu een dofgrijze sluier hing. Het enige wat ze nog deed was ademen, heel oppervlakkig alsof het eigenlijk niet meer hoefde. Als ze had gekund, was ze ook daarmee opgehouden.

Het was de pijn in haar enkel die haar geest terugriep. De enkel protesteerde, omdat hij nu al een tijdje onafgebroken in dezelfde houding hing. Hij was intussen opgezwollen tot het dubbele van zijn evenbeeld.

Met de pijnscheuten keerde ook die andere pijn in alle hevigheid terug. Ze kreunde onder het gewicht van de miserie die haar versmachtte, maar iets van haar oude veerkracht was ook ontwaakt. Die gaf haar de kracht om de pijnlijke enkel aan te pakken.

Ze trok haar kous uit en duwde op het gezwollen gewricht. Om uit te testen hoe erg het was, stond ze op en bracht ze voorzichtig haar gewicht over op het zere been. Een pijnscheut schoot erdoorheen en ze liet zich met een kreet weer op de stoel neervallen.

Was Magdalena nu maar hier. Die zou wel een smeerseltje kennen om de zwelling te verjagen. Maar Magdalena was er niet en het was onmogelijk om haar in deze toestand op te gaan zoeken. Ze zou haar plan moeten trekken.

Misschien kon ze beginnen met er een tijdje een warme doek op te leggen en nadien de enkel stevig in te winden.

Ze had die ochtend voor ze vertrok hout gestapeld in de haard. Er hoefde alleen een vlammetje aangestoken te worden. Gelukkig was er nog water in de ketel dat ze kon verwarmen.

Onhandig hinkend op één been en steun zoekend aan alles waar ze zich ook maar aan kon vasthouden, duurde dat allemaal veel langer dan normaal.

Tegen de tijd dat het houtvuur knetterde, was ze uitgeput.

Ze moest weer even gaan zitten voor ze op zoek kon gaan naar een doek, die ze aan repen kon scheuren om als windsel te gebruiken. Daarvoor moest ze naar haar slaapkamer, ze wist dat er in de klerenkist nog een oud laken lag.

De trap geraakte ze op één been niet op. Ze werkte zich op haar zitvlak en met haar handen omhoog.

Hoe onhandig en pijnlijk het ook was, ze merkte dat ze zich beter ging voelen nu ze niet meer willoos op die stoel zat. Gelukkig was de trap naar het opkamertje niet hoog en even later hinkte ze er naar binnen.

Haar oog viel meteen op het deksel van de klerenkist dat omhoog stond geklapt. Altijd sloot ze de kist zorgvuldig om motten of ander ongedierte niet de kans te geven zich tussen haar kleren te nestelen. Ze keek in de kist. De inhoud lag niet zo netjes opgestapeld als anders. Er had iemand in haar spullen gesnuffeld. Maar wie zou zoiets doen? Een dief? Of...

Ze huiverde. Was Balthazar haar woning binnengedrongen? Hij had er de mogelijkheid toe gehad. Zij hadden slechts stapvoets gereden. Hij had makkelijk voor hen het begijnhof kunnen bereiken.

Balthazar zou opzettelijk het deksel omhoog laten staan om haar nerveus te maken, om haar te laten weten: kijk, ik ben hier geweest. Je bent nog niet van mij af. Hij was toch wel weg? Misschien zat hij nog ergens in huis zijn kans af te wachten.

Haar adem stokte. Paniekerig bukte ze zich en keek onder het bed. Ze hinkte tot aan de deur en gluurde haar woonkamer in. Vergetend waarvoor ze gekomen was, werkte ze zichzelf terug het trappetje af.

In haar woonkamer was er geen plaats waar iemand zich kon verbergen. Er was alleen nog de zolder. Ze bleef onder aan de trap staan en keek op naar het zolderluik dat open stond en eigenlijk dicht moest liggen. Gisteren had ze het dichtgelegd, omdat de avonden te koud werden en ze de warmte niet langs de zolder wilde laten ontsnappen, en nu stond het open.

Doodstil bleef ze staan, op één been, met een hand steunend op de tafel. Ze hield haar adem in en luisterde ingespannen of gekraak van vloerplanken of een spoor van een ademhaling de aanwezigheid van een indringer verraadde.

Ze was zo geconcentreerd bezig met de ruimte die zich boven haar hoofd bevond, dat een plotseling geluid achter haar rug haar door het lint deed gaan. Ze schreeuwde als een dier in doodsnood.

'Juffrouw Catharina!'

Barbara keek haar vanuit de deuropening schichtig aan.

'Ik... ik wilde alleen maar... ik...' stamelde ze.

Catharina slaagde er maar langzaam in zichzelf onder controle te krijgen.

'Misschien ga ik maar beter weg', zei Barbara opgelaten.

'Nee!'

Bevend als een rietstengel op de oever van de Nete liet Catharina zich op een stoel neervallen. Barbara schrok van de wanhopige blik in haar ogen. Ze kwam dichterbij en boog zich over haar heen.

'Voel je je wel goed?'

'Ik denk dat er iemand op zolder zit', fluisterde Catharina.

'Waarom denk je dat? Heb je iemand gehoord?'

Catharina schudde het hoofd; neen, dat had ze niet.

'Durf je niet te gaan kijken?'

'Ik kan niet', zei Catharina.

Ze trok haar rok omhoog, zodat haar gezwollen enkel zichtbaar werd.

'Oh! Was het daarom dat Godfried je thuisbracht?'

Het klonk opgelucht. Niet dat ze iets voor Lesage voelde, tenslotte was ze verloofd, maar het had haar toch geërgerd toen ze hem met Catharina bezig zag. Was hij niet door háár vader aangesteld om zijn dochter te beschermen? Waarom liet hij zich dan van zijn taak afleiden door een ritje te paard te maken met een andere begijn?

Ze schaamde zich omdat ze zich zo kleinzielig had gedragen en dat tegenover de vrouw die haar van in het begin liefdevol had bejegend.

Catharina was zich niet bewust van de gevoelens van de jonge begijn. Ze keek ongerust naar het gapende, zwarte gat van de zolder.

'Ik heb gisteravond het luik dichtgelegd', zei ze.

'Och, waarschijnlijk ben je deze ochtend zelf nog op de zolder geweest. Ik ga wel even kijken', zei Barbara.

'Neen!'

Maar Barbara nam haar rokken bij elkaar en haastte zich de trap op.

'Kom terug', siste Catharina, maar de jonge vrouw liep al op de zolder rond.

Catharina hoorde boven haar hoofd de vloerplanken kraken en kon zo volgen dat Barbara de boel grondig tot in de uithoeken bekeek.

'Niemand!' riep Barbara.

Catharina haalde opgelucht adem. Barbara daalde lachend de trap af.

'Je hebt het je maar verbeeld', zei ze. 'En nu die enkel nog. Wat doen we eraan?'

Nu haar angst was verdwenen, leek het of Catharina beter na kon denken en ze haar zelfvertrouwen herwon. Ze keek Barbara peinzend aan.

'Er is iets wat je voor mij zou kunnen doen. Je zou mij er echt door helpen', zei ze.

'Zeg het maar!'

'Zou je mijn zus kunnen halen in het gasthuis? Zij weet wat er met die enkel moet gebeuren. Vraag naar zuster Magdalena. Ze heeft het druk. Waarschijnlijk zal ze zeggen dat ze geen tijd heeft, maar dring aan. Zeg dat ze moet komen. Vandaag nog. Alsjeblieft, Barbara?'

'Ik ga er onmiddellijk naartoe, juffrouw Catharina', knikte Barbara. 'Als ze meteen meekomt, kan het nog voor het sluiten van de poorten.'

'Dank je, Barbara en laat dat juffrouw maar achterwege.'

'Ik ben al weg... Catharina.'

Catharina keek haar glimlachend na. De deur viel toe. Ze voelde zich rustiger nu. Straks zou Magdalena komen. Die zou haar helpen met haar enkel, maar belangrijker nog, ze zou haar alles kunnen vertellen. Magdalena was de enige waarvoor ze geen geheimen had.

Het duurde lang. Catharina begon al te wanhopen. Uiteindelijk stond Magdalena dan toch voor haar.

'Die jonge begijn zei dat je niet meer kunt lopen.'

'Ik ben zo blij dat je gekomen bent, Magdalena.'

Van pure opluchting dat ze niet meer alleen was, voelde ze de pijn even niet meer.

'Jaja, alsof ik niets anders te doen heb dan op te komen draven als jij erom vraagt!' mopperde Magdalena, maar ze keek zo bezorgd dat het niet veel effect had.

24

In een herberg bracht hij de tijd door met eten en drinken en dobbelen tot het donker was. Hij had niet zoveel gedronken dat hij beneveld was. Daar had hij goed voor opgepast.

De drank zorgde ervoor dat zijn laatste twijfel over het nut van zijn geplande onderneming verdween. Hij was nu meer nog dan daarstraks vastbesloten de zaak Catharina voor eens en voor altijd op te lossen. Ze werd de zijne en wie zijn poten naar haar uitstak, moest ervoor boeten. Te beginnen met dat stadse kereltje.

Wat had ze in 's hemelsnaam in hem gezien? Was hij rijk? Was dat de reden? Maar dat was hij, Balthazar, ook. Nu zijn vader dood was, bezat hij de hoeve. Johan kwam er niet aan te pas. Die bestond niet meer.

Misschien werd het tijd dat hij wat meer heer en wat minder boer werd en het werk aan zijn arbeiders overliet. Misschien zou Catharina hem dan wel zien zitten.

Ze hoefde niet te werken, zoals ze dat als schoondochter wel had gedaan, toen zijn vader nog leefde. Ze hoefde alleen de dame des huizes te zijn en zijn bed te delen. Ze mocht zoveel mooie jurken kopen als ze wilde. Dat was toch wat vrouwen wilden?

Hij zou het haar rustig uitleggen, zonder haar bang te maken deze keer. Misschien kon hij zelfs beweren dat het de nadrukkelijke wens van Johan was.

Johannes Broek, de protestant uit het noorden, kon hij ongestraft eender welke woorden in de mond leggen.

Het was niet waar dat Johan soms vermomd naar Lier afzakte, zoals hij aan Catharina had gezegd. Tenminste... toch niet voor zover hij het wist. Wat had Johan hier trouwens nog te zoeken? Zijn vrouw, zei een stem in hem, maar die stem legde hij vlug het zwijgen op. Door de schande die Johan over de familie had gebracht, had hij geen recht meer op die vrouw. Johan Overbroeke was dood. Johannes Broek had geen enkel recht op niets of niemand meer.

Balthazar legde het paard weer aan de vlierstruik vast. Het dier onderging het lijdzaam, ook al was al wat eetbaar was binnen zijn bereik opgepeuzeld.

Het was een donkere nacht. Wolken verborgen de nog altijd volle maan. Slechts nu en dan, als er een opening in het voorbijschuivende wolkendek brak, werd het even licht en glansde alles zilverig.

Door navraag in de herberg wist hij intussen hoe zijn rivaal heette: Godfried Lesage. Als hij met die kerel klaar was, zou die moeite hebben om zich zijn eigen naam te herinneren, beloofde Balthazar zichzelf.

Het poorthuis was natuurlijk afgesloten. Hij had er ook niet op gerekend dat hij langs daar had kunnen binnendringen. Dat zou te makkelijk zijn geweest. Een beetje inspanning maakte het spannender en wakkerde zijn woede nog meer aan.

Inbreken in het lege huis was simpel. De hofmuur die de scheiding vormde, was ook geen probleem. Met een sprong slaagde hij erin de rand te grijpen. Hij trok zich op en al vlug zat hij schrijlings boven op de muur.

Aan de andere kant was alles stil. Achter het raam waarlangs hij het huis wilde binnendringen, brandde er licht. Dat was een tegenvaller, maar het zou hem niet tegenhouden.

Hij liet zich aan zijn armen zakken, kwam met een sprongetje lenig als een kat op de binnenplaats terecht en rende naar de overkant van het binnenplein waar hij zich in de schaduw van een struik terugtrok.

Buiten wat gestamp van paardenhoeven was er vanuit de stal geen enkel geluid te horen. Het was er donker. Hij hoopte maar dat de stalknecht, die er ongetwijfeld zijn slaaphoek had, al lag te slapen.

Hij wachtte nog even voor de zekerheid, toen klom hij het dak van het bijgebouwtje op.

Godfried Lesage had heel wat om over na te denken, maar hij betrapte zichzelf erop dat hij steeds bij haar terechtkwam.

Hij dacht niet alleen aan haar, hij zag haar ook tussen zijn armen op het paard zitten, hij rook haar, hij voelde haar zoals ze daar zat, vederlicht, want hij had haar lichaam nooit meer dan per ongeluk aangeraakt.

Hij zei hardop haar naam.

'Catharina.'

En vond dat er geen mooiere naam bestond.

Hij vroeg zich af of dit nu was wat in liederen werd bezongen: verliefdheid. Hij had zich weleens eerder tot een vrouw aangetrokken gevoeld, maar dit was anders, meer, grootser. Het vulde hem tot de rand, zodat hij overliep van liefde.

Het maakte hem blij, maar tegelijk ook verward en onzeker. Hoe moest het nu verder?

Hij kon haar het hof maken en hopen dat zij hetzelfde voor hem zou voelen. Begijnen waren geen nonnen. Begijnen mochten verliefd worden en weggaan van het begijnhof om te trouwen. Maar wat als ze hem afwees?

Het maakte hem rusteloos. Kon hij er anders van genieten rustig in zijn werkkamer te zitten lezen, nu stond hij om de haverklap op, ijsbeerde door de kamer.

Omdat hij zo in gedachten was verdiept, reageerde hij te traag toen de klap kwam en het vensterglas rinkelend op de plankenvloer viel.

De indringer sprong hem al op de nek voor hij zich had omgedraaid. Ze vielen samen neer. Een vuistslag recht op zijn neus kwam aan alsof hij met een moker werd bewerkt. Het bloed spatte alle kanten op en zijn hoofd leek te exploderen van de pijn.

Vaag hoorde hij zijn aanvaller schreeuwen:

'Je blijft met je poten van haar af. Catharina is van mij. Ik verbied je nog in haar buurt te komen.'

Toen ging voor Lesage het licht uit.

Zijn aanvaller bleef nog schoppen en slaan tot hij doorkreeg dat het slachtoffer niet meer bewoog. Hijgend verdween hij langs dezelfde weg als waarlangs hij gekomen was.

25

'Ik ga nog even naar de kroeg, Roos.'

'Nee Toon, alsjeblieft, blijf nu gezellig bij me thuis, toe.'

Ze nestelde zich op zijn schoot, sloeg haar zachte armen om zijn nek en kuste hem.

'Het is werk, Roos. De waard heeft een klus voor mij. Maar ik kom vlug terug. Beloofd.'

'Je moet niks beloven dat je niet meent. Je vergeet dat ik je ken, Toon van Gent!'

'Roos, mijn Roos, mijn bloem, heb een beetje vertrouwen in mij. Ik heb een handeltje op het oog dat ons rijk gaat maken, maar daarom moet ik nu...'

'...naar de kroeg', maakte ze zuchtend zijn woorden af.

Ze stond op en liep naar de alkoof.

'Ik ga slapen en maak me niet wakker als je terugkomt van... je werk.'

Het klonk schamper. Ze was boos, zijn Roos.

'Ik ben terug voor je in slaap valt!'

Hij tuitte zijn lippen en kuste de lucht. Een lachje kon er nog niet vanaf, maar haar ogen keken al wat minder donker.

Toon van Gent zwaaide nog eens en sloot de deur achter zich. Hij meende het, toen hij zei dat hij vlug terug zou zijn, want hij ging niet naar de kroeg, dus kon hij daar ook niet blijven plakken.

Hij ging doen wat hij al een hele dag van plan was, die tweede begijn een bezoekje brengen en er zijn eisen op tafel leggen. Hij had intussen ook een manier gevonden om niet rechtstreeks geld van haar aan te nemen. Een manier waarvoor hij Nettie niet nodig had.

Het geld zou van vrouwenhand naar vrouwenhand verhandeld worden. Hij zou het die begijn zélf in zijn beurs laten steken en het er straks door Roos uit laten halen, waarna hij het, zo hoopte hij toch, veilig op zijn beurt kon aanraken. Had hij daar maar eerder aan gedacht, dan had hij nu het geld van die grootjuffrouw al op zak gehad.

Zelfzeker liep hij met grote, ferme passen langs de kortste weg recht op zijn doel af.

Toon van Gent wist dat 's avonds de poorten van het begijnhof gesloten werden, maar dat zou hem niet tegenhouden. De hofmuur was niet zo hoog dat een lenige man zoals hij er niet overheen kon. Vooral de kant bij het Netepoortje was geschikt voor een klauterpartij, omdat daar 's nachts niemand iets te zoeken had.

Hij keek wel uit geen bekenden te ontmoeten en een keer bleef hij in een portiek schuilen om de nachtwacht te laten passeren. Het was een vroegere buurman van hem, die met een lantaarn de straten afliep en opriep om de haardvuren te doven of af te dekken: 'Hoed uw vuur! Hoed uw vuur!' riep de man.

Het was een vaste job, betaald door de stad, maar Toon betwijfelde of hij het lang vol zou houden.

De nachtwacht verdween om de hoek en Toon vervolgde zijn weg. Hij liep onder de binnenste Eekelpoort door, die sinds er een tweede omwalling was, 's nachts niet meer werd gesloten.

Toen hij de brug van de stadsgracht over was, lag het begijnhof voor hem tegen de vesten van de buitenomwalling aan.

Hij volgde de hofmuur tot hij bij het Netepoortje kwam. Voor de zekerheid speurde hij de omgeving af. Je wist maar nooit of er een bedelaar tussen de struiken lag te slapen. Er was behalve een kat die schichtig voor hem op de loop ging, geen levende ziel te bespeuren.

Toon schatte de hoogte. Als hij een ferme aanloop nam... Na de tweede poging slaagde hij erin de rand van de muur te pakken. Hij trok zich op. Hijgend bleef hij even zitten uitblazen, maar niet lang, want hij wist dat hij afstak tegen de lucht. Hij liet zich aan de andere kant neerzakken en kreeg daar de schrik van zijn leven.

Een arm nam hem in een wurggreep, een hand bedekte zijn mond.

'Waar ga jij naartoe?' siste een mannenstem in zijn oor.

Toon kon vanuit zijn ooghoek een stukje van het gezicht van zijn aanvaller zien. Het was de norse kerel die hij daarstraks ook al op het begijnhof had opgemerkt, de ruiter die hij achterna was gelopen en die op zijn beurt de man volgde die de begijn thuis had gebracht.

'Laat... me... los', piepte hij.

Hij spartelde om los te komen.

'Wilde je bij een begijn op bezoek? Toch niet toevallig bij degene waar je jezelf daarstraks op stond te verlekkeren? Heb je iets met haar?'

Toon kreeg geen lucht meer en nog vermeerderde zijn aanvaller de druk.

'Ze is van mij. Ze is alleen van mij.'

Toen brak de nek van Toon. De aanvaller hoorde het kraken en voelde de man in zijn armen slap worden. Hij keek zijn slachtoffer aan zonder een greintje spijt. Zijn woede was verdwenen, nu was er alleen ergernis omdat hij met een lijk zat opgescheept.

Een glimlach verscheen om zijn mond. Hij zou hem op

haar stoep leggen als cadeautje. Zelf kwam hij op een andere keer wel terug.

Eén oog kreeg Godfried Lesage makkelijk open. Het andere plakte dicht door een kleverige smurrie. Hij duwde tegen het ooglid tot het op een spleetje open bleef staan en zag dat die smurrie bloed was en dat het overal over hem heen zat.

Hij voelde voorzichtig aan zijn neus, die de eerste slag had opgevangen. De aanraking deed hem ineenkrimpen van de pijn. Voorzichtig betastte hij de rest van zijn gezicht en schedel. Er waren geen gapende wonden, alleen wat kneuzingen die beurs aanvoelden als hij erop drukte.

Het bloed was blijkbaar alleen van zijn neus afkomstig. Het zat in een prop opgedroogd in zijn neusgaten.

De pijn lokaliseerde zich in zijn hoofd en borstkas. Hij herinnerde zich dat zijn aanvaller hem tegen de borst had gestampt.

Hij probeerde overeind te komen, maar werd door een duizeling overmand. Hij wachtte af, zich vastklampend aan de schrijftafel. Enkele ogenblikken later trok de nevel in zijn hoofd op.

Hij zette enkele passen tot aan zijn stoel. Tot zijn grote opluchting waren zijn benen en heupen nog helemaal in orde. Een beetje stijf, dat wel en morgen zou hij ongetwijfeld helemaal onder de blauwe plekken zitten.

Langzaam liet hij zich in zijn armstoel neerzakken. Hij keek de kamer rond. De vensterruitjes waren versplinterd en de stukken lagen over de vloer verspreid. Hij hoopte van ganser harte dat de indringer zich eraan had gesneden.

Er was voor de rest niets overhoop gehaald, niet in de laden van de schrijftafel gesnuffeld. Zijn gouden ring zat nog aan zijn ringvinger. Diefstal was niet de reden geweest voor deze onverwachte explosie van geweld. Wat dan wel? Wat had hij die kerel aangedaan dat het zoiets kon rechtvaardigen?

Het was allemaal zo vlug gegaan dat hij zijn aanvaller slechts in een flits had gezien. Hij had de man niet herkend, ook zijn stem niet.

Hij probeerde zich te herinneren wat de indringer precies had gezegd. Er schoot hem een naam te binnen die hij had horen noemen en dat schokte hem.

'Catharina.'

Zijn stem klonk schor, alsof zijn adem zich moeizaam een weg naar buiten moest zoeken. Nu wist hij het weer.

'Je blijft met je poten van haar af. Catharina is van mij', dat had die kerel gezegd.

Hij had een sterk vermoeden dat zijn bezoeker weleens de zwager van Catharina kon zijn. Was de man hem gevolgd? Het was een gewelddadige kerel. Dat bewees de manier waarop hij Catharina had lastiggevallen. Jammer dat hij hem toen slechts uit de verte had gezien. Waarom had hij hem niet achtervolgd? Omdat Catharina hem had gevraagd dat niet te doen. Wat als die man ook in haar woning binnendrong?

Lesage huiverde toen hij zich voorstelde wat er met haar kon gebeuren. Hij moest haar onmiddellijk waarschuwen, haar beschermen.

Hij stond bruusk op en moest dat onmiddellijk bekopen met een pijnscheut die door zijn hele lichaam golfde, maar hij verbeet de pijn en ging de kamer uit.

Het huis was stil. Niemand had iets van de inbraak of van de vechtpartij gehoord, anders waren ze wel poolshoogte komen nemen.

Hij ging het huis uit naar de stal. De frisse buitenlucht deed hem goed. De duizeligheid verdween.

Zijn paard begon te snuiven en te stampen toen het hem hoorde binnenkomen. Hij aarzelde even. Zou hij de stalknecht wakker maken? Maar hij besloot dat niet te doen en zelf vlug het paard te zadelen. Er was geen tijd meer te verliezen.

Hij was er bijna mee klaar toen een slaperige figuur met verwarde haren over de rand van de hooischelf gluurde.

'Heer?'

In een wip stond de stalknecht beneden.

'Gaat u nog weg, heer?'

'Doe de poort voor me open. Maak voort, man, er is geen tijd te verliezen.'

De poort knarste open en Godfried Lesage stuurde zijn paard de straat op. Hij spoorde het aan tot draf en koos de kortste weg naar het begijnhof.

Terwijl het geklepper van de paardenhoeven de nachtelijke stilte verstoorde, vroeg hij zich af hoe hij in het begijnhof binnen kon komen. 's Nachts was dat voor mannen verboden gebied. Hij zou zich door die regel niet laten tegenhouden. Er moest vannacht voor hem maar een uitzondering worden gemaakt.

26

Tilly had de pest in. Ze had zich gehaast met de vaat, had op een holletje de haardvuren in huis gecontroleerd en de luiken gesloten. Daarna had ze haar gezicht geboend, een schone muts en een schone schort aangetrokken. Ze had een kruik bier klaargezet en een stuk van de taart waarop Joris verlekkerd was en dat ze voor hem opzij had gehouden.

Ze maakte zichzelf wijs dat hij vanavond ongetwijfeld zou komen. Ze hoopte dat Maria niet opdaagde, want die stoorde met haar getater. Misschien kwam het zelfs door Maria dat Joris geen zin meer had in bezoekjes.

Ze had de vorige week wel gemerkt dat hij haar buurmeisje met een diepe frons tussen de wenkbrauwen bekeek terwijl die voor de zoveelste maal een verhaal over de kanunnik aan het afsteken was. Hij moet zich toen verschrikkelijk geërgerd hebben, want sindsdien had hij amper zijn gezicht nog laten zien.

Vanavond was het alweer hetzelfde: geen Joris en Maria had ook haar kat gestuurd.

Net toen ze besloot niet langer op te blijven, morgen was het weer vroeg dag, en de taart dan maar zelf op te eten, hoorde ze een gerikketik op het raam. Maria klopte altijd op de deur, Joris tikte met zijn vingernagels op de ruit.

Ze sprong blij op. Daar was hij dan toch.

Ze schoof de grendel van de deur en voor Joris een stap binnen kon zetten, hing ze hem al om de hals.

'Waar bleef je zo lang?'

'Hoe bedoel je?'

'Ben je ziek geweest?'

Hij snoerde haar de mond met een zoen. Ze nestelde zich op zijn schoot.

'Waarom bleef je weg?'

'Ik was gewoon moe.'

'Heeft het iets met Maria te maken?'

'Dadelijk ga je nog zeggen dat ik iets met haar heb! Dat ik 's avonds bij haar heb gezeten in plaats van bij jou.'

Hij kietelde haar plagend.

'Natuurlijk was je niet bij haar, want zij was bijna elke avond hier of ik was bij haar. Maar waar was je dan wel?'

'Op mijn strozak en daar lag ik te denken aan wat ik nu met jou ga doen.'

Hij schortte haar rokken omhoog en nam haar op de keukentafel.

Tilly zei voor de rest van de avond geen woord meer over Maria, ze dacht ook niet meer aan haar.

Een dikke, zwarte rat snuffelde aan de bundel die in de kelder van het buurhuis lag en naar mens rook. Dode mens. Goeie, sappige, jeugdige, dode mens, niet zo een als het exemplaar dat in de tapijtrol in stukken uiteen aan het vallen was en waarvan niets eetbaars meer aan de knoken te bespeuren was.

Die liet de rat links liggen. Hij begon te knabbelen aan een zachte, malse wang en prees zichzelf gelukkig dat nog niemand van zijn soortgenoten dit eetfestijn had ontdekt.

27

Het maanlicht dat door het hoge raam van haar kloostercel binnenviel, werd gefilterd door het bladerdak van een iep en wierp een bewegend kantwerk op de gewitte wanden en op haar smalle, harde bed. Er stond buiten een stevige bries. De schaduwen wervelden door de kamer heen.

Magdalena sloot de ogen om zich af te sluiten van de schaduwendans die haar misselijk maakte. Ze haatte de nachten waarin ze doodmoe was en toch de slaap niet kon vatten.

Het waren niet de beelden uit het gasthuis die haar uit haar slaap hielden. Hoe hard ze ook werkte, hoe ze ook met smeerseltjes en kruidendrankjes probeerde het tij te keren, bijna nooit won ze het van de dood. Het matte haar af, dat wel, maar het hield haar niet uit haar slaap. Gepieker over Catharina daarentegen deed dat wel.

Eigenlijk was de miserie begonnen toen Catharina met Johan Overbroeke trouwde, een stugge, strenge man die Magdalena nooit had gemogen. De eigendommen van beide families grensden aan elkaar. Door Catharina's bruidsschat konden de Overbroekes een belangrijk deel van de gronden aanhechten.

Toen reeds moet Johan protestantse sympathieën hebben gehad, al had hij die handig voor hun vader verborgen. Niet dat het moeilijk was om een hoogbejaarde, bijna blinde man om de tuin te leiden, maar ook Catharina had niets vermoed. Catharina was overtuigd katholiek. Ze zou nooit met een ketter getrouwd zijn.

Gedurende een korte periode had het calvinisme als een gezwel gewoekerd in hun stad. De calvinisten waren er zelfs voor een tijdje in geslaagd het Lierse stadsbestuur over te nemen.

Toen had Johan Overbroeke makkelijk openlijk voor zijn overtuiging kunnen uitkomen. Alleen de druk van zijn eigen familie had hem dat waarschijnlijk belet.

Vader Overbroeke was een man met een ijzersterke wil en een vooruitziende blik. Had hij vermoed dat de Spanjaarden korte metten zouden maken met het protestantse gezwel? Dat het gevaarlijk zou worden voor het voortbestaan en de welvarendheid van de familie als die verdacht werd van calvinistische sympathieën? Ook al was er maar één lid van de familie dat niet meer in de pas liep?

Na alles wat Catharina haar die dag vol afschuw had verteld over de vermoorde knecht, begreep ze dat de Overbroekes letterlijk over lijken gingen om de eer van de familie hoog te houden.

Op nachten als deze, als ze de slaap niet kon vatten en de muren op haar af kwamen, zocht ze troost. Er was maar één plaats waar ze die troost kon vinden.

Ze sloeg een omslagdoek om en stak haar voeten in haar sloffen. Ze bewoog zich vlug en zonder geluid te maken de gang met de zeven cellen van de zeven gasthuiszusters door, de trap af, langs de ziekenzaal waar de zieken om haar riepen of ijlend van de koorts met hun duivels vochten, de binnenplaats over en de tuin in naar het cholerahuisje.

Er lag op het ogenblik maar één patiënt. De man lag er roerloos bij. Ofwel sliep hij, ofwel had hij het opgegeven. Magdalena boog zich even over hem, liet het licht van haar kaars over zijn gezicht vallen en sloeg een kruisteken. Morgen zou het cholerahuisje leeg zijn.

Ze stommelde het keldertrapje af. Het was een lage, gewelfde ruimte. Hoewel ze klein van gestalte was, kon ze er niet rechtop staan. De vloer bestond uit gestampte aarde. Tegen de verste wand stond wat afgedankt meubilair opgestapeld.

Magdalena verschoof een vermolmde stoel en een paar krukjes met gebroken poten. Ze sleepte een koffer waarvan het slot was afgebroken opzij, evenals een bruidskast, die ooit de trots van een jonge vrouw was geweest en nu alleen nog goed genoeg was om in stukken te worden gehakt en opgestookt.

Ten slotte werd een aantal vloerplanken zichtbaar. Ze haalde ze één voor één weg. In een langwerpige kuil lag een bundel gewikkeld in zeildoek.

Dit was het ogenblik waarop ze steevast veranderde in een boeteling. Ze zonk op de knieën en smeekte om vergeving voor de onwaardige verblijfplaats van de Heilige Maagd, weggestopt in een hol onder de grond als een obscuur voorwerp dat geen daglicht verdraagt.

'Ave Maria', prevelde ze terwijl ze de doek openvouwde.

Zoals steeds keek het Mariabeeld haar vriendelijk aan. Het heiligenbeeld glimlachte zoetsappig, haar hoofd een beetje schuin, het Kindje op de heup. In haar ogen lag geen greintje veroordeling, alleen mildheid en ja... ook begrip. Dat troostte Magdalena.

Ze bleef zo op de knieën zitten tot de vrede weergekeerd was in haar hart. Nu zou ze kunnen inslapen en de dag vergeten dat Catharina bij het gasthuis was aangekomen.

Een medezuster was haar komen halen. Er stond iemand aan de poort die haar dringend wilde spreken. Catharina.

Ze zag zichzelf nog achteraan bij de kar staan. Er stond een kast op, en ook nog een tafel en een stoel, de planken van een ledikant, een grote klerenkoffer en een mand met kook- en eetgerei. De gebruikelijke spullen als je in het begijnhof wilde intrekken.

'Je doet het dus!'

Ze herinnerde zich nog dat ze tevreden was geweest omdat Catharina eindelijk de knoop had doorgehakt. Wat moest Catharina als weduwe anders met haar leven aan, als ze niet wilde hertrouwen en niet in een klooster wilde gaan?

'Je kunt me makkelijk nu en dan komen opzoeken', had Magdalena blij gezegd.

Catharina had met haar gedachten mijlenver weg geleken, keek schichtig om zich heen. Ze had er toen wat lacherig over gedaan, had zelfs gevraagd of Catharina smokkelwaar bij zich had. Wel, ver zat ze er niet naast!

Catharina trok de klerenkoffer naar de rand van de kar, sloeg het deksel open en duwde de kleren die erin lagen, opzij. Op de bodem lag een bundel gewikkeld in zeildoek. Ze sloeg slechts even de flappen van het zeildoek weg, maar dat was lang genoeg.

Magdalena herinnerde zich hoe ze geen woord meer had kunnen uitbrengen.

'Hij stond klaar met de voorhamer om haar aan gruizelementen te slaan.'

'Je schoonvader?'

'Hij wilde alle bewijzen wegwerken. Ik heb bijna letterlijk voor haar gevochten, Magdalena.'

'Er is een verordening dat men alle geroofde spullen bij burgemeester Cortbemde moet brengen.'

'Het beeld komt niet uit een van onze kerken, Magdalena. De staatsen moeten het tijdens hun opmars ergens hebben geroofd. We kunnen het niet brengen. Het zou vragen oproepen, argwaan wekken.'

'Wat nu?'

'Ik heb moeten beloven, zweren, dat het beeld nooit de

familie in moeilijkheden zal brengen. Dat was de voorwaarde om het mee te nemen. Ik kan het niet veilig bij mij houden. Je weet dat ik eerst een proefperiode in het convent moet doormaken. Stel dat er iemand in mijn klerenkist rommelt? Je moet mij helpen, Magdalena.'

'Maar ik... hoe kan ik je helpen?'

Natuurlijk wist ze wat Catharina van haar verwachtte. Die vraag was slechts een uiting van de weerzin en opstandigheid die in haar borrelde. Bijna had ze zelfs vlakaf geweigerd. Alleen de herinnering aan de blik van de Heilige Maagd hield haar tegen.

Ze kon ook niet beweren dat er nergens in het gasthuis een plaats was die geschikt was. Het was een groot gebouw, met kelders en een zolder. Er was een tuin met schuren en stalling. Ergens moest er een veilige plek zijn.

'Alsjeblieft, help mij, Magdalena!'

Toen had ze aan de kelder van het cholerahuisje gedacht. Samen hadden ze het beeld binnengesmokkeld, verborgen onder een baal linnen die Catharina aan het gasthuis schonk om er windels van te scheuren.

'Het kan hier niet eeuwig blijven liggen, Catharina.'

'Ik vind er iets op. Echt, ik vind een oplossing. Dank je, Magdalena.'

Zo was het begonnen, maar een oplossing was er nog steeds niet.

'Help ons, Heilige Maagd, help ons een manier te vinden om u in eer te herstellen', bad Magdalena terwijl ze de doek dichtvouwde, teder zoals een moeder haar kind toedekt.

Ze legde het gat met de planken dicht, schoof het meubilair op zijn plaats, nam haar kaars en liep vlug en stil naar haar cel. Ze legde zich neer en sliep onmiddellijk in.

28

Grootjuffrouw Amandine had het gevoel dat de gebeurtenissen zich herhaalden. Deze keer had ze geen tandpijn. Van de slechte tand had ze zelf de meeste brokstukken uit haar mond gehaald. De rest hield zich koest. Ze lag ook nog niet in bed zoals op die bewuste nacht, maar er werd wel op de voordeur geklopt.

Clara kwam net als toen opgewonden haar kamer in. Deze keer werd ze niet gevolgd door een andere begijn, maar vanuit de gang drong een stem tot in de slaapkamer door.

Het was de stem van juffrouw Theresa.

'Zeg dat het dringend is, juffrouw Clara. Heel dringend!'

'Wat is er nu weer aan de hand, Clara?'

'Juffrouw Theresa beweert dat er een dode man op het begijnhof ligt.'

Clara, die te oud was om zich nog over vreemde dingen te verbazen, zei het op dezelfde toon als waarmee ze zou aangekondigd hebben dat er een dode kat lag.

Grootjuffrouw Amandine daarentegen verstijfde, haar adem stokte, haar hart bonsde in haar borst alsof het er elk ogenblik uit kon springen.

'Juffrouw Clara, wat zegt de grootjuffrouw? Komt de grootjuffrouw? Ze moet nu onmiddellijk met me meegaan!'

Het stemgeluid werd sterker.

Grootjuffrouw Amandine gebaarde naar de deur.

'Laat haar niet in mijn kamer. Zeg dat ik kom. Dat ik dadelijk kom.'

Clara slofte de kamer uit.

Terwijl grootjuffrouw Amandine probeerde haar zelfbeheersing terug te vinden, ontstond er in de gang een discussie. Theresa was niet van plan te wachten, maar Clara was onverzettelijk.

Toen ze even later door de donkere hoofdstraat van het begijnhof liepen, werd het onmiddellijk duidelijk dat het allemaal niet zo stilletjes plaats zou vinden als de vorige keer.

Theresa kon haar mond niet houden en van opwinding sprak ze schel en luid.

'Op haar stoep, grootjuffrouw. Die man is zo dood als een pier en daar ligt hij. Voor haar deur.'

'Theresa, ik gebied je te zwijgen!'

Theresa slikte haar woorden in, maar keek alsof ze elk ogenblik weer in een woordenvloed uit kon barsten. Alleen de dreigende blikken van de grootjuffrouw hielden haar in bedwang.

Deze keer lag het lijk niet op de rand van de waterput, zag Amandine. Het was ook niet naakt, dat was een opluchting, maar het was wel een man. Hij lag erbij alsof hij op een onverschillige manier neergesmeten was, op zijn zij met zijn gezicht tegen het tuinpoortje van de Benedictie des Heeren aan.

Grootjuffrouw Amandine boog zich over hem heen. Ze moest twee keer kijken voor ze hem herkende. Het was de afperser. Het was Toon van Gent.

'Kent u hem?' vroeg Theresa.

'Neen', loog ze.

Het stormde binnen in haar. Wat betekende dit nu weer?

Theresa legde haar hand op haar arm.

'Ze komt', fluisterde ze.

Het poortje draaide open. Catharina verscheen in de opening. Grootjuffrouw Amandine betrapte zich op een gevoel van afkeer. De vrouw had haar die dag zo erg teleurgesteld dat ze, als morgen het kapittel voorstelde haar uit het begijnhof te verwijderen, niet zou protesteren.

Het leek er meer en meer op dat ze een slang aan de borst hadden gekoesterd. Dat ze met haar had samengewerkt om een misdaad te verbergen, maakte het alleen maar erger. Het verwarde haar, benevelde haar inzicht. Ze voelde zich vreselijk schuldig en dat verlamde haar. Ze vroeg zich zelfs af of ze nog wel geschikt was om het begijnhof te leiden.

'Wat... wat is er? Ik hoorde... Ooh!'

Met grote ogen staarde Catharina naar het lijk aan haar voeten. Alle bloed trok uit haar gelaat weg.

Plots begon ze hysterisch te lachen.

'We smijten hem de Nete in', gierde ze. 'We smijten hem...'

De hand van Theresa schoot uit en kwam kletsend op de wang van Catharina neer. Het gelach brak onmiddellijk af en Catharina begon te huilen.

'Zo moet je dat doen', zei Theresa tevreden.

Grootjuffrouw Amandine moest toegeven dat Theresa het goed had aangepakt.

'Juffrouw Catharina is bezig gek te worden', voegde Theresa er nog aan toe. 'Als ze maar niet gevaarlijk wordt, misschien heeft zij wel...'

Die man vermoord, wilde ze zeggen, maar ze brak haar woorden af en luisterde. Theresa had heel goeie oren.

Grootjuffrouw Amandine hoorde het nu ook. Er was een geluid links van hen, vlugge voetstappen. De pas was krachtig, zelfverzekerd. Welke van de begijnen liep er op die manier? Ze zouden niet weten wie van hen...

Het was echter een man die de hoek om kwam. Hij hield even in toen hij het groepje begijnen zag staan, liep dan op hen toe.

'Niet schrikken', zei hij. 'Ik weet dat ik hier niet mag zijn, vergeef mij dat ik over de muur ben geklommen, maar ik moet...'

Hij stokte, staarde verbaasd naar het lijk bij het tuinpoortje.

'Godfried Lesage', stamelde de grootjuffrouw.

Juffrouw Theresa hief haar hand op en wees met trillende vinger naar de bloedvlekken op zijn gezicht en op zijn kleren.

'De moordenaar', schreeuwde ze. 'Help! De moordenaar!'

Het duurde even voor iemand Theresa het zwijgen oplegde. Intussen was het kwaad geschied. Er klonk van overal rumoer van stemmen, ramen die open werden getrokken, voetstappen.

In een oogwenk vormde zich een kring nieuwsgierige begijnen rondom het groepje en het dode lichaam op de grond. Wat gebeurde er en wie was dat en kon er iemand vertellen wat die man met al dat bloed op zijn kleren hier deed?

Grootjuffrouw Amandine zei dat ze moesten zwijgen. Allemaal. Haar toon was bevelend en niet mis te verstaan.

'Keer terug naar jullie woningen. Morgenavond na het sluiten van de poorten houden we kapittel en zullen we alles in alle openheid bespreken. Tot dan wordt er niet over gepraat, onderling niet en zeker niet met buitenstaanders. Geen woord. Ik eis volstrekte gehoorzaamheid. Ga.'

De begijnen vertrokken, de ene nog onwilliger dan de andere.

Juffrouw Theresa hoorde tot de harde kern.

'Wat doen we met hem?'

Ze staarde Godfried Lesage koud aan.

'Hij heeft met de dode man gevochten. Er zijn sporen van op zijn gezicht. Er is bloed op zijn kleren. We kunnen een moordenaar niet ongestoord laten vertrekken. Het is zoals een hond die naar een mens heeft gebeten, die zal nog bijten als hij niet wordt afgemaakt. Ik zal de baljuw halen.'

Met een beslist gebaar hield de grootjuffrouw haar tegen.

'Ik regel dat wel, juffrouw Theresa. Ik gebied je nu naar huis te gaan en te gehoorzamen. Geen woord over wat hier plaats heeft gehad. Tegen niemand.'

Juffrouw Theresa bleef koppig staan.

'Ga!'

Juffrouw Theresa draaide zich met tegenzin om en liep weg.

De grootjuffrouw keek degenen die nu nog rond de dode man stonden, één voor één aan. Haar ogen bleven ten slotte op Lesage rusten.

'U bent hier binnengedrongen.'

'Ik heb er een dringende reden voor, grootjuffrouw.'

'Er is geen reden die niet tot de ochtend kan wachten.'

'Ik ben vanavond aangevallen. Ik vermoed door de zwager van juffrouw Catharina. Ik vreesde dat hij hierheen zou komen en haar ook zou lastigvallen. Ze zou geen partij voor hem zijn. Ik kwam haar waarschuwen.'

'Dan is Balthazar dus toch hier', fluisterde Catharina ontzet.

'Is die Balthazar je zwager?' vroeg de grootjuffrouw.

Catharina knikte. Lesage wees naar het lijk.

'Is dat Balthazar?'

'Hij heeft u aangevallen en toch kent u hem niet?' zei de grootjuffrouw schamper. 'Geef toe dat het eigenaardig klinkt, heer Lesage.'

'Ik weet niet wie die man is', zei Catharina.

'Hij heet Toon van Gent', zei grootjuffrouw Amandine. 'Het is een marskramer. Misschien is hij een dief en wilde hij inbreken in de woning van Catharina. Misschien heeft iemand toen gedacht dat het Balthazar was die zich toegang wilde verschaffen, iemand die gekomen was om Catharina te verdedigen. Het lijkt mij een verklaarbare vergissing.'

Ze keek Lesage doordringend aan.

'Misschien bent u die iemand, heer Lesage.'

Catharina en Barbara reageerden ontzet.

'Godfried?' fluisterde Barbara. 'Zeg iets. Zeg dat het niet waar is.'

'Ik zweer bij God en alle heiligen dat ik niets met die man te maken heb', zei Lesage heftig.

'Ik zou de naam van God en de heiligen maar niet ijdel gebruiken, heer Lesage', zei de grootjuffrouw.

'U moet mij geloven!'

'Het is nu niet belangrijk wat ik al dan niet geloof. U moet iets voor ons doen. U draagt het lijk het begijnhof uit en legt het langs de buitenkant tegen de hofmuur aan.'

Ze haakte haar sleutelbos van haar gordel en gaf die aan Barbara.

'Laat hem eruit langs het Netepoortje, blijf niet staan praten, maar keer onmiddellijk terug. U, heer Lesage, gaat naar huis en vergeet alles wat hier vannacht is gebeurd. Er is hier nooit een lijk geweest. Heb ik uw belofte, heer Lesage?'

'Ik ben niet de enige ooggetuige, grootjuffrouw Amandine. Het is mij een raadsel hoe u de anderen het zwijgen op zult leggen, maar wat mij betreft... is er hier niets gebeurd.'

'Zweer het op het hoofd van iemand die u dierbaar is.'

'Als u dat wil: ik zweer het. Maar de naam van God en zijn heiligen ga ik niet meer gebruiken', zei hij schamper.

Hij keek naar Catharina en vroeg zich af of ze vermoedde dat hij op haar hoofd had gezworen. Ze was hem in korte tijd zeer dierbaar geworden. Hij gaf die belofte voor haar, alleen voor haar. Hij wilde niet dat haar goede naam besmeurd werd. Roddelaars zouden concluderen dat de dode bij haar op bezoek was geweest. 's Nachts. Hij lag op haar stoep, nietwaar? Wat een schandaal zou dat worden! Catharina zou niet alleen met de vinger nagewezen worden, ze zou alle vooroordelen en haat die er tegenover de begijnen bestonden, over zich heen krijgen. Dat zou hij niet laten gebeuren.

'Het is het beste dat u zich niet meer op het begijnhof vertoont. U legt uw functie als mombeer van Barbara neer en vraagt haar vader een andere aan te stellen. Het is beter dat u Lier verlaat. Goedenavond, heer Lesage.'

Lesage keek onwillig. Hij zou vannacht niet met de grootjuffrouw in discussie treden, maar Lier verlaten? Geen sprake van.

Met enige moeite hees hij het dode lichaam over zijn schouder.

Barbara liep zachtjes jammerend voor hem uit.

De grootjuffrouw en Catharina keken hen na tot ze uit het zicht verdwenen waren.

'Ik denk dat wij eens ernstig moeten praten', zei de grootjuffrouw.

Catharina knikte, draaide zich om en hinkte, zo veel mogelijk haar enkel sparend, door het ommuurde voortuintje naar haar woning.

De grootjuffrouw volgde, verbaasd over de manier waarop Catharina zich voortbewoog.

'Ben je gekwetst? Waarom weet ik daar niets vanaf? Wat is er toch allemaal met jou aan de hand?' zuchtte ze.

Nog voor ze goed en wel binnen waren, kwam Barbara al aangehold met de sleutelbos.

'Ik geloof niet dat Godfried de moordenaar is. Alsjeblieft, grootjuffrouw laat hem mijn mombeer blijven', smeekte ze.

'Ga naar huis, Barbara, en tracht nog wat te slapen.'

De jonge begijn wilde nog iets inbrengen, maar de strenge blik van de grootjuffrouw legde haar het zwijgen op. Ze vertrok met een gekwelde uitdrukking op haar gelaat. Slapen, hoe zou ze nu nog kunnen slapen? Ze wilde geen andere mombeer. Met Godfried kon ze het uitstekend vinden. Hij was als een oudere broer voor haar.

'En nu wij', zei de grootjuffrouw tegen Catharina, terwijl ze de deur achter zich dichttrok. 'Ik denk dat wij er het beste bij kunnen gaan zitten, want ik ga hier niet weg voor ik de volledige waarheid ken.'

29

Godfried Lesage had het gevoel dat hij midden in een nachtmerrie zat. Jammer genoeg was het wel degelijk werkelijkheid en geen droom waaruit hij kon ontwaken.

Hij vroeg zich af waar in 's hemelsnaam die plotselinge
spiraal van geweld vandaan kwam en waarom hij erin werd
meegesleurd. Het antwoord drong zich op: de oorsprong
lag bij Catharina.

Hij liet zich meeslepen omdat hij aan haar betovering
niet kon weerstaan, omdat alleen al een gedachte aan haar
zijn hart sneller deed kloppen. Daarom deed hij onbezonnen dingen, zoals 's nachts over de muur van het begijnhof
klimmen en daardoor zat hij nu met een dode opgescheept.

Godfried Lesage bekeek zuchtend het lijk. Hij had het zodanig tegen de hofmuur aan gezet dat het leek alsof de man
zat te slapen. Het hoofd lag in een eigenaardige knik tegen
de borst aan alsof het niet helemaal meer vast zat.

Iemand had de man in een ijzeren greep genomen. De
druk op zijn keel had zijn ogen doen uitpuilen en van angst
had het slachtoffer op zijn tong gebeten. Uit zijn ene mondhoek vertrok een bloederige sliert, maar dat kon door de
houding waarin het slachtoffer zat, niemand zien.

Het werd tijd dat hij zich uit de voeten maakte. Lesage
keek ongerust om zich heen. Geen pottenkijkers te zien,
maar je wist maar nooit wie zich in de duisternis ophield.

Hij wierp nog een laatste blik op de dode man, sloeg een kruisteken en liep naar zijn paard dat geduldig stond te wachten bij de struik waaraan hij het had vastgebonden.

Hij reed stapvoets langs de muur van het begijnhof, in gedachten verzonken. Het was allemaal niet gelopen zoals hij het had gehoopt. Catharina had hij amper gesproken, maar hij had haar wel kunnen waarschuwen voor haar zwager. Dat was het doel van zijn nachtelijke tocht geweest en daar was hij in geslaagd. Al bij al gaf hem dat toch een tevreden gevoel.

Hij vroeg zich af wat voor een man die zwager van Catharina eigenlijk was en wat hem bezielde een vrouw lastig te vallen die hem duidelijk niet wilde. Het was hem ook een raadsel waarom de man hem had overvallen op een manier die een woede verried die Lesage onverklaarbaar voorkwam. Wat had hij gedaan om zo'n hevige reactie te verdienen? Hij had toch alleen maar een gewonde vrouw geholpen? Die Balthazar moest niet goed bij zijn verstand zijn.

En dan was er ook nog de wens van de grootjuffrouw. De verwikkeling met de dode man en de confrontatie met de begijnen waren ongelukkig, maar hoefden niet onoverkomelijk te zijn. Met de dode had hij niets te maken en als de grootjuffrouw er een nachtje over geslapen had, zou ze wel terugkeren op haar besluit. Het was al te gek dat hij zou moeten aftreden als de mombeer van Barbara. Even laten afkoelen maar.

Hij reed nu richting Eekelpoort en wilde net zijn paard tot draf aanzetten, toen er ruiters onderdoor reden. Enkele van de mannen droegen fakkels, zodat het groepje spookachtig verlicht werd.

Op zijn hoede hield hij zijn paard in. Hij tastte naar zijn zij en voelde er alleen maar leegte. Hij vervloekte de wet die verbood in de stad zwaarden te dragen. Zijn dolk legde hij 's avonds af, wanneer hij zich trachtte te ontspannen. Door zijn overhaaste vertrek was hij hem vergeten. Als er een confrontatie kwam, maakte hij ongewapend geen enkele kans. Stel dat het Balthazar was met enkele aanhangers?

Een hollende gestalte met fladderende kleren, die trachtte de ruiters bij te houden, viel hem pas op toen het gezelschap bijna op zijn hoogte was.

'Juffrouw Theresa?'

De begijn keek hem uitdagend aan.

Op de paarden herkende hij nu de baljuw en een aantal schutters. Hij fronste het voorhoofd en keek vragend van de een naar de ander. Het kon toch niet waar zijn dat die begijn het bevel van de grootjuffrouw had genegeerd?

'Goedenacht, baljuw, nog aan het werk?'

'Hij is het!' stootte de begijn moeizaam uit. 'Hij is de moordenaar.'

Ze tastte naar haar borst, die op en neer ging als de blaasbalg van een smid.

Lesage begon te lachen.

'Wat zegt u daar, juffrouw Theresa? Dat meent u toch niet?'

Hij richtte zich tot de baljuw.

'U gelooft haar toch niet?'

'Kijk naar zijn gezicht en naar het bloed op zijn kleren!' wees Theresa met trillende vinger.

De baljuw stuurde zijn paard wat dichterbij en nam Lesage aandachtig op. Hij wenkte een schutter met een fakkel.

Lesage voelde aan de beurse plekken op zijn gelaat.

'Ik heb inderdaad een onaangename ontmoeting gehad met een insluiper in mijn woning.'

'In uw woning? Wat doet u dan hier, heer Lesage? Midden in de nacht?'

'Ik ben hem achterna gegaan. Wat zou u zelf doen? Zou u zich ongestraft laten aanvallen?'

'En u heeft hem gevonden en gedood?'

'Neen baljuw, hij is mij ontsnapt.'

'Hij stond bij het lijk. We hebben hem allemaal gezien! Alle begijnen. U kunt het hen vragen', riep Theresa.

De baljuw aarzelde. Die begijn klonk wel erg zeker van haar zaak. Als Lesage een arme man was, zou hij hem onmiddellijk inrekenen. Belangrijke heren opsluiten was echter een delicate zaak, die wat meer behoedzaamheid vroeg. Hij kreeg liever morgen geen uitbrander van de schout.

Langs de andere kant was Lesage dan wel niet arm, hij behoorde ook niet tot de rijke families van de stad. Hij was niet eens poorter van Lier, omdat hij er maar tijdelijk woonde.

Lesage was poorter van Antwerpen. Hij kon niet ongestraft in Lier moorden komen plegen. Daarover zou de schout het met hem eens zijn.

De baljuw hakte de knoop door.

'Sluit hem op.'

'Maar ik verzeker u dat ik niemand heb vermoord', zei Lesage die zich plots door de schutters omringd zag.

'Voer hem weg. Jij blijft bij mij, Wouter.'

De baljuw knikte naar een jonge man.

'U kunt goedschiks meegaan of niet. In het laatste geval zullen we u moeten knevelen', zei de hoofdman van de schutters.

'Jaja, het is al goed. Ik ga wel mee, maar het is een vergissing!' zei Lesage geprikkeld.

Een van de schutters nam de teugels van Lesage over en voerde het paard mee. De anderen omringden hem zodat er van ontsnappen geen sprake kon zijn.

Het groepje hoefde niet ver te rijden. De gevangenis was ondergebracht in de Eekelpoort, die daarom door velen ook Gevangenenpoort werd genoemd.

De baljuw bleef even het groepje nakijken, toen wendde hij zich tot de begijn.

'Leidt mij tot bij het slachtoffer, juffrouw.'

Theresa werd plots onzeker. In een opwelling van woede en verontwaardiging had ze het bevel van de grootmeesteres genegeerd. Ze had tegen de portierster gelogen om die zover te krijgen dat ze de poort ontsloot.

'Doe open. Ik moet van de grootjuffrouw de baljuw halen!'

'Maar ik dacht...'

De portierster had de opschudding van dichtbij meegemaakt. Door de aard van haar taak sliep ze heel licht en natuurlijk was zij daardoor een van de eersten geweest die naar de plaats van het misdrijf was gespurt.

'De grootmeesteres zei toch dat we allemaal naar huis moesten gaan en er met niemand een woord over mochten spreken.'

'Ik heb het bevel gekregen de baljuw te halen!'

'Heb je het wel goed verstaan, Theresa?'

'Aan mijn gehoor mankeert niks!'

Theresa kon heel overtuigend overkomen als ze wilde. De portierster had toen de poort maar ontsloten en haar met de raad voorzichtig te zijn zo alleen in het donker, laten gaan.

Nu de moordenaar was gevat, was Theresa's woede bekoeld. Ze zag nu tegen de confrontatie met de grootjuffrouw op.

'U mag als man 's nachts het begijnhof niet betreden, baljuw, en nu u de dader hebt gevat, is daar ook geen reden meer voor. Komt u morgen langs. De dode man loopt niet weg.'

Maar zo had de baljuw het niet begrepen.

'U komt mij halen en nu zou ik terug moeten keren? U bent niet goed wijs, juffrouw.'

De baljuw gaf zijn paard de sporen en stuurde op de ingangspoort van het hof aan. Begijnen, je had er niets dan last mee. Die vrouw dacht toch niet dat ze hem de wet kon voorschrijven?

Theresa volgde met loden voeten.

Hij steeg af bij de poort en wierp de teugels van zijn paard naar Wouter. Hij nam de fakkel van hem over. Hij wendde zich tot de onwillige begijn en zei bars: 'Kom op, juffrouw, zorg ervoor dat ik binnen kan.'

30

'Dus daarom heeft Godfried Lesage je thuisgebracht, Catharina', zei de grootjuffrouw met een blik op de enkel die Catharina op een krukje omhoog had gelegd.

Er klonk opluchting in haar stem. Lesage had de eer van Catharina verdedigd en haar, omdat ze niet meer naar de stad kon lopen, op zijn paard thuisgebracht. Catharina was in de worsteling met haar aanvaller haar hoofddoek kwijtgeraakt. Ze had niet bewust met haar mooie haren gepronkt. Er was niets ongeoorloofds gebeurd.

Catharina had alle schijn tegen, maar grootjuffrouw Amandine had een groot rechtvaardigheidsgevoel. Nu ze de ware toedracht kende, zou ze haar met hand en tand tegen elke aanval verdedigen. Die aanvallen zouden er ongetwijfeld komen, want de doortocht van Catharina en Lesage had zowel in de stad als in het begijnhof veel opzien gebaard.

Ze verwachtte een afvaardiging van de kanunniken, de pastoor van het begijnhof zou uitleg eisen en dan waren er nog de begijnen zelf die zich na de akelige vondst van die nacht verward en onzeker voelden en dringend behoefte hadden aan leiding en uitleg.

Catharina fronste de wenkbrauwen. Het intrigeerde haar dat de grootjuffrouw het slachtoffer leek te kennen.

'De dode man...' begon ze aarzelend.

Grootjuffrouw Amandine zuchtte.

'Hij was een afperser, een rat die er getuige van is geweest dat wij... die nacht...'

'Bedoel je dat hij alles gezien heeft?'

'Hij wilde geld voor zijn stilzwijgen. Ik heb hem met een smoes afgescheept. Ik denk dat hij je vannacht wilde bezoeken om ook van jou geld af te persen.'

'Maar wie heeft hem dan gedood?'

Grootjuffrouw Amandine keek haar bedroefd aan.

'Wie anders dan Lesage?'

Catharina opende de mond om tegen te spreken, maar de grootjuffrouw legde haar met een gebaar het zwijgen op.

'Hij wil je beschermen. Dat is duidelijk. Een man de hals breken... alleen een sterke man kan dat. Jij zou dat niet kunnen.'

Toen het tot Catharina doordrong wat de grootjuffrouw bedoelde, werd ze rood als vuur.

'Ik? Grootjuffrouw, ik verzeker u...'

'Stil maar, Catharina, je moet het mij niet kwalijk nemen dat ik alle mogelijkheden overweeg. Het is al het tweede lijk dat voor je deur wordt gevonden. Is het dan eigenaardig dat jij een verdachte bent?'

Catharina schudde heftig het hoofd. Nooit, nooit zou zij ... hoe was het mogelijk dat iemand ook maar kon dénken dat zij...

De grootjuffrouw ging onbarmhartig verder.

'Stel dat de man je lastigviel met zijn afpersingspraktijken, misschien werd hij heel opdringerig, misschien is Lesage juist toen gekomen om je voor Balthazar te waarschuwen.'

'Nee... nee...'

'Hij trof je nogmaals aan in een onaangename positie en heeft je eruit gered. Het liep uit de hand, met het gekende gevolg. Is het zo gegaan, Catharina? Je moet toegeven dat het niet onwaarschijnlijk klinkt. Godfried Lesage springt wel graag voor jou in de bres. Vind je niet?'

'Grootjuffrouw, ik zweer bij God en alle heiligen dat ik die man voor we hem vonden, nog nooit heb gezien.'

Grootjuffrouw Amandine verhardde. Ze had het met mededogen, met zachte hand geprobeerd. Het werkte niet.

'Vertel mij de waarheid, Catharina. De volledige waarheid.'

'Er is niets om te vertellen, grootjuffrouw!'

De gekwelde blik van Catharina getuigde echter van het tegengestelde. Grootjuffrouw Amandine werd er zeer bedroefd van.

'Waarom dwing je mij maatregelen te nemen waartoe ik eigenlijk niet wil overgaan?'

'Ik... ik begrijp u niet... ik... ik heb u alles verteld.'

'Je krijgt nog de tijd tot het angelus. Als je dan niet bij mij bent geweest om de volledige waarheid te vertellen, zul je moeten vertrekken, Catharina. Is dat wat je wilt?'

Catharina kreeg geen woord meer over de lippen. De oudere vrouw stond op, hoofdschuddend om zoveel koppige domheid.

Plotseling klonk er lawaai op straat. Er werd op het tuinpoortje gebonsd.

De vrouwen keken elkaar geschrokken aan. Grootjuffrouw Amandine haastte zich het huis uit. Catharina hinkte haar achterna.

De grootjuffrouw trok het tuinpoortje open en keek verbaasd naar de man die voor haar stond, een fakkel in de hand.

'Heer baljuw? Wat doet u hier?'

'Waar is het lijk?' vroeg de baljuw nors.

'Welk lijk? Waar heeft u het in 's hemelsnaam over?'

De baljuw zette een pas opzij zodat de begijn, die zich achter zijn rug verschool, zichtbaar werd.

'Je zei toch dat het hier lag, juffrouw?' vroeg de baljuw ongeduldig.

Juffrouw Theresa kromp ineen onder de strenge blik van de grootjuffrouw.

'Ik euh... ik weet het niet meer', stamelde ze.

De grootjuffrouw had slechts enkele ogenblikken nodig om haar koelbloedigheid te heroveren.

'Juffrouw Theresa heeft vaak nachtmerries en ze slaapwandelt. Waarschijnlijk heeft ze naar gedroomd. Theresa, ga naar bed. Je ziet toch dat er geen lijk is? Hoe kom je daar nu toch bij?'

'Ja, grootjuffrouw', fluisterde Theresa.

Ze draaide zich om en haastte zich weg als een dief in de nacht.

'Mag ik u verzoeken, baljuw, onmiddellijk het hof te verlaten en morgen terug te komen als u dan nog redenen ziet tot onderzoek?'

De baljuw aarzelde. Er was geen lijk. De begijn die eerst zo overtuigend had gepraat, was nu heel wat minder zeker. Hij had geen reden meer om te blijven.

'U moet er wel rekening mee houden, baljuw, dat juffrouw Theresa geestesziek is. Ze lijdt aan waanvoorstellingen', zei de grootjuffrouw nog. 'Het is onvergeeflijk dat ze u lastig heeft gevallen. Ik zal de nodige maatregelen nemen opdat het niet meer zal gebeuren.'

De baljuw groette en vertrok.

De grootjuffrouw keek hem na tot hij één werd met de duisternis, draaide zich nog even naar Catharina om en zei: 'Ik verwacht je dus voor het angelus.'

Daarna liep ze de straat uit. Ze liep kaarsrecht, maar dat kostte haar veel moeite. Op haar schouders lag het gewicht van de toekomst van de hele begijnengemeenschap.

Catharina hinkte naar binnen. Ze schoof de grendel op

de deur, hoewel ze wist dat het Balthazar niet zou tegenhouden. Als hij wilde, kon hij makkelijk door het raam van de woonkamer naar binnen, of door dat van haar slaapkamer. Misschien kwam hij zelfs door het dakraam.

Ze hield haar adem in en luisterde, want hoewel Barbara daarstraks het hele huis had doorlopen, was Catharina er nog altijd niet helemaal gerust op. De woning waar ze zo tevreden mee was geweest, was onteerd door zijn blikken. Het zou hier nooit meer hetzelfde zijn.

31

De poort van het begijnhof werd achter hem knarsend in het slot gedraaid. De baljuw gaf de fakkel aan Wouter en steeg op.

'Geen lijk, maar het zit mij niet lekker.'

Hij staarde nadenkend voor zich uit. Waarom geloofde hij die grootjuffrouw niet? Ze klonk anders overtuigend genoeg. In tegenstelling tot die andere begijn. Zo zeker als die eerst was, zo onzeker was ze in gezelschap van haar overste. Natuurlijk, als die begijn écht geestesziek was... van een waanzinnige kon je geen woord geloven.

Hij liet het paard keren.

'Naar huis dan maar', zei de schutter opgelucht.

Hij was met tegenzin zijn warme bed uit gekomen toen de oproep kwam en hij verlangde ernaar om de rest van de nacht ongestoord door te kunnen brengen.

Maar de baljuw hield zijn paard in, aarzelde, keek in het steegje dat langs de begijnhofmuur liep.

'Lesage kwam daarvandaan, nietwaar? Wat deed die man hier? Geloof jij dat hij een inbreker achterna is gegaan?'

'In het donker lijkt mij dat nogal dom.'

'Juist en Lesage is niet dom. Dus... wat deed hij hier? Laten we maar eens gaan kijken.'

De baljuw stuurde zijn paard stapvoets langs de muur van het begijnhof en dacht over de situatie na.

Godfried Lesage zat wel degelijk onder het bloed. Was het verhaal dat hij thuis door een insluiper was verrast en de man achterna was gegaan, de waarheid of een fabeltje? Was het waarschijnlijk dat een rijke heer zoals Lesage er 's nachts alleen op uit ging?

Volgens die verwarde begijn lag er een lijk op het begijnhof en hadden ze Lesage betrapt.

'Hij stond over het lijk gebogen, met zijn handen nog uitgestrekt naar de hals van de arme man en hij keek als een duivel!'

De baljuw vroeg zich af hoe juffrouw Theresa meende dat een duivel keek. Het mens was in ieder geval helemaal van streek of ze was inderdaad gek, zoals de grootjuffrouw beweerde.

In ieder geval kon het geen kwaad uit te zoeken waar Lesage vandaan kwam.

Niet ver van het Netepoortje vandaan lag een zwerver tegen de hofmuur te slapen. Misschien had hij Lesage gezien. Een ooggetuige zou handig zijn.

'Hé! Jij daar! Word wakker!'

De man sliep vast. De baljuw gaf een teken aan de schutter, die van zijn paard sprong en zich met de fakkel over de slapende man boog.

De schutter porde met zijn voet in de zij. De man gleed weg. Het hoofd knakte opzij, de ogen puilden uit de oogkassen en uit de mondhoek liep een sliert bloed.

'Die wordt nooit meer wakker', zei de schutter.

'Dus toch een lijk', zei de baljuw. 'Ofwel heeft juffrouw Theresa zich in haar geestelijke verwarring van plaats vergist en was ze hier getuige van de moord, naar het schijnt slaapwandelt ze soms, ofwel is juffrouw Theresa helemaal niet gek en zijn er anderen die ons willen misleiden.'

Hij keek peinzend naar het poortje dat slechts een tiental stappen van het lijk verwijderd was.

'Misschien lag het lijk toch op het hof. Ik vertrouw die begijnen voor geen haar.'

De schutter duwde tegen het poortje, waar helemaal geen beweging in kwam.

'In ieder geval hebben we een lijk en een verdachte die we bedekt met bloed en verwondingen zelf hiervandaan hebben zien komen', zei de baljuw tevreden. Zijn besluit om Lesage te arresteren, bleek nu een goede beslissing te zijn.

'Ik ken het slachtoffer', zei de schutter. 'Het is Toon van Gent. Een marskramer.'

'Haal hem hier weg. Ik rij naar de woning van Lesage. Eens kijken of dat verhaal over een insluiper op waarheid berust. Wat weet je van Toon van Gent?'

'Hij is een sjoemelaar, geen vechtersbaas. Integendeel, hij is iemand die met grapjes de plooien gladstrijkt, niet met de vuisten.'

'Een sjoemelaar... misschien was Toon van Gent op deze afgelegen plek omdat hij iemand wilde ontmoeten om een duister zaakje te bespreken. Stel dat Lesage inderdaad achter die inbreker aan zat en Toon van Gent hier aantrof en de verkeerde conclusies trok.'

'Een gevecht dat uit de hand liep?'

'Zo moet het gegaan zijn.'

'Dus heeft die begijn zich vergist over de plaats van de moord?'

De baljuw knikte.

'Ja. Welk handeltje zou Toon van Gent 's nachts op het begijnhof te zoeken hebben? Geen enkel. Neen, het is allemaal hier gebeurd en we hebben de dader te pakken. Als het verhaal van de insluiper waar is, is de zaak rond. Dat ga ik nu controleren.'

De baljuw reed weg. De schutter keek vol afkeer naar het slachtoffer. Het was zijn taak het lichaam aan de weduwe te bezorgen en daar had hij een vreselijke hekel aan.

Vrouwen gingen altijd zo overdreven hartstochtelijk tekeer als ze met de dood van een echtgenoot geconfronteerd werden. Waarom konden ze zich niet waardig gedragen en alleen huilen als ze alleen in hun slaapkamer waren?

De waarheid was dat hun kreten en tranen hem raakten tot in het diepste van zijn ziel, maar dat zou hij nooit toegeven.

Zuchtend bukte hij zich en hees het lichaam moeizaam op zijn schouders, waarna hij het over de hals van het paard legde.

Balthazar grinnikte. Eerst had het geleken dat hij er een zootje van had gemaakt. Hij had niet hard genoeg geslagen, waardoor de minnaar van Catharina niet alleen nog leefde, maar ook nog op zijn paard sprong en naar hem op zoek ging.

De tweede minnaar, ze ging wel flink tekeer, Catharina... Hij had altijd al vermoed dat ze een hete was... De tweede had hij betrapt, toen die naar haar op weg was.

Deze keer had hij het wel goed aangepakt. De man had zo'n dun nekje... Het was eigenlijk te gemakkelijk. Er was niet veel eer te behalen aan een zwak slachtoffer.

Daarna was het een klucht geworden, maar dan een die in zijn kaarten speelde. De eerste minnaar was opgepakt als moordenaar van de tweede. Om je te bescheuren, zo grappig was dat!

Met een beetje geluk werd de man ervoor opgehangen en maakte het gerecht het werk af dat hij was begonnen zonder dat hij zijn handen er nog aan vuil hoefde te maken.

Balthazar vond dat een fantastische grap. Jammer dat hij die nooit aan iemand zou kunnen vertellen. Misschien later aan Catharina, als ze zijn vrouw was geworden.

Eerst zou hij wachten tot de kerel terecht was gesteld, zoveel geduld kon hij nog wel opbrengen. In een week was dat zaakje wel geklaard. Daarna zou hij haar onder druk zetten.

Hij zou haar beschrijven hoe hij op het dak van haar woning zat, achter de schoorsteen. Hij zou vertellen wat hij had gehoord en gezien. Hij zou beschrijven hoe hij het lijk tegen de hofmuur had zien neerleggen en door wie.

Ze kon kiezen, met hem trouwen of...

Hij hoefde er niet eens zelf mee naar de baljuw te gaan. Listig in de kroegen wat geruchten verspreiden... hier en daar een opmerking laten vallen over minnaars van begijnen die 's nachts met lijken rondzeulen...

Ze zou toegeven en zijn vrouw worden. Hij zou haar lang en hard neuken tot hij al de tijd waarin hij naar haar had gesmacht, had ingehaald. Hij zou haar berijden als een hengst een merrie, als een reu een teef. Hij zou haar alle hoeken van de kamer laten zien en zij zou smeken om harder, vlugger, meer... Hij kreunde van genot.

In zijn verbeelding was ze bij hem in het washuisje waarin hij zich had verborgen tot het ochtend werd. Zo gauw de stadspoorten werden geopend, zou hij naar huis kunnen als hij dat wilde, maar hij twijfelde. Misschien bleef hij nog in de stad.

Zijn zaad spoot over de berg ongewassen wol heen die hem tot bed diende.

Morgen zou de begijn die eigenaar van het washuisje was, de wol wassen en zijn zaad in de Nete wegspoelen. Misschien was het Catharina wel. Misschien lag hij in haar washuisje. Dat zou de grap nog kostelijker maken.

Balthazar grinnikte nogmaals, zich bedwingend om het niet uit te bulderen. Zijn aangeboren voorzichtigheid hield hem tegen. Ongetwijfeld lagen er in de andere washuisjes nog meer slapers. Je wist nooit of er iemand nieuwsgierig werd en wilde weten waarom hij zoveel pret had.

De baljuw keek de schrijfkamer van Godfried Lesage rond.

'Wanneer is dit gebeurd?'

Greetje, de verschrikte, oude dienstbode die hem naar boven had begeleid, wist er nog minder van dan hij.

Ze staarde naar het omgevallen meubilair en het vensterglas op de vloer alsof ze een schaap met twee hoofden zag.

'Ik weet het niet', stamelde ze.

'Heeft niemand iets gehoord?'

'Wij sliepen, heer.'

'En het andere personeel?'

'Er zijn alleen mijn man en ik en de stalknecht, maar die slaapt in de stal. Waar is onze heer, hij is toch niet...?'

Greetje sloeg een hand voor de mond en jammerde zachtjes.

'Oh mijn God, is hij... heeft iemand hem vermoord? Maar waar is zijn lijk dan?'

Ze liep jammerend door de kamer als een kip zonder kop, zoekend alsof het lichaam van haar heer plots uit het niets tevoorschijn zou komen.

'Wanneer heb je Lesage voor het laatst gezien?'

'Voor ik naar bed ging. Hij drinkt altijd een kroes warme wijn voor het slapengaan. Die heb ik hem hier gebracht.'

'En uw heer zag er gewoon uit? Geen bloedvlekken op zijn kleren?'

'Natuurlijk niet, ik was de kleren van mijn heer zeer zorgvuldig', zei Greetje verontwaardigd. 'Denk je dat ik mijn heer gevlekte kleren aan laat trekken? En ik laat ook geen rotzooi rondslingeren. Kijk eens naar het vensterglas. Iemand heeft de ruitjes aan diggelen geslagen. Er is iemand binnengedrongen. Dat ziet u toch ook, baljuw? Hoe kunt u denken dat ik... zo'n janboel... Van mijn leven zou ik het hier niet zo laten liggen. Als ik het had geweten, had ik het al lang opgeruimd.'

Het vrouwtje sprak zo heftig dat haar speeksel in het rond vloog.

'Jaja... kalm nu maar. Goed dat je nog niet hebt opgeruimd. Ik heb genoeg gezien.'

De baljuw draaide zich om en liep naar beneden, met de vrouw mopperend achter zich aan. Wat was er nu met haar heer aan de hand? De baljuw kon toch niet zomaar 's nachts komen en geen uitleg geven.

Haar man stond beneden aan de trap. Hij was nog ouder dan zijn vrouw en de baljuw begreep nu waarom Lesage op zijn nachtelijke achtervolging van de inbreker geen personeel had meegenomen. Zelfs niet de stalknecht die wel jong, maar niet van de slimste was. Dat had hij zelf aan den lijve ondervonden.

Het had hem heel wat tijd gekost om uit de stalknecht uit te krijgen dat hij zijn heer die nacht had zien wegrijden.

'Hoe laat reed hij weg?'

'Hoe kan ik dat weten?'

'Sliep je al?'

'Wat zou ik anders doen als het donker is?'

'Heb je het paard gezadeld?'

'Natuurlijk heb ik het paard gezadeld. Dat is mijn werk. Of, nee, eigenlijk niet, maar ik wilde het wel doen, alleen was hij mij te vlug af.'

'Zat je heer onder het bloed?'

'Hoe kon ik dat zien?'

'Je ging toch het paard zadelen?'

'Dat kan ik met mijn ogen dicht. Ik sliep.'

'Wat heb je gedaan toen je heer vertrok?'

'Verder gaan slapen en mag ik nu...'

Terwijl de baljuw naar het huis toe liep en er de dienstboden uit hun bed had gebonsd, was de stalknecht weer naar zijn plek in het hooi vertrokken.

De baljuw liet zijn blik over de bezorgde gezichten van de huisbedienden glijden. Hij was er zeker van dat het echtpaar die nacht geen oog meer dicht zou doen.

'Lesage zit opgesloten in de Gevangenenpoort', zei hij.

'Waarom?'

'Omdat hij een moordenaar is.'

Hij draaide zich om en verliet de woning langs de binnenplaats waar zijn paard stond te wachten, de oude dienstboden stomverbaasd achterlatend.

32

Juffrouw Theresa verschrompelde onder de blik van groot-juffrouw Amandine, tot ze in haar verbeelding nog de groot-te had van een stofpluisje dat tussen de vloerplanken verdween.

'Tot stof zul je wederkeren...' herhaalde ze onophoudelijk.

Een stofpluisje hoorde of zag niets, voelde geen wroeging of geen pijn, trof geen schuld. Een stofpluisje kon je niets verwijten, niet bestraffen, alleen wegblazen, waarna het een eindje verder neerdwarrelde en rustig zijn bestaan voortzette.

'Tot stof zul je wederkeren...'

Ze slaagde erin zich volkomen af te sluiten, niets meer te horen, niets meer te zien.

'Tot stof zul je wederkeren...'

De grootjuffrouw wilde haar door elkaar schudden, slaan zelfs, omdat ze merkte dat haar woorden een muur bestookten. Het kostte haar moeite om de begijn waar ze razend op was, niet aan te raken. Voor de zekerheid stak ze beide handen in de mouwen. De handen grepen elkaar hardhandig vast, knepen elkaar tot bloedens toe.

'Je hebt mijn bevel genegeerd, juffrouw Theresa. Je hebt iets op gang gebracht waarvan je de draagwijdte niet kunt vermoeden. Waarom, Theresa. Waarom? Waarom vertrouw je niet op mijn oordeel?'

Nog nooit had haar stem zo scherp geklonken.

'Tot stof zul je wederkeren...'

Grootjuffrouw Amandine voelde de woede als een storm door haar lichaam heen razen.

'Theresa!' blafte ze.

De begijn stokte even, maar hervatte haar gestamel.

'Tot stof zul je wederkeren...'

De grootjuffrouw draaide zich om en liep naar de deur. Het was onzin nog woorden aan Theresa te verspillen. De begijn was onbetrouwbaar. Ze moest maatregelen nemen die haar tegenstonden, maar noodzakelijk waren.

Ze trok de deur open, keek nog even om.

Vergiste ze zich of gluurde Theresa haar vals van onder haar wimpers aan?

'Ik weet dat je komedie speelt, Theresa', siste ze. 'Maar het is je eigen keuze. Beklaag je later niet over de weg die je zelf hebt uitgekozen.'

Ze wachtte op een antwoord dat niet kwam. Toen ging ze naar buiten.

'Tot stof zul je wederkeren', prevelde Theresa.

De deur viel dicht. Het stofpluisje voelde zich gered.

De grootjuffrouw haastte zich naar de infirmerie en trok zich met de infirmeriemeesteres in een kamer terug.

'Juffrouw Theresa is waanzinnig geworden. Ze is een gevaar voor zichzelf en de andere begijnen.'

Ze vertelde de infirmeriemeesteres wat er van haar werd verwacht.

Nog voor het ochtend werd, lag Theresa in een bed van de infirmerie, diep in slaap.

Tilly liet Joris met tegenzin gaan. Hij was heel lang gebleven, veel langer dan hij ooit had gedaan en ze hadden gevrijd dat de stukken eraf vlogen. Het stemde haar vrolijk dat ze op de goede weg was. Binnenkort zou hij vast en zeker het woord trouwen laten vallen.

Ze verkoos Joris nog altijd boven de slagersknecht, omdat die laatste zo voorspelbaar was als de gang van de seizoenen. Joris daarentegen had iets geheimzinnigs.

Soms kon hij in een stilzwijgen vervallen en voor zich uit staren met wat Tilly een 'ingekeerde blik' noemde. Het leek dan of hij zich in een andere wereld bevond, een wereld binnen in zich, waar zij geen toegang toe had.

Het fascineerde haar. Het voelde aan als een uitdaging. Zo was Tilly: als haar ergens de toegang werd ontzegd, wilde ze er absoluut naar binnen. Iemand moest van zeer goeden huize zijn om haar te kunnen tegenhouden.

Aan Joris had ze echter een zware brok. Hij was zo gesloten als een oester. Daarstraks nog. Ze zat op zijn schoot en had hem zo lang en hartstochtelijk gekust dat ze ervan naar adem moest snakken.

Toen had hij weer die blik alsof hij mijlenver weg was.

'Waar denk je aan?'

'Nergens aan.'

'Dat kan niet. Een mens denkt altijd aan iets. Mag ik het niet weten?'

'Er valt niets te weten.'

Hij schoof haar van zijn knieën.

'Ik moet eens gaan. Het is morgen vroeg dag.'

'Blijf bij me. Je kunt hier slapen. Kanunnik Verhaert komt nooit in de keuken.'

Ze hing aan zijn hals. Ze kuste zijn lippen. Ze stak haar tong speels in zijn mond. Ze drukte haar warme, mollige lijf tegen het zijne. Tevergeefs.

'Dag Tilly', zei hij en hij liep de koele nachtlucht in.

Ze keek hem na terwijl hij in de boomgaard verdween. Langs een poortje zou hij door een steeg naar de armoedige woning gaan waar hij met zijn vader woonde.

Tilly vroeg zich af of ze er een van deze dagen eens langs zou kunnen lopen, zomaar om goedendag te zeggen. Het was niets te vroeg om kennis te maken met haar toekomstige schoonvader.

Ze geeuwde, verlangde nu toch ook naar haar bed. Lang zou ze niet meer kunnen slapen. Kanunnik Verhaert was altijd vroeg op en kouwelijk als hij was, verwachtte hij dan dat het haardvuur in zijn werkkamer en in de woonkamer brandde, zodat hij zijn oude knoken bij de gloed kon opwarmen.

De gedachte aan haar kanunnik deed haar aan Maria denken, die met de hare heel wat meer te stellen had.

Het verbaasde haar dat Maria ook vanavond niet was komen opdagen om haar verhaal te doen.

Zou Dodoens werkelijk op reis zijn? Maar dan had Maria vrij spel. Dan zou ze toch zeker komen buurten? Als Joris niet was gekomen, zou Tilly vast en zeker vanavond bij haar langs zijn gegaan.

Ze nam zich voor om morgen overdag bij haar binnen te wippen. Nu ging ze slapen. Ze viel bijna om van de slaap en ze kreeg het koud ook. Vlug, haar bed in, voor de gloed, die de vrijpartij in haar lichaam had doen stromen, verdwenen was.

34

Lesage bonsde op de zware eiken deur van de cel. Er kwam geen reactie van de andere zijde. Hij besloot met een langdurige roffel.

De haveloze man die op de plank lag die de enige slaapplaats vormde, keek hem spottend aan.

'De cipier is aan één kant doof en zijn andere oor is onwillig', grinnikte hij. 'Als je wilt dat hij komt, moet je hard je geld laten rinkelen. Dát hoort hij wel.'

De man stonk. Zijn vieze lijf had zich op de brits genesteld, niet van plan ook maar een duimbreed prijs te geven. Daardoor had Lesage de nacht moeten doorbrengen op de vuile vloer van aangestampte aarde. Niet dat hij zich naast zijn celgenoot zou hebben neergelegd als die een plekje vrij zou hebben gemaakt.

Lesage walgde van de luizen, die zo talrijk waren dat ze van onder het vettige hoofddeksel van de man tevoorschijn kwamen. Ongetwijfeld had hij ook vlooien. Daarom hield Lesage afstand. Hij hoopte dat het zou helpen om zich het ongedierte van het lijf te houden.

De kou zat tot in het diepste van zijn botten. Hij stampte met de voeten en zwaaide met de armen om het een beetje warm te krijgen. Dat lukte niet erg, want de kou had zich ook in de cel genesteld. Er zat geen glas in de vensteropening, slechts dikke ijzeren tralies om het vluchten te beletten, maar die hielden de kille ochtendwind niet tegen.

'Zo'n fijne heer als jij heeft een geldbeurs die zwaar aan de gordel hangt. Als je hier buiten komt, is die helemaal leeg. Laat me je dat maar voorspellen!'

De beweging die Lesage naar zijn gordel maakte, ontging de man niet. De hand van Lesage tastte echter in het niets. Hij was in zijn haast vergeten zijn geldbeurs aan te gespen. Lesage vervloekte zijn onbezonnen, haastige vertrek.

'Zeg dat het niet waar is', kreunde de man die wel vuil en arm, maar niet dom was. 'En ik die dacht dat jij de cipier eropuit ging sturen om voor ons een uitgebreid ontbijt te kopen. Dan zit er niets anders op dan dat ik ervoor zorg dat er brood op de plank komt.'

De man zwiepte zuchtend zijn benen van de brits, bukte zich, stak zijn hand onder de bedplank en trok een grof geweven zak aan een rafelig touw tevoorschijn.

Hij liep ermee naar het raam en gooide de zak naar buiten. Het touw bond hij aan een tralie vast.

'Wat doe je?' vroeg Lesage onwillig.

Het waren zijn eerste woorden tegen zijn celgenoot.

'Het mannetje kan dan toch praten', grinnikte de man. 'Laat ik mij voorstellen: ik ben Stoffel.'

Lesage mompelde met tegenzin zijn eigen naam.

'Prettig kennis te maken, Godfried. Nu we van mekaar weten wie we zijn, wil ik antwoorden op je vraag. Ik oefen nu een oud maar achtenswaardig beroep uit: ik bedel, Godfried. Misschien moet je het maar leren, want straks zit je hier alleen en nu je blijkbaar ook geen stuiver hebt, kan wat praktische kennis van het bedelvak je aanwezigheid hier veraangenamen.'

De man wenkte Lesage dichterbij. Die naderde schoorvoetend en keek naar buiten. Er passeerde net met veel lawaai een boerenkar door de poort.

'Hé! Boer! Jij daar!'

De voerder op de bok keek even op, zag het touw met de zak bungelen en twee hoofden, elk aan weerskanten van de vensteropening.

'Iets te eten voor een arme sukkelaar? God zal het je lonen...'

De kar ratelde verder zonder dat de boer aanstalten maakte op de vraag in te gaan.

'Gierigaard! De duivel komt je halen!'

Lesage haalde de schouders op.

'De kar was geladen met hout. Wat zou die man ons kunnen geven?'

'Die boer heeft een knapzak bij zich. Of denk je dat de boerin haar echtgenoot de hele dag op een houtblok laat knabbelen? Nee, de voerder had vast en zeker naast zijn voeten een mand staan met lekkere worst en brood. Maar niet getreurd, het verkeer komt pas op gang. Dadelijk is het hier een uit en in rijden van je welste. Er zal wel één goede ziel zijn die medelijden heeft. Het is in ons nadeel dat ze aan de buitenpoort tol betalen en niet hier. Als ze wel hier zouden moeten betalen, dan...'

Stoffel onderbrak zichzelf, omdat hij aan het einde van de straat een gestalte in het oog kreeg. Als geoefend bedelaar wist hij een gunstige prooi op het eerste gezicht te herkennen.

'Daar... die vrouw. Die moeten we hebben.'

Ze naderde vanaf de Grote Markt en liep recht op de Gevangenenpoort toe. Ze was niet van de jongste, maar ze stapte flink door. Aan haar arm bungelde een mand.

Lesage herkende haar.

'Het is Greetje, mijn dienstbode', zei hij.

'Haha, de brave dienstbode brengt haar heer zijn ontbijt,' grinnikte Stoffel, 'laat maar komen.'

'Greetje!' riep Lesage.

De oude dienstbode zag het hoofd van haar heer achter het getraliede raam en bleef midden op de weg staan.

'Heer toch, wat hebben ze met u gedaan? Een schande is het! Een schande!' jammerde ze.

Een kar ratelde rakelings langs haar heen. De voerder vloekte op het stomme wijf dat met haar leven speelde door in de weg te staan. Het stomme wijf strompelde opzij en schreeuwde hem een verwensing achterna.

Trillend van opwinding stond ze ten slotte onder het raam bij de zak aan het touw.

'Wat heb je bij je?' riep Stoffel gretig. 'Je bent toch niet gierig geweest? Gierige wijven belanden in de hel.'

'Ga weg', gilde ze. 'Het is niet voor jou!'

'Natuurlijk niet, schatje,' lachte Stoffel kakelend, 'maar ik deel alles met jouw heer, zelfs mijn luizen en mijn vlooien, dus ook al dat lekkers dat jij nu naar onze zak over gaat hevelen.'

Hij knipte met zijn vinger een vlo van de mouw van Lesage. Het beestje was net van het ene lichaam naar het andere overgesprongen.

Lesage had er geen erg in. Terwijl Greetje de inhoud van haar mand in de zak opstapelde, sputterend omdat ze geen goed eten had meegebracht voor schorremorrie dat misschien ik weet niet wat had uitgespookt, riep hij haar bevelen toe.

'Je moet twee dingen voor mij doen. Eerst ga je naar het begijnhof. Je gaat naar de woning die Benedictie des Heeren heet en je vertelt aan de bewoonster dat ik hier gevangen zit. Zij heet juffrouw Catharina. Daarna ga je naar huis en je haalt mijn geldbeurs. Die ligt...'

'Stil heer', zei Greetje verschrikt. Ze keek ongerust om zich heen. 'Moet heel Lier horen waar uw geldbeurs ligt? Om dan nogmaals een inbreker over de vloer te krijgen? Ooooh...

misschien heeft de dief van vannacht de beurs wel meegenomen!'

Ze barstte uit in geweeklaag over onverlaten die huizen
van onschuldige mensen binnendringen om hen te bero-
ven en wat een onrechtvaardigheid het was dat die onschuldige mensen dan ook nog in de gevangenis terecht-
kwamen. Het was toch wel de wereld op zijn kop.

'Stil maar Greetje, doe nu wat ik zeg. Heb je het begrepen?'

Greetje snifte, veegde haar neus schoon met haar mouw
en knikte.

'Eerst naar die begijn. Zal ik niet beter eerst de geldbeurs
halen?'

Maar Lesage verzekerde haar dat hij nog wel wat op het
geld kon wachten en dat juffrouw Catharina voorging.

Mopperend liep Greetje door de poort op weg naar het
begijnhof. Ze begreep niet waarom het zo dringend was dat
een begijn werd gewaarschuwd. Als het dan nog die andere
was, die piepjonge begijn waar haar heer op moest passen
opdat ze maagdelijk zou blijven tot aan haar huwelijk. Maar
die heette niet Catharina, die heette... Tegen dat Greetje
het hof bereikte, had ze het gevonden. Barbara, dat was de
naam. Barbara. Niet Catharina.

Stoffel had intussen de zak met de etenswaren opgehaald
en had alles uitgestald op de brits. Er was een kruik bier om
de dorst te lessen. Er was een heel brood. Er was een homp
kaas en er was ook nog een grote worst.

'Wat een galgenmaal', grinnikte hij.

Terwijl Lesage vroeg wat hij precies bedoelde, tastten ze
allebei gretig toe.

'Ik bedoel wat ik zeg', zei Stoffel. 'Ik word vandaag opgehangen. Straks. Tegen dat de cipier zijn roes heeft uitgesla-
pen, is het zover. Dan komen ze mij halen. Ja makker, jij
hebt hier straks het rijk voor jezelf.'

Lesage keek zijn celgenoot met andere ogen aan en vroeg zich af of hij zelf nog zoveel appetijt zou hebben als de dood op hem wachtte.

'Je lijkt het je niet aan te trekken.'

'Zou het helpen als ik het mij aantrok?'

'Wat heb je gedaan?'

'Ik? Naar het schijnt heb ik iemand de kop ingeslagen. Ik weet er niets meer van. Ik had mij lazarus gezopen. Maar het zal wel waar zijn. De hele kroeg was getuige. Och, er vaart een duivel in mij als ik dronken ben.'

De man zette de kruik bier aan de mond en liet de drank gretig naar binnen lopen. Hij grinnikte omdat Lesage er ongemakkelijk van begon te kijken.

'Ik heb wel meer nodig dan één kruik', zei hij. 'Je mag er gerust op zijn. Ik steek geen vinger naar je uit. En wat heb jij op je kerfstok?'

'Ze denken dat ik een man de nek heb gebroken.'

'En?'

'Niks en... Ik heb het niet gedaan. Ik heb hem niet aangeraakt!'

'Oh. Toch zit je hier. Dat ziet er niet goed uit. Knopen ze deftige heren ook op? Of sterven jullie door het zwaard?'

Lesage wilde boos uitvaren, maar een giechel van zijn celgenoot hield hem tegen.

'Eet of alles is op', zei de man.

De spijzen verdwenen met een ongelooflijke snelheid in zijn mond.

Lesage brak een stuk brood af en zette er zijn tanden in.

35

De pastoor van het begijnhof keek de grootjuffrouw streng aan. Hij had altijd al getwijfeld aan haar capaciteiten om het hof te leiden. Hij vond haar slap, te toegeeflijk.

Ze had de neiging alles met de mantel der liefde te bedekken. En dát, dat was iets wat je met vrouwen niet moest doen.

Dochters van Eva mocht je nooit zachtzinnig behandelen, wilde je hen niet laten ontsporen. Vrouwen konden er niets aan doen dat ze zwakke wezens waren die makkelijk in zonde weggleden. Dat was hun aard.

Daarom moesten ze voor hun eigen bestwil met strenge, onwrikbare hand geleid worden. Als grootjuffrouw Amandine daar niet toe in staat was, omdat ze zelf een vrouw was, moest hij het maar in haar plaats doen.

Die ochtend was hij tot zijn ergernis op de vingers getikt door de decaan van het kanunnikenkapittel. Hij had zijn oren niet geloofd toen de decaan hem had verteld hoezeer een begijn zich in publiek had misdragen.

'Zal ik maatregelen nemen of kan ik het aan u overlaten?'

De pastoor had verzekerd dat hij het nodige zou doen, dat de decaan ongetwijfeld belangrijkere zaken had om zich mee bezig te houden. De decaan kon er gerust in zijn, die begijn zou haar straf niet ontlopen.

Hij was regelrecht naar grootjuffrouw Amandine gestapt. Woedend.

'Het is een schande', fulmineerde hij. 'Begijnen moeten zich waardig gedragen. Naar het schijnt zat ze halfontkleed met een man op een paard te flikflooien!'

'Heeft u het gezien?' vroeg grootjuffrouw Amandine onverstoorbaar.

Ze had de pastoor al verwacht. Dus was ze op hem voorbereid.

'Ik niet. Half Lier wel. Men zegt...'

'Er wordt zoveel gezegd.'

'De decaan zélf...'

'Heeft hij het gezien?'

'Natuurlijk niet. Alsof de decaan tijd heeft om op straat rond te hangen en een begijn zich als hoer te zien gedragen.'

'Nu gaat u te ver. Ik weiger een van mijn begijnen hoer te laten noemen.'

Grootjuffrouw Amandine ging staan. Ze was bijna even groot als de pastoor, die slechts één stap binnen de deur van haar ontvangkamer stond. Hij had niet met zijn uitbarsting kunnen wachten tot hij goed en wel op de bezoekersstoel zat en ze hem zou hebben verwelkomd.

Ze sloeg dat verwelkomen nu ook maar over. Trouwens, welkom was hij toch niet. Er zou geen groter plezier zijn dan hem nu eigenhandig buiten te kunnen gooien. Maar grootjuffrouw Amandine zette een onverstoorbaar gezicht op.

Ze verhief haar stem niet. Ze sprak het ene woord niet luider uit dan het andere.

'Eerwaarde vader, herinnert u zich nog wat half Lier vorig jaar meende gezien te hebben?'

De pastoor verstarde. Hij kon al raden waar ze nu mee af zou komen. De feeks!

'Toen zei men dat u dronken door de straten liep.'

'Dat was gelogen. Ik was ziek. Ziek!'

De pastoor onderstreepte zijn woorden met een driftig gebaar. Hij stak zijn kin uitdagend naar voor.

De grootjuffrouw knikte hem toe.

'Precies', zei ze zoetsappig. 'Wat men zegt, is dus niet noodzakelijk de waarheid, eerwaarde vader. U heeft het zelf ondervonden.'

De pastoor liet zich op de bezoekersstoel neervallen. Ook de grootjuffrouw zette zich weer neer.

Ze keek hem recht in de ogen, niet uitdagend. Daar paste ze wel voor op. Ze waakte er ook over dat er in haar toon geen spoortje van agressie klonk, toen ze zei: 'U wilt natuurlijk graag de ware toedracht horen, eerwaarde vader?'

De pastoor gromde iets onduidelijks, dat als een instemming kon worden opgevat, maar grootjuffrouw Amandine wist wat hij werkelijk zei: gelul. Gelul! Dat zei hij. Ze negeerde het en gaf een korte samenvatting van wat Catharina haar had verteld.

De pastoor luisterde geërgerd. Haar verwijzing naar zijn eigen miskleun van het vorige jaar had hem wel de mond gesnoerd, maar ook behoedzaam gemaakt, want hij wist dat hij toen wel degelijk dronken was geweest. Half Lier had het in zijn geval wél bij het rechte eind gehad, dus wat die begijn betrof... wie zou zeggen wat de waarheid was?

Plots stond de hele zaak hem tegen. Hij wilde er niets meer mee te maken hebben. Hij had gezegd wat er te zeggen viel. Hij kon de decaan naar waarheid mededelen dat hij zijn plicht had vervuld. De grootjuffrouw moest het nu maar oplossen. Dat was haar taak.

'Druk haar op het hart zoiets nooit meer te laten gebeuren', zei hij en daarmee hield hij het voor bekeken.

Hij stond op en ging de kamer uit. Aan de deur draaide hij zich nog even om.

'Ik reken erop dat u zelf bij de decaan verslag uitbrengt over de gedragingen van juffrouw Catharina en over de straf die ze heeft gekregen. Tenslotte had ze de hele toestand kunnen vermijden door zich niet ergens te bevinden waar ze een man ertoe kon verleiden haar aan te randen.'

Weg was hij. De voordeur viel dicht.

Grootjuffrouw Amandine zuchtte. Ze had gehoopt dat de pastoor haar een bezoek aan de decaan bespaard zou hebben, maar daar had ze zich misrekend. Ze meed de decaan zo veel mogelijk. Elke keer als ze hem zag, draaide het uit op strubbelingen en op nieuwe taksen die de begijnen aan de kanunniken moesten betalen, maar nu zou ze er niet onderuit kunnen.

Er was ook een goede zijde aan. Misschien kon ze als ze het sluw aanpakte te weten komen waarom er geen opschudding was over de verdwijning van kanunnik Dodoens. Ze had er niet het minste gerucht over opgevangen. Het leek wel alsof er nog niemand wist dat hij van de aardbodem verdwenen was.

Grootjuffrouw Amandine vroeg zich af hoe dat mogelijk was. Zijn huishoudster moest hem toch missen? Ja toch?

In ieder geval zou ze de confrontatie met de decaan uitstellen tot morgen. Afwachten wat de dag vandaag zou brengen. Hopelijk kwam Catharina met het volledige verhaal op de proppen, voor het angelus zoals ze had gevraagd, waardoor ze het met een gerust geweten voor haar zou kunnen opnemen en een uitwijzing zou kunnen afwenden. Het kapittel zou een straf uitspreken, maar die zou veeleer symbolisch zijn. Ze zou morgen de decaan naar waarheid kunnen vertellen dat juffrouw Catharina was gestraft. Daarmee zou hij genoegen moeten nemen.

36

Barbara was van streek. Ze hield niet op met te zeggen dat het oneerlijk was dat zij nu moest boeten voor een misstap van Catharina.

'Je had je niet aan Godfried moeten opdringen.'

Ze was na een slapeloze nacht bij haar overbuurvrouw komen aankloppen en overlaadde haar nu met verwijten.

'Dat heb ik niet gedaan', verdedigde Catharina zich. 'Echt, Barbara. Waarom denk je dat?'

'Ik heb je naar hem zien kijken', zei Barbara stuurs.

Catharina voelde het bloed naar haar wangen stijgen. Hadden haar blikken dan haar gevoelens voor Godfried Lesage verraden?

'Waarom zou ik hem niet aankijken? Ik kijk jou ook aan', verdedigde ze zich.

'Je weet heus wel wat ik bedoel.'

'Neen, dat weet ik niet', zei Catharina, 'en je moet ophouden onzin te vertellen en je als een kind te gedragen. Je bent een volwassen vrouw.'

'Jij hebt het voor mij verpest', zei Barbara koppig. 'Mijn vader gaat ongetwijfeld mijn oom zenden om Godfried te vervangen. Mijn oom is een verschrikkelijke zuurpruim. Ik zal geen stap meer kunnen verzetten zonder dat hij die bekritiseert. Zelfs de lucht die ik inadem, gaat hij eerst argwanend besnuffelen.'

'Ik zal het er met de grootjuffrouw over hebben. Het komt wel goed, Barbara. Echt waar.'

'Denk je? Het moet, Catharina. Het moet! Als ik getrouwd ben, moet ik van elke stap die ik zal doen aan mijn echtgenoot rekenschap geven. Mijn laatste maanden hier wil ik vrij zijn. Godfried begrijpt me! Hij laat me van het leven genieten! En nu... nu heb jij alles verknoeid!'

Catharina legde haar hand op de onrustig wriemelende handen van Barbara.

'Stil nu maar.'

De jonge begijn besefte dat ze misschien toch een beetje te ver was gegaan.

'Het spijt me', zuchtte ze. 'Ik weet niet waarom ik zo lelijk tegen je doe. Jij bent altijd zo vriendelijk tegen mij. Je mag heus wel verliefd worden op Godfried, echt waar, als je er maar voor zorgt...'

'Nu moet je ophouden.'

De zachte hand hielp niet, Catharina probeerde het nu met strengheid.

'Je praat over dingen waar je niets van weet.'

Barbara reageerde door weer haar stekels op te zetten.

'Jij kent die dingen blijkbaar al te goed!'

Er werd op het tuinpoortje geklopt.

Catharina hinkte de kamer uit. Haar enkel was al veel minder pijnlijk, maar om hem te sparen, wilde ze hem nog niet met haar volle gewicht belasten. Daardoor liep ze nog steeds onhandig.

Barbara liet haar gedachten de vrije loop. Ze vroeg zich af waarom Catharina niet wilde toegeven dat ze verliefd was op Godfried. Ze was weduwe. Begijnen mochten verliefd worden en trouwen. Wat was dan het probleem?

Ze schrok toen ze buiten de naam van Lesage hoorde uitspreken. Wat was er met hem?

Ze haastte zich naar de deur, maar Catharina kwam alweer binnen, haar gezicht grauw als ongeverfde wol.

'Wat is er met Godfried?' riep Barbara uit. 'Catharina? Wie was dat aan de deur?'

'Godfried Lesage is in de Gevangenenpoort', zei Catharina.

Haar stem klonk schor, het was bijna de stem van een vreemde.

Barbara begreep het niet.

'Hij kan beter hierheen komen', zei ze ongeduldig. 'Wat moet hij daar? Weet hij niet dat ik hem verwacht? Dat ik hem nodig heb?'

Catharina liet zich op een stoel neervallen. Ze staarde voor zich uit.

Barbara voelde angst naar binnen sluipen.

'Je bedoelt toch niet dat hij... Catharina, zeg iets!'

Moeizaam, alsof ze zich tot elk woord moest dwingen, neen, alsof ze niet meer wist hoe ze een woord vormen moest, stamelde Catharina bijna onverstaanbaar:

'Hij wordt beschuldigd van moord.'

'Van moord? Van wie dan? Van die man die hier op het hof lag? Maar daar heeft hij toch niets mee te maken? Wat een onzin is dat! In de Gevangenenpoort, zei je? Ik ga er onmiddellijk heen!'

Barbara pakte haar rokken bij elkaar en stoof als een wervelwind het huis uit.

Catharina hield haar niet tegen. Ze had er niet eens erg in dat de jonge vrouw er niet meer was.

Ze klemde de kaken op elkaar om het niet uit te schreeuwen.

Lesage boette voor de moord die Balthazar had begaan. Aan de schuld van haar schoonbroer twijfelde ze geen ogenblik. Voor haar was de gang van zaken zo klaar als water.

Eerst had Balthazar de kanunnik omgebracht, omdat die het familiegeheim op het spoor was. Later had hij die afperser de nek gebroken, omdat die hem voor de voeten liep.

Als die man er getuige van was geweest dat het lichaam van de kanunnik in de Nete werd gegooid, was hij misschien ook getuige geweest van de moord zelf. Als hij de grootjuffrouw durfde te chanteren, had hij dat bij Balthazar misschien ook aangedurfd. Balthazar afpersen was echter heel wat gevaarlijker dan een begijn onder druk zetten. De man had het met zijn leven moeten bekopen.

En dan was er nog die ene gedachte die nu en dan de kop opstak, maar die ze vlug verdrong: Johan... Balthazar had erop gezinspeeld dat Johan ogen en oren in Lier had. Kon ze uitsluiten dat hij was teruggekeerd? Misschien leefde hij vermomd en onder een andere naam op nog geen boogscheut van haar? Had hij de kanunnik gedood? Werkten Johan en Balthazar samen?

Ze kwam er niet uit, maar ze wist één ding: veel ervan was haar schuld. Ze had niet aan de komedie die haar schoonfamilie had opgezet, mogen meedoen. Misschien had de knecht dan nu nog geleefd. Dan hadden ze immers geen dode 'Johan' om plechtig te begraven nodig gehad. Ook die dode kon ze op haar lijstje zetten.

Eigenlijk raakte zijn dood haar nog het meest van al. De knecht was een oude, vriendelijke man geweest die geen vlieg kwaad deed en altijd hard voor de familie had gewerkt. Ze hadden hem als een beest afgeslacht. Als een beest...

Catharina kreunde. Als ze daaraan dacht, wilde ze zelf niet meer leven.

'Heer, help mij, wees mij genadig', bad ze.

Ze liet zich op de knieën vallen en prevelde het ene gebed na het andere. Was het God die tot haar sprak en zei dat er slechts één manier was om het goed te maken? Of was het de stem van haar geweten? Wie of wat het ook was: ze besloot dat ze eindelijk de waarheid zou spreken.

'Voor het angelus, Catharina. Voor het angelus!'

Het was bijlange nog geen tijd voor het angelus. Ze zou ruimschoots op tijd zijn.

Nu ze een beslissing had genomen, voelde ze de pijn afnemen.

Ze stond op, keek of haar kleren in orde waren, fatsoeneerde haar hoofddoek en verliet haar woning om te gaan uitvoeren wat ze al lang had moeten doen.

37

Ze kwamen met hun drieën tegelijk bij de Gevangenenpoort aan.

De oude dienstbode had de geldbeurs in de schrijftafel
van haar heer gevonden en bracht die nu, verborgen in haar
mouw.

Barbara kwam aangesneld met rode wangen van het hollen en ogen die van boosheid flikkerden. En dan was er ook
nog de baljuw die zijn arrestant nodig had om bij de schout
voor te leiden.

Het spreekt voor zich dat de baljuw won. Hij was niet
alleen gezagsdrager, maar hij was ook vergezeld van een
paar schutters die de nieuwsgierigen op afstand hielden en
Greetje en Barbara de pas afsneden. Lesage was voor de twee
vrouwen onbereikbaar.

Greetje jammerde toen ze haar heer als de eerste de beste
misdadiger geboeid naar de marktplaats zag leiden. Ze herkende juffrouw Barbara, omdat die eens in de woning van
Lesage op bezoek was geweest, helemaal in het begin toen
ze op het begijnhof was geïnstalleerd. Ze wendde zich tot
haar als een drenkeling naar een stuk wrakhout.

'Het is een schande, juffrouw Barbara. Zo'n brave heer.
Hoe durft iemand te zeggen dat hij een moordenaar is!'
jammerde de dienstbode. 'Kunt u niets voor hem doen?
Alstublieft?'

Barbara hoorde haar niet eens. Ze liep gelijk op met het groepje rond de arrestant en schreeuwde zijn naam.

Godfried Lesage keek in haar richting. Even schoot er een gevoel van teleurstelling door hem heen, toen hij zag dat de begijn die zich door de steeds maar aangroeiende groep van nieuwsgierigen worstelde, Barbara en niet Catharina was. Waarom ook had hij verwacht dat Catharina zou komen? Wat zou ze voor hem kunnen doen?

'Laat hem gaan! Hij is onschuldig!' gilde Barbara.

Iemand gaf haar een duw waardoor ze het evenwicht verloor en viel. Tegen dat ze recht was gekrabbeld, kon ze het groepje dat in marstempo naar het plein liep, niet meer bereiken.

Onder gejoel van de toeschouwers, die er plezier in hadden dat deze keer eens een fijne heer en geen arme sloeber werd voorgeleid, besteeg Lesage de trappen van het bordes en verdween hij met de baljuw in het stadhuis.

Toen gebeurde er iets wat de menigte nog meer opjutte. Er stopte een koets voor de herberg De Valk. De man die uitstapte, werd door velen herkend. Hij kwam uit Antwerpen en deed Lier geregeld aan, elke keer als er een misdadiger ter dood moest worden gebracht, om precies te zijn. Het was de beul.

Hij had de reputatie goed te zijn in zijn vak. Degene die hij onder handen nam, was er onmiddellijk aan. Rap en goed, dat was zijn devies.

Als een lopend vuurtje deed het nieuws de ronde. De menigte trok haar conclusies. Ze hadden een misdadiger het stadhuis in zien leiden en zagen nu de beul arriveren. Er waren timmerlieden bezig een verhoog met een galg op te richten. Eén en één is twee...

Niemand die er rekening mee hield dat ze nog niets hadden gehoord over een uitspraak van de schepenbank. Niemand die eraan dacht dat er nog iemand anders opgesloten zat in de Gevangenenpoort, iemand die inderdaad tot de galg was veroordeeld.

Barbara schreeuwde dat er een onschuldige ter dood zou worden gebracht. In paniek holde ze naar het begijnhof, naar de grootjuffrouw. Die moest er iets aan doen! Het moest!

Catharina voelde een vreemde rust over zich komen nu ze alles had verteld en daarmee haar toekomst in de handen van grootjuffrouw Amandine had gelegd.

De grootjuffrouw had geluisterd zonder haar te onderbreken. Ook de periodes van stilte, als Catharina haar verwarde gedachten moest ordenen om ze duidelijk te kunnen overbrengen, had ze niet met woorden overbrugd.

De jonge vrouw vond dat tegelijk goed en beangstigend. Goed omdat ze niet onderbroken werd in een uitleg die haar zo zwaar viel. Beangstigend omdat het koel overkwam, alsof de grootjuffrouw haar al op voorhand veroordeelde, het niet meer nodig vond haar een helpende hand te reiken.

Catharina vergiste zich. Het hart van grootjuffrouw Amandine bloedde, omdat ze de jonge vrouw voor haar alleen die lijdensweg moest laten doorworstelen. Ze wilde echter niet de kans lopen dat één woord van haar Catharina zou beïnvloeden, haar vluchtiger dan nodig was over sommige feiten heen zou laten glijden.

Ze wilde de waarheid weten tot in alle details, hoe vreselijk die ook waren. Daarom zweeg ze en keek ze haar koel aan. Haar blik dwong de jonge vrouw meer en nog meer uitleg te geven, dieper te graven. Ze wilde dat Catharina steeds meer van streek raakte, waardoor de naakte waarheid tevoorschijn zou komen.

Ze had al te horen gekregen dat Catharina geen weduwe

was, dat haar echtgenoot calvinistische sympathieën had en nu in het protestantse noorden verbleef, maar ze was er zeker van dat het ergste nog moest komen. Dat vertelden haar de stilte die nu wel erg lang duurde en de wriemelende handen die op de schoot van de jonge vrouw geen rust konden vinden.

'Ik wist niet dat ze hem hebben vermoord.'

De stem van Catharina schoot uit.

Nu kwam er toch een reactie van de grootjuffrouw, slechts een frons op het voorhoofd. Het werd ingewikkeld. Leefde de echtgenoot dan toch niet meer?

Catharina was er zich van bewust dat er verwarring mogelijk was.

'Een knecht', verduidelijkte ze. 'Ze zeiden dat hij door de stier op de horens was genomen en dat het een toeval was dat het net op het goede moment gebeurde. Ik heb het geloofd. Ik wilde het geloven en ik heb het laten gebeuren... Ik heb toegelaten dat ze hem onder de naam van Johan begroeven en het nieuws rondstrooiden dat de man als een dief in de nacht was vertrokken. Maar het was de stier niet. Niet de stier... Niet de stier... Ik heb gezondigd omdat ik aan het bedrog mee heb gedaan, maar ik wist niet... Ik zou nooit...'

Catharina stokte, worstelde om haar tranen in bedwang te houden.

Het begon de grootjuffrouw duidelijk te worden. Ze kon zich de trotse, oude herenboer Overbroeke nog herinneren. Ze had hem ooit ontmoet, zonder aan hem voorgesteld te zijn.

Zij had net de grote kerk verlaten, waar ze de paasbelasting aan de kanunniken was komen betalen. Hij kwam net door het hoofdportaal binnen.

Ze passeerden elkaar en zij had nog omgekeken omdat de

man haar intrigeerde. Daardoor had ze gezien hoe de decaan hem begroette als een zeer achtenswaardig lid van de gelovige gemeenschap en hem aansprak als herenboer Overbroeke.

Ze kon zich levendig voorstellen wat een schandaal het geweest zou zijn als een van zijn zonen niet alleen als calvinist, maar ook als verrader werd ontmaskerd. Als grootjuffrouw Amandine eraan dacht hoe hun eigen kerk ontwijd was door de staatsen, hoe ze de heiligenbeelden die hier en daar op het hof stonden aan gruzelementen hadden geslagen, hoe verschrikkelijk ze tekeer waren gegaan, hoe ze met bijlen op de heiligennamen op de deuren hadden ingehakt, voelde ze een vreselijke razernij door zich heen schieten nu ze wist dat een verrader hen had aangevoerd. De echtgenoot van een van haar begijnen nog wel.

Wat Catharina haar vertelde, was erger dan ze had verwacht, veel erger. Het was rampzalig.

Haar reactie was dezelfde als die van herenboer Overbroeke: nooit mocht iemand dit te weten komen. Nooit. Ze kon het niet goedkeuren dat hij ervoor had gemoord, zelf zou ze niet zover gaan, een lijk verdonkeremanen... dat wel... maar niet moorden. Herenboer Overbroeke was te ver gegaan, maar ze begreep hem. O ja, ze begreep hem maar al te goed.

Hij vocht voor het voortbestaan van de familie, ballingschap was nog de minste straf die hen had kunnen overkomen. Meer waarschijnlijk was de hele familie bij gebrek aan de dader door de Spanjaarden opgeknoopt.

Zij werd nu in een onverkwikkelijke positie gebracht, werd gedwongen ook te vechten, of ze wilde of niet, voor het voortbestaan van het hof. Door Catharina als begijn op te nemen, zouden de begijnen ervan beschuldigd worden in het complot te zitten.

De echtgenote van een verrader en een ketter was ook een verraadster en een ketter. Het hof gaf haar onderdak en bescherming, dus waren de begijnen ook ketters en verraadsters. Zo simpel zou de redenering van het volk zijn, dat toch al geen raad wist met die begijnen, rare vrouwen die de kerk platliepen zoals nonnen, maar toch geen nonnen waren.

Grootjuffrouw Amandine wist dat het kanunnikenkapittel de begijnen niet zou verdedigen. Sommige van de kanunniken waren de begijnen ronduit slecht gezind.

Dodoens was de ergste geweest. Hij wilde dat het hof gesloten werd en al de begijnen verjaagd. Wat zou hij ervan genoten hebben als hij dit te weten was gekomen. Of... was hij het te weten gekomen? Was hij de verrader op het spoor geweest? Had hij daarom zoveel belangstelling voor Catharina getoond?

Grootjuffrouw Amandine verstrakte. Haar mond werd een streep in het wit weggetrokken gelaat.

Catharina, die het zag gebeuren, vreesde het ergste. Het verdict zou zwaar zijn. Ze boog het hoofd en wachtte en hoopte dat het niet te lang zou duren vooraleer de grootjuffrouw zich zou uitspreken en haar zou bevelen het hof te verlaten.

Maar grootjuffrouw Amandine bleef ook nu zwijgen. Ze was bezig de reikwijdte van haar laatste gedachte te overzien.

Ze was van mening geweest dat kanunnik Dodoens op seksueel gebied in de knappe Catharina geïnteresseerd was en door een rivaal werd vermoord. Die schoonbroer waarschijnlijk, Balthazar. Hij wilde dat Catharina zijn vrouw werd. Dat was op zich al een onverkwikkelijke zaak, maar niet zo ernstig als het er nu uitzag.

Als Dodoens het geheim van de familie Overbroeke op

het spoor was, was zijn belangstelling voor Catharina daardoor te verklaren en was hij vermoord omdat hij het geheim openbaar wilde maken. Ook in dat geval was Balthazar de waarschijnlijke dader. Hij had alles te verliezen.

Grootjuffrouw Amandine wist één ding: ze had er goed aan gedaan het lijk van Dodoens weg te werken. Het was toen een weinig doordachte reactie geweest, er was geen tijd voor overleg geweest, maar haar intuïtie had haar de juiste beslissing laten nemen. Als ze Dodoens op het hof hadden gevonden, zou het geweest zijn alsof het deksel van een enorme beerput werd opengetrokken.

Het werd haar nu allemaal glashelder. Ook de moord op Toon van Gent. De man was een rat, maar ondanks alles vond ze hem niet onsympathiek. Hij was geen echte crimineel, daarvoor was hij te doorzichtig en te gemakkelijk om de tuin te leiden.

Het speet haar dat hij het leven had moeten laten, maar een rat moest blijven waar die hoorde: snuffelend aan afvalhopen. Als een rat te opdringerig werd, gaf men hem de doodslag. Zo ging dat met ratten en zo was het ook nu verlopen. Iemand had de getuige die zo vermetel was geweest er financieel profijt uit te willen halen, het zwijgen opgelegd. Balthazar, natuurlijk. Hij had een dwingende reden. Of was het toch Lesage, die meende dat Catharina belaagd werd? En dan was er ook nog de echtgenoot, maar hij had alleen een motief als hij naar Lier wilde terugkeren en niet ontmaskerd wilde worden.

Ze riep zichzelf tot de orde. Wie ook de dader mocht zijn, ze besloot dat ze het niet verder zou onderzoeken. Voor haar part was het een ongeluk, of was het niet gebeurd. Ja, het was niet gebeurd.

Vanavond zou ze op de begijnen inpraten. Ze zouden de rangen sluiten. Niemand zou nog van iets weten, zelfs juffrouw Theresa niet.

Deze keer zweeg de grootjuffrouw wel erg lang. Catharina kon er niet meer tegen. Ze had haar verhaal gedaan, waarom zei de grootjuffrouw niets?

'Ik zal het natuurlijk vanavond in ons kapittel opbiechten', stamelde ze.

'Geen sprake van!'

De stem van de grootjuffrouw klonk onverzettelijk. Catharina keek haar verbaasd aan, twijfelde of ze het wel goed had verstaan.

'Maar ik wil eerlijk zijn. Schrijft de Heer ons niet voor liegen en bedriegen te schuwen? Ik kan er niet meer mee leven, grootjuffrouw.'

'Je moet. Dat is je straf, Catharina. Begrijp je? Voor de rest van je leven zul je met je moeten meedragen dat je iemand hebt helpen doden door te bedriegen. Als je nu praat, breng je ons allemaal in gevaar. Jezelf, maar mij ook en alle begijnen. We zullen allemaal als ketters en verraders gebrandmerkt worden, omdat we je onderdak hebben gegeven. Je zult erover zwijgen, voor eens en voor altijd. Je neemt het geheim mee in je graf, net zoals ik dat zal doen. Dat is je enige troost. Je hebt het voor een deel op mij afgewenteld en nu worstel ik er ook mee. Zweer dat je er nooit iemand een woord over zult zeggen. Zweer het!'

Het leek Catharina of ze wijlen haar schoonvader hoorde praten.

'Zweer het!' had die geroepen, gesnauwd. 'Zweer het!'

En nu gebeurde het weer. Catharina voelde zich net zo onwillig en verward als toen, maar de grootjuffrouw had een even sterke wil als haar schoonvader.

'Je moet, Catharina. Zweer het!'

'Ik zweer het', zei Catharina, zo zacht dat het klonk als een zucht en de grootjuffrouw vroeg het te herhalen.

'Ik zweer het!' schreeuwde Catharina.

Op dat ogenblik haatte ze de grootjuffrouw, haatte ze zichzelf, haatte ze het leven, haatte ze zelfs God.

Ze voelde het geheim als een loden last weer op haar schouders neerdalen. Het leek zelfs of het nu nog zwaarder was dan tevoren.

De last zou nog zwaarder worden. Het zou nog slechts een paar tellen duren, want buiten bereikte Barbara de woning van grootjuffrouw Amandine.

Barbara roffelde op de deur. Onophoudelijk.

Juffrouw Clara, de armen vol meel want ze was net deeg voor brood aan het kneden, hobbelde naar de deur zo vlug als haar oude benen het toestonden. De deur was amper van het slot of ze vloog open.

Juffrouw Barbara stoof langs haar heen.

'Wacht! Dat gaat zo niet!' riep juffrouw Clara boos. Wat dachten die jonge begijnen wel?

Maar Barbara schoot de schrijfkamer van de grootjuffrouw in en schreeuwde:

'Ze gaan Godfried ophangen! Ze gaan hem ophangen!'

38

Kanunnik Verhaert zat in gedachten verzonken naast het haardvuur in zijn woonkamer. Hij was net terug van het koorgebed en wachtte tot Tilly het middageten op tafel zou zetten. Iets wat hij had opgevangen, verontrustte hem. Het ging over zijn buurman, kanunnik Dodoens. Hij zou op reis vertrokken zijn zonder de decaan toestemming te vragen.

Dodoens was geen sympathieke figuur en stond erop dat regels strikt werden toegepast. Kanunniken die dankzij hem al eens in de kerkgevangenis waren beland, zonnen nu op wraak. Er ging een gerucht dat ze zouden eisen dat zijn prebenden hem zouden ontnomen worden, zo gauw de termijn van toegestane afwezigheid overschreden werd. Regels waren er voor iedereen, ook voor Dodoens! Vooral voor Dodoens!

De zachtzinnige kanunnik Verhaert kon ook niet veel sympathie voor Dodoens opbrengen, maar de man was zijn buurman en had hem uitgekozen als zijn biechtvader. Daardoor voelde hij zich meer bij Dodoens betrokken dan hij wel wilde.

Kanunnik Verhaert nam het heel nauw met het biechtgeheim, maar hij zou er geld voor gegeven hebben om met iemand, liefst met de decaan, over de merkwaardige biechten van Dodoens te kunnen praten.

Het was vreemd dat hij zich die biechten bijna woordelijk kon herinneren, zijn geheugen was nochtans niet meer zo fameus de laatste tijd.

'De duivel heeft mij uitgekozen. Elke dag kwelt hij mij, brengt hij mij in verleiding.'

'Waarmee, mijn zoon?'

'De appel, eerwaarde vader. De appel van het Kwade. De vrucht van de boom van goed en kwaad.'

'Kun je een beetje duidelijker zijn?'

'Het is met mij zoals met de Heer die zich terugtrok in de woestijn vooraleer hij aan zijn openbaar leven begon en door de duivel werd gekweld om hem op de proef te stellen.'

'Nederigheid, mijn zoon, is de basis van een godsvruchtig leven. Waarom zou precies jij op de proef moeten worden gesteld?'

'Omdat de Heer plannen met mij heeft.'

'Welke plannen?'

'Weet ik niet. Grootse plannen. De allergrootste plannen. Daarom weert de duivel zich, nestelt hij zich in mijn huis, bestookt hij mij onophoudelijk met zijn verleidingskunsten.'

'Welke gedaante neemt de duivel aan, mijn zoon?'

'De appel, eerwaarde vader. Eva biedt mij hem aan, wil dat ik bijt. Ze lacht haar mooiste glimlach, wiebelt met haar prachtige borstjes zodat mijn blikken er niet naast kunnen kijken, schudt met haar heupen, zo wellustig dat het mij rood voor de ogen wordt. Ze wil dat ik de appel neem, bijt zoals Adam. Ze duwt hem mij bijna in de mond. Help mij om aan die verleiding te weerstaan, eerwaarde vader.'

'Eva... Bedoel je Maria, je huishoudster? Waarom neem je een knappe, jonge vrouw in huis als je haar als een bron van verleiding ziet? Je hebt haar toch zelf uitgezocht? Niemand heeft je daartoe gedwongen. Stuur haar weg en neem een oud, lelijk wijf in dienst. Die kookt en poetst even goed, misschien zelfs nog beter dan zo'n jong ding en de duivel zal je voortaan met rust laten. Mijn zoon, de oplossing is wel erg simpel. Waarom kom je er zelf niet op?'

'Onttrok de Heer zich in de woestijn aan de verleiding van de duivel? Nee, hij vocht ertegen, toonde zo dat hij het waard was om een belangrijke weg te gaan. Kan ik dan de makkelijke oplossing kiezen en mij een lafaard tonen? Ik vraag alleen mij te helpen, eerwaarde vader, door voor mij te bidden, opdat ik zou kunnen blijven weerstaan. Ik vraag vergiffenis en een penitentie voor de zwakke momenten waarin ik het dreig te begeven. Eerwaarde vader, geef mij de absolutie.'

Hij had Dodoens de absolutie gegeven. Elke week had de man voor hem gezeten met hetzelfde gewauwel.

Kanunnik Verhaert schrok van zijn eigen gedachten. Hoe kon hij een biecht gewauwel noemen? Was dat geen godslastering? Hij sloeg haastig een kruisteken en vroeg om vergeving. Toch schoot hem geen beter woord voor de biecht van Dodoens te binnen.

Hij besloot dat hij er de volgende keer paal en perk aan zou stellen door als penitentie zijn biechteling op te leggen de jonge huishoudster weg te sturen. Het zou dan wel gedaan zijn met die prietpraat. Kijk, hij had dan toch een ander woord gevonden, maar om er de inhoud van de biecht mee aan te duiden, was het al even oneerbiedig.

Zijn eigen huishoudster kwam binnen, Tilly. Het was een pronte, jonge vrouw, niet zo piepjong als Dodoens zijn Maria, maar ze mocht er best wezen, zag Verhaert. Vreemd dat het hem nooit zo was opgevallen, maar goed ook, want hij wilde geen verleidelijke Eva in huis, alleen een vrouw die hem verzorgde en dat deed Tilly uitstekend.

Ze zette zijn kom gerstebrij op tafel en schonk een beker vol wijn.

'Ik heb ook honingkoeken', glimlachte ze.

Haar kanunnik was gek op honingkoeken en het deed haar genoegen dat hij met zijn lippen smakte en zei dat ze te goed voor hem was.

Ze liep naar de deur op weg om de koeken in de keuken te halen, toen de kanunnik haar vroeg of zij wist of hun buurman op reis was.

'Ik geloof het wel', antwoordde ze aarzelend.

'Maar je weet het niet zeker?'

'Maria zei er iets over.'

'Heb je haar vandaag gesproken?'

'Nee... maar...'

Tilly bleef staan, aarzelde.

'Wat is er, Tilly?'

'Maria is weg. Er is niemand meer. Zou het kunnen dat zij met de kanunnik mee is gegaan?'

'Hoe weet je dat ze weg is?'

'Soms gaan we bij elkaar buurten. Ik had haar al een paar dagen niet meer gezien, daarom liep ik even bij haar binnen. Er was niemand thuis.'

'Ze kan naar de markt geweest zijn.'

Tilly schudde het hoofd.

'Het was er ijskoud. De haard had dagen niet meer gebrand.'

Ze was er zeker van dat het huis al enige tijd niet meer bewoond was. Je voelde dat, je rook dat.

'Ze moet met hem mee zijn.'

'Onzin,' zei kanunnik Verhaert streng, 'kanunniken gaan niet met vrouwen op reis. Dat is verboden.'

'Dan weet ik het ook niet', zei Tilly. 'Maria is nogal een rare, misschien is ze er alleen op uit gegaan.'

'Er moet eens ernstig met dat meisje gepraat worden of ze stort zichzelf in het ongeluk. Een fatsoenlijke vrouw heeft op straat niets te zoeken.'

'Ik zal met haar praten', knikte Tilly. 'Het is een goed kind, maar nog jong. Ik zal haar zodanig de les lezen dat ze het niet meer zal wagen.'

'Daar vertrouw ik op, Tilly. Ik hoop dat ik geen verdere stappen hoef te ondernemen. Als Maria niet fatsoenlijk is, heeft ze in een kanunnikenhuis niets te zoeken. Als de decaan er weet van krijgt, wordt ze weggestuurd. Ik zie het als mijn plicht...'

De kanunnik wond zich op. Het was niet goed voor zijn hart, dat hij in zijn borstkas tekeer voelde gaan.

'Het zal niet nodig zijn', suste Tilly. 'Ik regel het wel en nu ga ik uw honingkoeken halen.'

Hij hoorde het niet, omdat zijn gedachten bij Maria waren, Maria die verdwenen was.

Voor haar was er een andere jonge vrouw bij Dodoens in dienst geweest... hoe heette ze ook alweer? Ook zij was op een bepaald moment verdwenen. Daarvoor was er nog een andere. Ook haar naam herinnerde hij zich niet. Het verschil was dat Dodoens toen niet op reis was. Nu wel.

Kanunnik Verhaert vreesde dat zijn biechteling aan de appel niet meer had kunnen weerstaan en met zijn Eva op de vlucht was naar oorden waar hij de pelerine en de soutane van de kanunnik aan de wilgen kon hangen en met die vrouw in zonde kon leven.

Hij was als biechtvader tekortgeschoten. Hij had de ernst van het probleem waar Dodoens mee worstelde, onderschat. Was het zijn plicht om er met de decaan over te gaan praten? Maar het biechtgeheim dan?

Kanunnik Verhaert schoof ongelukkig kijkend de honingkoeken aan de kant. Ze smaakten hem niet.

Tilly, die de haard opstookte, zag het gebaar en fronste de wenkbrauwen. Was haar kanunnik ziek? Een gevoel van dreigend onheil nam bezit van haar.

'Ik heb er te weinig honing in gedaan', zei ze, terwijl ze haastig de schotel met de koeken wegnam. 'Ik maak nieuwe vandaag. Die zullen u wel smaken! Vast en zeker!'

'Natuurlijk, Tilly', zei de kanunnik.

Hij glimlachte geruststellend tot ze de kamer uit was. Toen verdween het lachje alsof het een kaarsenvlammetje was dat werd uitgeblazen.

Hij stond op en knielde op zijn bidstoel. Hij zou bidden om raad en hulp tot de heilige Nepomecenus, patroonheilige van het biechtgeheim.

Nepomecenus was in de vierde eeuw kanunnik in Praag. Hij was de biechtvader van de koningin. De koning vreesde dat zijn echtgenote hem bedroog en wilde van Nepomecenus weten wat ze had gebiecht, maar Nepomecenus zei dat wat hem in de biecht was toevertrouwd, een geheim was tussen hem, God en de biechteling.

De koning dreigde hem in de Moldau te laten gooien. Nepomecenus hield de lippen stijf op elkaar, met als gevolg dat het geheim van de biecht samen met Nepomecenus door de Moldau naar de zee werd gevoerd, waar het voor eeuwig werd begraven.

'Heilige Nepomecenus, help mij', bad kanunnik Verhaert.

39

De baljuw keek geërgerd naar zijn ooggetuige. Hij had haar door een paar schutters laten ophalen om voor de schout haar verhaal te doen, maar ze waren zonder haar teruggekeerd.

De schout had hém er afkeurend voor bekeken. Het was alsof hij zijn mannen niet in de hand had en dat ondergroef zijn beslissing om Lesage te arresteren.

Zonder ooggetuige stond de zaak tegen Lesage er rondut zwak voor en was de schout niet bereid een rijke heer die poorter was van Antwerpen, voor de schepenbank te brengen en van moord te beschuldigen.

Lesage was welsprekend, kwam geloofwaardig over. Hij beweerde dat hij de insluiper die hem had overvallen, achterna was gereden, maar dat hij de man kwijt was geraakt.

Hij was alleen even afgestegen aan de begijnhofmuur om aan een dringende lichamelijke behoefte gehoor te geven. Met andere woorden: hij had tegen de begijnhofmuur staan plassen. Hij was net van plan naar huis weer te keren, toen hij op de baljuw stootte en gevangen werd genomen.

Lesage sprak verontwaardigd over zijn arrestatie, maar behield zijn waardigheid. Het maakte indruk op de schout.

De baljuw zag wat er aan het gebeuren was en had verlof gevraagd om zich even te verwijderen en de ooggetuige zelf op te halen.

Met tegenzin had hij toestemming gekregen.

'Stel mijn geduld niet op de proef, baljuw.'

Nu moest hij toegeven dat hij op het oordeel van zijn schutters had moeten vertrouwen.

'Dat wijf is kierewiet. Zo zot als een achterdeur.'

Hij had zich een rit naar het begijnhof kunnen besparen.

Riemen hielden haar aan het bed gekluisterd. Dat was nodig, want ze ging tekeer als een dolle hond. Het schuim stond haar op de lippen. De woorden die ze uitkraamde, waren obsceniteiten en godslasteringen. Zo verschrikkelijk dat hij het niet bij haar bed uithield en zich op de gang terugtrok.

'Ze lijkt wel bezeten van de duivel', zei hij. 'Behekst.'

De infirmeriemeesteres haastte zich om te zeggen dat juffrouw Theresa alleen maar zwakzinnig was. De duivel had er niets mee te maken. De baljuw kon haar geloven. Ze had ervaring in die zaken. Ze kende heus wel het verschil. Juffrouw Theresa zat midden in een crisis, maar ze kreeg deskundige hulp om tot bedaren te komen. Daarna zou ze zo braaf zijn als een lammetje. Daar kon de baljuw zeker van zijn.

Ze keek de baljuw na terwijl die zonder zijn getuige vertrok en hoopte dat hij haar geloofde. Het was niet de bedoeling dat juffrouw Theresa gedwongen werd een duiveluitdrijving te ondergaan, of erger nog, als heks op de brandstapel zou eindigen.

Het drankje dat ze op vraag van de grootjuffrouw aan Theresa had gegeven, moest alleen een tijdelijke verwarring opwekken, meer niet. Theresa zou er over enkele uren volledig van herstellen. Ze zou zich er niet eens veel van herinneren.

De infirmeriemeesteres ging de ziekenzaal binnen en legde haar hand op het voorhoofd van de gekwelde vrouw.

'Het ergste is achter de rug, Theresa.'

Barbara had nog nooit aan de wijsheid van grootjuffrouw Amandine getwijfeld. De grootjuffrouw was democratisch door de begijnen verkozen. Ze was rechtvaardig, ze was intelligent, ze was ervaren.

Tot nu toe had Barbara zich zonder vragen te stellen steeds bij besluiten van de grootjuffrouw neergelegd, maar nu kwam alles in haar tegen grootjuffrouw Amandine in opstand.

'Het kan niet dat Lesage vandaag al opgeknoopt zou worden. Zo vlug werkt het gerecht niet', herhaalde de grootjuffrouw met klem. 'Er is geen reden om te panikeren, Barbara. Kalmeer. Ga zitten.'

Maar de jonge begijn bleef jammerend staan en riep dat ze het niet begreep. Waarom kwamen ze nu niet onmiddellijk mee om te beletten dat Godfried...

'Waarom laten jullie hem in de steek?'

Catharina had meer vertrouwen in de grootjuffrouw. Ze sloeg een arm om de schouders van de jonge begijn en leidde haar naar een stoel.

'Wij helpen Lesage niet door ons te gedragen als kippen zonder kop. We helpen hem door ons verstand te bewaren en na te denken over wat we voor hem kunnen doen.'

Het hielp. Barbara liet zich op een stoel neerdrukken.

'Je hebt gelijk', stotterde ze. 'We moeten nadenken.'

Toen begon ze te huilen.

Grootjuffrouw Amandine knikte goedkeurend naar Catharina. Ze had altijd al vermoed dat de jonge vrouw leiderskwaliteiten in zich droeg.

'Ik ken de gebruikelijke rechtsgang', zei ze. 'Lesage wordt nu verhoord. Als er voldoende twijfel is aan zijn schuld, wordt hij vrijgelaten. In het tegenovergestelde geval wordt hij verder ondervraagd.'

'Op de pijnbank', huilde Barbara.

'Er is heel veel kans dat hij zal worden vrijgelaten. De schepenbank van Lier zal geen conflict met Antwerpen willen uitlokken door een van haar belangrijke poorters vast te houden.'

'Denkt u dat?' vroeg Barbara, kalmer nu. Er klonk hoop in haar stem.

'Ik ben er zeker van', zei de grootjuffrouw. 'We moeten alleen geduld hebben.'

'Kunnen we dan niets doen om de zaken te versnellen? Godfried hoort niet in een afschuwelijke gevangenis.'

'Bidden, Barbara. Bidden helpt altijd.'

'Ja', knikte Barbara. 'Ja! Ik zal voor hem bidden.'

De jonge vrouw wierp zich op de knieën, maar de grootjuffrouw zei:

'In de kerk, Barbara. God hoort je het beste in de kerk.'

Ze zuchtte opgelucht toen Barbara zich weg haastte, ongeduldig om de Heer deelgenoot te maken van haar bezorgdheid.

'Er is een manier om Lesage met zekerheid vrij te krijgen', zei Catharina. 'De echte moordenaar moet bekennen. Ik ga mijn zwager zoeken.'

'Dat doe je niet, Catharina. Je weet wat je daarstraks gezworen hebt. Je doet niets, je zegt niets. Meer nog, je weet niets. Alles is uit je geheugen gewist.'

'Stel dat Lesage toch wordt veroordeeld...'

Een driftig handgebaar van de grootjuffrouw legde haar het zwijgen op.

'Genoeg. Het is in Gods handen.'

'Maar Balthazar... Hij heeft mijn spullen doorzocht. Misschien houdt hij zich ergens in mijn huis verborgen. En Johan... wie zegt waar hij nu op het ogenblik verblijft? Misschien heeft hij...'

'Ik heb je spullen doorzocht', onderbrak de grootjuffrouw haar.

Catharina keek verbaasd, begon te blozen toen de betekenis van die woorden tot haar doordrong.

'Ik heb het recht om dat te doen, Catharina. Ik voelde dat je niet eerlijk met me was en dat wás je ook niet, nietwaar?'

Catharina boog schuldbewust het hoofd.

'Het kapittel... Vanavond... Wat zal ik vertellen?'

'Je vertelt wat je overkomen is, niet meer of niet minder. Dat je zwager je lastigviel, dat Lesage je hielp, dat je niet meer kon lopen... Je vertelt de waarheid. Over de dode weet je niets, met hem heb je niets te maken. Meer is er niet te vertellen, Catharina. Er zal wat gezeurd worden over onzedelijk gedrag. Als er een straf volgt, aanvaard je die. Daarna gaat het leven zijn gewone gang. Nog vragen, Catharina?'

'Neen, grootjuffrouw.'

'Dan wordt voortaan ook tussen ons met geen woord meer over deze zaak gesproken. Begrepen?'

Catharina verzekerde dat ze het begreep, groette en vertrok.

Ze ging echter niet naar haar woning, maar naar de kerk waar ze naast Barbara op de koude plavuizen neerknielde en tot God bad om steun voor Lesage.

Toen schoot het haar te binnen dat ze de grootjuffrouw niets had verteld over het Mariabeeld dat in het gasthuis onder het cholerahuisje verborgen lag. Hoe moest ze dat alsnog doen nu ze had beloofd nooit meer over de zaak te spreken?

Grootjuffrouw Amandine knielde ook neer, op de bidbank in haar schrijfkamer voor een groot, houten kruisbeeld met een lijdende Christus.

Ze vroeg vergiffenis, want ze wist dat bedriegen een zonde was. Manipuleren was dat ongetwijfeld ook en vanavond tijdens het kapittel zou ze zich daar een meester in moeten tonen. Kon ze de Heer om hulp vragen om te zondigen?

Grootjuffrouw Amandine keek naar de Christus aan het kruis en zag dat hij de ogen gesloten hield. Het was de eerste keer dat ze dat opmerkte. Waarom viel haar dat net nu op? Misschien omdat hij haar wilde laten weten dat hij niet zag hoe ze zondigde? Ze zag het als een vingerwijzing dat Hij wilde dat ze deed wat er gedaan moest worden. Ze voelde zich plots minder eenzaam.

Godfried Lesage deed zich te goed aan de maaltijd die hij door de cipier in een eetgelegenheid had laten klaarmaken. Het had hem een flinke duit gekost. Eigenlijk schandalig veel. Zijn medegevangene had hem gewaarschuwd dat zijn beurs leeg zou zijn tegen dat hij de gevangenis verliet. De man wist waarover hij sprak.

Hij moest voor zichzelf toegeven dat hij hem miste, zijn luizen en vlooien niet, maar zijn sarcasme wel. Terwijl hij zijn zaak bepleitte, was Stoffel opgeknoopt onder het belangstellende oog van de Lierse burgers, waarna zijn stoffelijk overschot naar het galgenveld buiten de stad was overgebracht. Daar zou het blijven hangen tot het vlees aan zijn botten was weggerot.

Volgens de cipier waren de toeschouwers teleurgesteld.

'Ze hadden liever een bepaalde rijke heer zien bungelen. Ik zou niet weten over welke rijke heer ze het hadden. U wel?' grijnsde hij.

Terwijl Lesage van de kruik bier dronk, wijdde hij nog een laatste gedachte aan de man die met hem de gevangenis had gedeeld. Het troostte hem dat Stoffel zich niet druk had gemaakt om het lot dat hem wachtte. Het had in ieder geval geleken alsof hij erin berustte. Lesage zag zich zijn voorbeeld niet volgen, daarvoor leefde hij te graag. Het zou ook niet nodig zijn. Daar was hij bijna zeker van.

De ondervraging was al vlug in zijn voordeel gekeerd. De

baljuw had zonder zijn getuige zijn beschuldiging niet hard kunnen maken. Hij had zelfs moeten toegeven dat hij was afgegaan op de woorden van een waanzinnige.

Toch had de schout niet onmiddellijk beslist. Alsof hij wilde laten voelen dat de rechterlijke macht niet over één nacht ijs ging. Zijn vrijlating was echter een kwestie van tijd. Daar was Lesage zeker van.

Hij kreeg gelijk. De gebraden kip die hij bezig was op te peuzelen, was nog maar half naar binnen gewerkt toen de celdeur opendraaide.

'Ophoepelen', zei de cipier.

De gevangene was de cel nog niet uit of de man zat zich al te goed te doen aan de rest van de kip.

Godfried Lesage vond zijn paard vastgebonden bij de poort, steeg op en keerde de Gevangenenpoort de rug toe. Hij was alweer een ervaring rijker.

De ontvangst in zijn woning verliep hartelijk. Zelfs de stalknecht leek blij dat zijn heer terug was, of was hij blij het paard weer te zien? Greetje wilde onmiddellijk water warm maken om een bad te vullen. Haar heer moest haar maar vergeven dat ze het zei, maar hij had een geur bij zich... met permissie... hij stonk. Maar Lesage hield haar tegen en zei dat ze eerst een briefje weg moest brengen.

Hij zette zich aan zijn schrijftafel en schreef.

Grootjuffrouw Amandine las: 'Met eerbied breng ik U onder ogen dat de heer Veeweyde, vader van juffrouw Barbara, een verklaring van mij zal eisen voor het feit dat ik zijn dochter niet meer wil bijstaan tijdens het verblijf op Uw hof. Ik ben niet van plan een verklaring te verzinnen. Dus zal ik de heer Veeweyde moeten vertellen dat er geen reden is, want zoals U mij zelf op het hart hebt gedrukt, is er niets gebeurd. Hoe kan iets wat niet gebeurd is, een reden zijn? De heer Veeweyde zal mijn ontslag weigeren. Daarom laat ik U weten dat ik de volgende maanden en dit zolang juffrouw Barbara op het hof verblijft, wel verplicht zal zijn haar mombeer te blijven.'

Grootjuffrouw Amandine opende de inktpot en doopte haar pen in de inkt.

Ze schreef: 'Zoals U schrijft, heer Lesage, is er niets gebeurd. U bent welkom.'

Ze vloeide het korte briefje af en gaf het aan de dienstbode die erop stond te wachten.

Lesage las het en glimlachte.

'Waar blijft dat heet bad, Greetje?' zei hij.

40

De poorten waren gesloten. Het hof lag gedompeld in duisternis. Achter de ramen van het convent gloeide een vaag lichtschijnsel.

Alle begijnen waren aanwezig. Zelfs de oudste, die in de infirmerie leefde en het grootste deel van haar tijd in bed doorbracht, had zich laten helpen om deel te kunnen nemen aan het kapittel.

Ook juffrouw Theresa was er. Met doffe ogen zat ze ongeïnteresseerd voor zich uit te staren. Grootjuffrouw Amandine had geoordeeld dat ze er beter bij kon zijn als haar toestand het enigszins toeliet. De infirmeriemeesteres had haar verzekerd dat Theresa gekalmeerd was en dat de vrouw naar haar eigen woning kon terugkeren als de grootjuffrouw dat goed vond.

Grootjuffrouw Amandine opende de vergadering en begon met de behandeling van een paar mindere vergrijpen: iemand die na het sluiten van de poorten thuis was gekomen, een ruzie in het convent.

Er was weinig interesse voor en het werd vlug afgehaspeld. Zelfs de betrokkenen leken er zich niet voor te interesseren of ze een straf kregen of niet.

Iedereen wachtte vol ongeduld op de hoofdbrok: het gedrag van juffrouw Catharina en vooral het verhaal rond de vermoorde man.

Ondanks het bevel van de grootjuffrouw dat er onderling niet over mocht worden gepraat, was er flink geroddeld en waren ze tot het besluit gekomen dat die twee dingen iets met elkaar te maken hadden. Tenslotte lag het lijk op de stoep van juffrouw Catharina. Alle ogen waren dan ook nieuwsgierig op haar gericht.

Catharina was er zich maar al te goed van bewust. Ze werd er nog nerveuzer van dan ze al was. Ze was niet bang voor de straf die haar te wachten stond. Integendeel, daar keek ze naar uit. Het leek wel of een straf het zondige geheim dat op haar drukte, draaglijk zou maken.

Eindelijk riep de grootjuffrouw Catharina naar voor. Er voer een golf van opwinding door de aanwezigen.

'Juffrouw Catharina staat hier voor ons op beschuldiging van onzedelijk gedrag in het openbaar. Ze heeft door haar onfatsoenlijke kleding en mannelijke gezelschap opschudding veroorzaakt in de stad. Verschillenden onder ons waren er getuige van dat ze te paard door een man naar het hof werd gebracht.'

Een instemmend geroezemoes groeide, maar de grootjuffrouw ging onverstoorbaar verder.

'De getuigen verklaren dat ze bij hem was met ontbloot hoofd en dat ze gezien hebben dat juffrouw Catharina het haar te lang draagt. Wij weten allemaal dat het zo kort moet zijn dat men het niet samen kan binden.'

Er waren wel meer vrouwen die met deze regel sjoemelden. Sommigen maakten onbewust een beweging naar hun hoofddoek.

'Juffrouw Catharina, wat heb je daarop te zeggen?' besloot de grootjuffrouw.

Catharina deed haar verhaal met opgeheven hoofd, ronduit zonder franjes. Waarop de grootjuffrouw teken gaf dat de ondervraging kon beginnen.

De begijnen lieten zich dat geen twee keer zeggen. Ze vuurden hun vragen af.

'Heeft je zwager je al eerder lastiggevallen?'

'Jawel. Daarom heb ik mijn schoonfamilie verlaten en ben ik naar het hof gekomen.'

'Was het dan wel verstandig hem op te zoeken?'

'Neen, dat was niet verstandig.'

'Eigenlijk heb je zijn handtastelijkheden uitgelokt.'

'Ik heb er niet bij nagedacht. Ik ging op bezoek bij mijn schoonmoeder. Ik wilde weten hoe zij het stelde. Ze is oud. Ik was bezorgd om haar.'

'Maar hij woont er ook. Dat wist je toch. Of dacht je dat hij er weg was?'

'Nee. Ik wist dat hij er nog woonde.'

'En toch ging je naar hem toe.'

'Ik zei al dat ik naar mijn schoonmoeder ging.'

'Wetende dat je bepaalde, onzedelijke gevoelens in hem wakker zou maken.'

'Ik herhaal dat ik er niet bij nadacht.'

'Dat is geen excuus. Je bent in de fout gegaan.'

'Vind je dat je daarvoor gestraft moet worden?'

'Daarover oordelen laat ik aan het kapittel over.'

'Heeft de heer Lesage je naar de boerderij van je schoon-familie gebracht?'

'Neen. Hij bevond zich daar, omdat hij op weg was naar Antwerpen.'

'Wel heel toevallig. Vind je niet?'

'Daar kan ik niet op antwoorden. Ik weet alleen dat hij mij uit de handen van mijn zwager redde. Hij verdient daar-voor respect.'

'Je zegt dat hij op weg was naar Antwerpen, waarom reed hij dan daarna met jou richting Lier?'

'Omdat ik niet meer kon lopen.'

'Maar hij moest toch naar Antwerpen?'

'Dat besefte ik in het begin niet, anders had ik zijn aanbod geweigerd.'

'Waarom was je niet meer fatsoenlijk gekleed?'

'Ik was er mij aanvankelijk niet van bewust dat ik mijn hoofddoek verloren was.'

'Je was je blijkbaar van veel dingen niet bewust, juffrouw Catharina.'

'Vind je dat je straf verdient omdat je zo onnadenkend hebt gehandeld?'

'Ik onderwerp mij aan het oordeel van het kapittel.'

'Zou je het anders aanpakken als het nogmaals zou gebeuren?'

'Het zal niet meer gebeuren.'

'Wat weet je over de dode man?'

Grootjuffrouw Amandine stond op en zei: 'Welke dode man?'

Er viel een onbehaaglijke stilte.

'Ik zweer het kapittel dat ik alleen maar de goede naam en het voortbestaan van ons hof voor ogen heb als ik de aanwezigen verzeker dat er nooit een dode man op ons begijnhof is gevonden. Ik vraag het kapittel mij daarin te volgen en niet te twijfelen aan mijn redenen, die gegrond zijn en zeer overdacht. Ik vraag het kapittel er geen vragen bij te stellen, want mijn lippen zijn verzegeld. Weet echter dat, als het kapittel mij niet volgt, wij allemaal onafwendbaar in het ongeluk gestort zullen worden. De gevolgen zullen verschrikkelijk zijn. Zelfs de sluiting van het hof behoort tot de mogelijkheden.'

De vrouwen die voor haar zaten, waren niet allemaal verstandig, er waren er zelfs een paar die uitgesproken dom waren. Maar één ding hadden ze gemeen: ze waren allemaal al eens gekwetst, de ene al wat meer dan de andere. Allemaal herkenden ze gevaar als dat voor hen opdoemde. Ze roken het, ze voelden het, ze herkenden de signalen. Als egels staken ze volgens hun karakter ofwel hun stekels op, ofwel rolden ze zich in een bol bij elkaar.

Toen grootjuffrouw Amandine in de ogen voor zich behoedzaamheid en vrees zag groeien, wist ze dat ze aan de winnende hand was. Ze liet de stilte lang voortduren. Sommige gezichten keken haar angstig aan, sommige hulpzoekend. Enkelen twijfelden nog.

Grootjuffrouw Amandine fixeerde deze laatste categorie.

'Waar gaan jullie naartoe als het hof gesloten wordt?'

Een huivering voer door de aanwezigen.

'Hoe zullen jullie je voelen als de brandstapel op de Grote Markt ontstoken wordt voor mij en jullie uit de stad verjaagd zullen worden als dolle honden?'

De stilte werd nu loodzwaar alsof het gezelschap ophield met ademen.

'Ik zweer bij God en alle heiligen dat ik niet overdrijf. Het betreft hier een aangelegenheid die te maken heeft met ketterij. Iedereen weet wat er met ketters gebeurt. Iedereen weet hoe gemakkelijk in deze woelige tijden iemand van ketterij beschuldigd kan worden en hoe moeilijk het is zijn onschuld te bewijzen. Nogmaals... ik heb geheimhouding gezworen... vraag niets, maar volg mij als uw leven en het voortbestaan van het hof u lief is. Ik herhaal: welke dode man?'

De begijn die de oorspronkelijke vraag had gesteld, stond op.

'Het was donker. Het zal wel een bussel hout geweest zijn', zei ze.

Haar stem klonk schor van ingehouden emotie.

'Of een baal ongewassen wol', zei een andere.

'Of... of...'

De mogelijkheden waren legio.

De grootjuffrouw maakte een einde aan het geroezemoes.

'Het is de moeite niet waard om over zinsbegoochelingen te praten. Zeker niet tegenover buitenstaanders. Begijnen hebben al de naam eigenaardig te zijn. We moeten dat niet aanwakkeren. Kan het kapittel mij volgen als ik voorstel erover te zwijgen?'

'Het kapittel volgt', zeiden de aanwezigen als één stem.

'Goed. Kunnen we dan nu overgaan tot de bestraffing van juffrouw Catharina voor aanstootgevend gedrag met als verzachtende omstandigheid dat het niet zo bedoeld was?'

'En voor het slachten van kippen bij de waterput!' krijste plots juffrouw Theresa. 'Er zat bloed op de put! Ik heb het gezien! Zij heeft het gedaan en het is verboden.'

Juffrouw Theresa veerde overeind en wees als een wraakengel met trillende vinger naar Catharina.

Grootjuffrouw Amandine zuchtte. Dit was een ontwikkeling die ze niet had verwacht en die roet in het eten zou kunnen gooien. Maar Catharina zorgde voor de oplossing.

'Ik beken', zei ze. 'Ik heb het verbod overtreden en stiekem bij de waterput een kip geslacht. Ik aanvaard de straf die het kapittel mij ook daarvoor zal opleggen.'

Juffrouw Theresa ging met een triomfantelijk gevoel weer zitten en luisterde tevreden naar de verontwaardigde interpellaties van de anderen. De kip had haar weer helemaal tot de oude Theresa gemaakt.

Grootjuffrouw Amandine had moeite om haar gezicht in de plooi te houden, toen ze de ernst zag waarmee het kapittel zich op de niet-bestaande kip gooide.

41

Waarom zou hij naar huis rijden als hij op de eerste rij kon meemaken hoe zijn rivaal werd uitgeschakeld? Hij had geld genoeg om een kamer te nemen in De Valk en als hij niet genoeg geld zou hebben, de familie Overbroeke had een goede naam, er zou hem wel krediet worden gegeven. Op de hoeve konden ze wel een weekje verder zonder hem. Dat waren ze gewend. Hij verdween wel meer voor een tijdje.

Dat alles was hem door het hoofd geschoten toen hij ongemakkelijk en tot op het bot verkleumd in het washuisje lag terwijl er muizen rondom hem ritselden en een rat in een hoekje naar hem zat te loeren.

Na de allesbehalve verkwikkende nacht stond hij op de Grote Markt voor De Valk. Het was nog vroeg en het stadsleven begon langzaam op gang te komen. De eerste boerenkarren reden ratelend de stad in. De luiken voor de winkels werden geopend, koopwaren werden uitgestald. Op de kade losten buildragers de eerste boot van die dag.

Balthazar had zich in de Nete een beetje gewassen, de wolpluizen zo goed mogelijk van zijn kleding geklopt, zijn vingers door zijn haren gehaald en zijn muts zwierig op het hoofd gezet. Zijn paard had hij naar een stalling gebracht waar het tegen betaling werd verzorgd. Nu wilde hij een ontbijt, liefst gebracht door een dienster met een vriendelijk gezicht, en een goed bed om nog een paar uren te maffen.

Hij liep de gelagzaal in en plofte aan een lange tafel op een bank neer. Er zat een man pap te eten.

'Al vroeg op pad', zei de man.

'Zaken', zei Balthazar.

Hij wenkte het dienstertje dat met een bezem de vloer aanveegde en bestelde brood met kaas en pap met een paar lepels honing erin en warme wijn.

'En laat het niet te lang duren. Ik sterf van de honger', zei hij.

Hij bekeek de andere gast een beetje beter.

'U komt mij bekend voor.'

'Ik kom hier vaak.'

Balthazar was er nu zeker van dat hij de man kende, maar nog altijd kon hij hem niet plaatsen. Zijn interesse was gewekt.

'Bent u koopman?'

Het duurde even voor de man antwoordde. Hij grijnsde en zei ten slotte: 'Ik handel in de dood.'

Het dienstertje zette een homp brood en een groot stuk kaas voor Balthazar neer en liep weg om de rest van zijn bestelling te halen. Dat gaf Balthazar de kans om de opwinding die plots door zijn lijf sidderde, te laten bedaren. Het geluk was met hem. Hij wist nu wie de man was, meer nog, die kerel was precies degene die hij nodig had.

'Wanneer is de terechtstelling? Er zal veel volk op afkomen, denkt u niet?'

Balthazar deed zijn best om niet al te gretig te klinken.

'Komt u daarom naar de stad? Om ernaar te kijken? Dan bent u te laat.'

'Te laat?'

'Mijn werk zit erop. Trouwens, ik denk dat ik maar eens ga.'

Nu pas zag Balthazar dat er een reistas bij de deur klaarstond.

'Godfried Lesage kan onmogelijk al terechtgesteld zijn.'

'Van een Godfried Lesage weet ik niets.'

Balthazar schoof over de bank tot vlakbij en greep de man bij de arm.

'Ik denk dat u beter kunt blijven!'

De man schudde zijn hand af en keek hem koud aan.

'Dát... zou ik geen tweede keer meer wagen als ik jou was', zei hij.

De waard, die door het dienstertje gealarmeerd was, kwam haastig de gelagzaal in.

'Wat gebeurt er hier?'

'Niets. Ik wil afrekenen.'

Terwijl de beul voor zijn verblijf betaalde, schoof Balthazar weer tot bij zijn ontbijt. Hij keek de man na terwijl die naar buiten liep.

'Is er nog iets tot uw dienst?' vroeg de waard.

'Hoepel op,' gromde Balthazar, 'als ik nog iets nodig heb, vraag ik het wel aan die geit daar.'

Hij wees naar het dienstertje, dat hem verontwaardigd de rug toekeerde.

42

Catharina stond klaar om het eerste deel van haar straf uit te voeren. Ze had haar bovenkleding afgelegd en ze huiverde in de kille ochtendbries.

Grootjuffrouw Amandine keek naar de begijnen die stilzwijgend bij de waterput een halve kring vormden. De meeste gezichten stonden ernstig, op slechts enkele was er een spoor van leedvermaak of amusement te bespeuren.

Haar blik bleef even haken bij juffrouw Theresa. Het leek wel alsof die in belangrijkheid was gegroeid, nu ze op het punt stonden haar buurvrouw daadwerkelijk te straffen.

Eindelijk werd er naar haar geluisterd, dacht Theresa, eindelijk werd ze serieus genomen. Het maakte die periode van geestesverwarring goed, waarin ze blijkbaar de vreemdste dingen had gedaan. De baljuw halen. 's Nachts! Onvoorstelbaar!

Het was een vreselijke nachtmerrie waarin sommige dingen zo écht leken dat ze gezworen zou hebben dat ze daadwerkelijk waren gebeurd. Grootjuffrouw Amandine had haar na het kapittel apart genomen en had haar verteld hoe ziek en verward ze was geweest.

Theresa schaamde zich. Misschien verdiende ze zelf wel straf. Misschien moest het kapittel ook maar over haar oordelen. Ze had het zelfs aan de grootjuffrouw voorgesteld, maar die had gezegd dat het niet nodig was.

'Je was ziek, Theresa. Maar nu ben je genezen. Daar zijn we allemaal heel blij om.'

Theresa was ook blij dat in haar hoofd alles weer op een rijtje zat. Gek worden, dat was niet om mee te lachen. Maar nu was alles in orde en niemand verweet haar iets. Integendeel. Ze waren haar dankbaar dat ze aan die kip had gedacht.

Het kapittel was niet van mening geweest dat er nog bewijzen voor het slachten gevonden zouden worden, maar de put moest soms schoon worden gemaakt. Dat was nu en dan noodzakelijk en het was al zeer lang geleden. Dus kon het evengoed nu gebeuren. Daarom hadden ze deze straf uitgesproken. Twee vliegen in één klap.

De grootjuffrouw knikte juffrouw Ernestine toe. Zij was de zwaarste onder de begijnen en diende daarom als tegengewicht voor Catharina, die in de put zou worden neergelaten.

Een dik touw was aan het ene uiteinde om het mollige middel van Ernestine geknoopt. Aan het andere einde zat een lus met een schuifknoop. Barbara hielp Catharina in de lus en trok die vast aan.

'Juffrouw Catharina, bent u klaar om de straf die het kapittel heeft uitgesproken te ondergaan?' vroeg de grootjuffrouw.

'Ik ben klaar', antwoordde Catharina.

Ze klonk rustiger dan ze was. Met knikkende knieën klom ze over de rand van de put, hield zich aan het metselwerk vast tot Ernestine het touw strak had getrokken en liet zich toen langzaam zakken. De jongste begijnen hielpen het touw te vieren.

Voor haar ogen werden de stenen van de put groener en slijmeriger naargelang ze neerdaalde. Naast haar bungelde een houten emmer aan een tweede touw. Daar moest de rommel in die ze zou vinden.

De emmer bereikte het water als eerste. Druppels spatten op toen hij erin neerplofte. Nu het wateroppervlak gebroken was, ontsnapte er een weeë geur van verderf. Het water knabbelde aan haar tenen, golfde nu tegen haar benen aan.

Ze slaakte een kreet van afgrijzen, keek hulpzoekend omhoog, recht in de gezichten van haar medebegijnen die zich rond het metselwerk verdrongen. Hun hoofden raakten elkaar bijna, zodat ze het licht wegnamen en het nog donkerder en akeliger werd in de put.

Ze prevelde een gebed, haalde diep adem en liet zich verder zakken. Haar onderkleed bolde op. Ze leek op een reusachtige voddenbaal die op het water dreef.

Grootjuffrouw Amandine kreeg het onaangename gevoel dat ze dit al eerder had gezien. Het herinnerde haar aan de bundel die ze in het water hadden gegooid, die had ook op een voddenbaal geleken toen die met de stroming van de Nete werd meegevoerd.

Dieper zakte Catharina. Het water bereikte haar mond, kroop in haar neusgaten, golfde tegen haar oogleden aan.

Het laatste wat de begijnen van haar zagen, waren haar rode haren die uitwaaierden, en het onderkleed dat, nu het doorweekt was, naar beneden werd gezogen. Ze keken ademloos toe hoe het water zich boven haar sloot.

Gebrek aan lucht deed Catharina paniekerig met de voeten trappelen waardoor ze weer naar boven schoot, het wateroppervlak bereikte en gierend ademhaalde. Nu ze wist dat ze ook weer boven water kon komen als ze dat wilde, werd ze kalmer.

Ze liet zich een tweede keer onder water zakken en tastte in het rond. Haar hand raakte een in het water zwevend voorwerp aan.

Geld was de sleutel die op elke deur paste, zelfs op een gevangenisdeur.

'Gezien?' grijnsde de gevangenisbewaarder.

Hij trok de zware deur weer dicht, nadat de man met eigen ogen had gecontroleerd dat er écht niemand meer in de cel zat.

'Ik heb het toch gezegd!'

Hij had al direct spijt van deze opmerking, toen hij woede in de ogen van de bezoeker op zag vlammen.

'Hij is dus vrijgelaten.'

Of in rook opgegaan, wilde de gevangenisbewaarder zeggen, maar dat deed hij maar niet. Zijn bezoeker had duidelijk weinig zin in grapjes.

'Gisteravond.'

Vloekend draaide de man zich om, stampte de trap af. De gevangenisbewaarder volgde heel wat langzamer. Hij schoof de grendel op de buitendeur en installeerde zich in de kamer die hem als woonkamer, keuken en slaapruimte diende.

De munten die de man hem had toegestopt, rammelden in zijn buidel. Zij waren goed voor een kruik wijn en gebraden eendenborst. Hij zou het zich laten smaken zonder nog één gedachte te verspillen aan de halvegare die niet wilde geloven dat de gevangenis op wat ongedierte na leeg was.

43

Koud. Donker. Het voorgeborchte van de hel, ware het niet dat de hel veeleer vuur dan water voor de geest haalde. Dat voorgeborchte situeerde zich op de bodem van een waterput en was ijskoud in plaats van gloeiend heet. Dat wist Catharina nu wel zeker.

Driemaal had ze zich tot op de bodem laten zakken, een onderneming waar geen einde aan leek te komen. Driemaal had ze moeten vechten tegen paniek, maar ze was erin geslaagd met de armen vol rommel op te duiken.

De emmer was al verscheidene keren boordevol opgehaald, geledigd en weer neergelaten.

Catharina vroeg zich af of ze ook nog een vierde keer... maar het werd plots lichter in de put. De hoofden van de begijnen waren verdwenen. Even gaf dat haar een schok. Ze lieten haar toch niet alleen? Maar toen verscheen het gezicht van de grootjuffrouw.

'Het is genoeg, juffrouw Catharina.'

Catharina voelde hoe het touw strak werd getrokken en ze langzaam werd opgehesen. Ze was zo moe dat ze geen hand uit kon steken om te beletten dat ze tegen de wand aanschuurde.

Boven hielpen Barbara en Ernestine, die ook blij was dat het achter de rug was en ze uit het touw kon stappen, haar over de rand. Ze zakte door haar benen, maar Barbara ving haar op. Rillend hing ze tegen de jonge vrouw aan, verkleumd tot op het bot. Haar kletsnatte onderkleed plakte tegen haar lichaam, het water droop uit haar haren.

Grootjuffrouw Amandine probeerde niet te laten merken dat ze medelijden had, dat ze het liefst van al wilde zeggen dat de rest van de straf niet meer hoefde, maar ze wist dat ze zich dat niet kon permitteren. Door zwakte te tonen, zou ze het vertrouwen van de begijnen kwijtraken. Ze twijfelde er daarenboven aan of Catharina kwijtschelding van verdere straf zou appreciëren.

'De straf is te zwaar uitgevallen', had ze na afloop van het kapittel in vertrouwen tegen Catharina gezegd.

'Mijn leven is alleen maar bedrog. Ik kan niet genoeg gestraft worden', had Catharina geantwoord.

Maar dat was voor Catharina aan den lijve had ondervonden hoe zwaar het reinigen van een waterput wel was. Misschien dacht ze er nu helemaal anders over.

In plaats van de rest kwijt te schelden, zette grootjuffrouw Amandine haar strengste stem op.

'Het kapittel heeft beslist dat er onmiddellijk na het eerste onderdeel in de kerk een gebedsperiode volgt, die afloopt bij het beëindigen van de completen.'

'Mag Catharina zich eerst drogen en omkleden?' vroeg Barbara, die zelf ook nat was geworden door Catharina, die nu hardop klappertandde, te ondersteunen.

De grootjuffrouw wilde dat toestaan, maar ze reageerde niet vlug genoeg.

'Onmiddellijk, was de uitspraak', riep juffrouw Theresa. 'Het tweede deel moest onmiddellijk op het eerste volgen. Een uitspraak wordt altijd naar de letter uitgevoerd.'

Er viel een stilte. Iedereen keek afwachtend naar de grootjuffrouw. Die vervloekte haar eigen traagheid.

'Het is de boeteling verboden zich te ontdoen van haar natte kleding.'

Catharina was de eerste die in beweging kwam. Ze was voldoende hersteld om zich los te maken van Barbara. Ze wankelde naar de kerk, een kronkelend nat spoor achterlatend.

De begijnen volgden zwijgzaam, doordrongen van de ernst van het gebeuren.

Alleen grootjuffrouw Amandine bleef achter bij de waterput. Ze wachtte tot de stoet in de kerk verdween, bukte zich over de berg kletsnatte rommel die bij de put lag.

Het was schandalig wat er allemaal in de loop der jaren in de put was gegooid. Ze zou er de begijnen nog eens over aan moeten spreken.

Er zat een bundel tussen die haar interesseerde. Het was kleding, samengebonden met een rafelig touw. Ze had zich altijd al afgevraagd waar de kleren van de kanunnik gebleven waren. Het zou weleens kunnen dat ze daar voor haar voeten lagen.

Ze prees zich gelukkig dat niemand veel aandacht had geschonken aan de rommel die boven werd gehaald. Ze raapte de bundel op en nam hem mee naar haar huis.

De pastoor was tevreden. De grootjuffrouw had er dan toch voor gezorgd dat de begijn die zoveel opschudding in de stad had veroorzaakt, werd gestraft.

Hij keek naar de gestalte die geknield voor het altaar lag.

Met die natte haarslierten en het doodsbleke, afgetrokken gelaat zag ze er niet meer aantrekkelijk uit. Ze was een hoopje ellende, een afschrikwekkend voorbeeld voor wat vrouwen die zich onfatsoenlijk gedroegen, te wachten stond.

Terwijl hij met galmende stem verdoemenis preekte, keek hij de begijnen voor hem aan. De rijen waren de laatste jaren aardig uitgedund. De bloedige godsdienstoorlogen hadden ook op het begijnhof hun tol geëist. Een aantal begijnen had het hof verlaten. Er waren er zelfs als afvalligen naar het protestantse noorden vertrokken.

Het aantal begon weer te stijgen nu het betrekkelijk rustig was. De staatsen waren na de verschrikkelijke aanval van vorig jaar naar het noorden verdreven en kwamen tijdens hun uitvallen niet meer tot Lier. De conventmeesteres sprak van vijf aspirant-begijnen.

Voor zover hij het kon zien, waren ze er allemaal aanwezig. Of toch niet? De grootjuffrouw ontbrak, zag hij nu. Dat was ongebruikelijk. Regel was dat alle begijnen elke dag de ochtendmis bijwoonden.

Hij zou haar er straks over aanspreken, dacht hij terwijl hij zich naar het altaar keerde en verder ging met de eredienst. Er waren trouwens nog meer ongeregeldheden waarover hij het met haar wilde hebben.

Om te beginnen had hij er zich daarstraks aan geërgerd dat de poort van het begijnhof later dan anders werd geopend. Toen hij hoorde dat het kwam door de bestraffing van de lichtzinnige begijn waar ze geen pottenkijkers bij wilden hebben, besloot hij het daar niet over te hebben. Wel zou hij klagen over het gebrek aan aandacht en godsvrucht waarmee deze ochtend de eredienst werd gevolgd.

Hoewel hij, nu zijn preek was afgelopen, met de rug naar hen toe stond en hij geen ogen in zijn rug had, wist hij dat de vrouwen niet naar hém keken maar naar de boeteling. Ze zegden de gebeden werktuigelijk zonder erbij na te denken. Even was er zelfs een hapering.

Hij wierp een blik over zijn schouder en verstarde. Juffrouw Barbara trok haar falie uit en legde die zorgzaam over de schouders van de vrouw voor het altaar.

Hij onderbrak het gebed midden in een zin en wachtte nadrukkelijk. Het geritsel van het habijt van Barbara terwijl die weer in de rij schoof, klonk ongewoon luid.

Het werd doodstil. Hij liet de stilte opzettelijk een paar tellen voortduren vooraleer hij de eredienst voortzette. Terwijl hij de Latijnse zinnen uitsprak, liet hij zijn gedachten afdwalen naar een ander onderwerp dat hij met de grootmeesteres wilde bespreken: het herstellen van de glasramen van de kerk. Zij beweerde dat er geen geld voor was. Wel, dan moest ze er maar voor zorgen dat er genoeg geld kwam. Zijn geduld was op.

44

Godfried Lesage ontbeet. Greetje had haar best gedaan. De tafel was overladen met spijzen. Ze drentelde door de kamer en hield hem bezorgd in de gaten. Hij moest goed eten om het verblijf in dat 'akelige krocht' zoals zij het noemde, goed te maken.

Om haar een plezier te doen, tastte hij toe, maar het ging niet van harte. Hoewel hij moe was na de doorwaakte nacht in de gevangenis en zijn bed er aanlokkelijk genoeg uitzag, had hij onrustig geslapen. De slaap was doorspekt geweest met dromen waarvan hij zich slechts flarden herinnerde. Catharina had er een hoofdrol in gespeeld. Hij had haar gered uit de onmogelijkste situaties. Eén keer was de nachtmerrie een zoete droom geworden. Dat was toen ze hem kuste. Hij was er wakker van geworden met een kanjer van een erectie.

Het verontrustte hem dat Catharina zozeer bezit van hem had genomen en hij besloot zich ertegen te verzetten door haar niet meer te ontmoeten. Dat zou moeilijk zijn als hij Barbara, zoals hij tot nu toe gedaan had, wekelijks minstens eenmaal bleef bezoeken. Voortaan moest Barbara maar naar hem toe komen als hij iets met haar te bespreken had.

Vandaag zou hij nog één keer naar het hof gaan om zijn beslissing aan haar mee te delen. Zij zou niet gelukkig zijn met de nieuwe regeling. Of juist wel? Zou ze het leuk vinden dat ze een reden had om de stad in te gaan?

Lesage besloot dat hij na het ontbijt eerst de nodige stappen zou ondernemen om de ruitjes in het raam van zijn schrijfkamer te laten vervangen.

Een soutane, een pelerine en het typische hoofddeksel van de kanunnik, alles was er. Er was nog meer. De bundel was verzwaard met een roestig stuk metaal dat grootjuffrouw Amandine herkende als een schoffel. Er zat een afgebroken stuk steel in.

Ze werd misselijk van de aanblik van wat weleens het moordwapen zou kunnen zijn. De moordenaar had ervan af gewild en het in de put gegooid. Het slachtoffer had hij ook met één zetje in de put kunnen laten verdwijnen, hij had het lichaam kunnen verzwaren zodat het nooit zou bovendrijven. Maar dát had hij niet gedaan. Integendeel.

Hij had het slachtoffer achtergelaten op een plaats en in een houding die een schandaal zou veroorzaken. Ze twijfelde er niet aan dat juist dát de bedoeling was. De moordenaar moest dan ook knarsetanden van teleurstelling omdat het lijk spoorloos verdwenen was.

De zwager van Catharina was de meest voor de hand liggende verdachte. Hij had de kanunnik uitgeschakeld omdat die het bedrog rond Johan op het spoor was. Hij had het slachtoffer in een choquerende houding achtergelaten om Catharina, die hem afwees, te treffen en om wraak te nemen op het hof dat haar onderdak bood. Misschien hoopte hij wel dat er een zodanige opschudding van zou komen dat het hof werd gesloten, waarop Catharina weer naar de hoeve zou moeten terugkeren. Waar zou ze anders naartoe kunnen gaan?

Grootjuffrouw Amandine was er bijna zeker van dat het zo in mekaar stak. Of verbleef de echtgenoot van Catharina zelf onder een valse naam in de stad en had hij ingegrepen om niet ontdekt te worden? Maar waarom zou hij het hof willen treffen? Hij moest toch tevreden zijn dat zijn vrouw niet hertrouwde, maar haar toevlucht tot het begijnhof had genomen waar ze zich kuis gedroeg? Nee, Balthazar was de hoofdverdachte.

Ze prees zich gelukkig dat ze de tegenwoordigheid van geest had gehad om het lijk van Dodoens weg te werken, waardoor ze het plan van de dader had gedwarsboomd.

Met het tweede lijk was het niet zo netjes verlopen, maar Godfried Lesage was vrijgelaten. Hij was een heer, hij was vast en zeker zijn belofte om te zwijgen nagekomen.

Alleen de moordenaar zou nog een link met het begijnhof kunnen leggen, maar waarom zou hij dat doen? En hoe zou hij dat doen zonder de aandacht op zichzelf te vestigen?

Het zou kunnen dat Balthazar zich nogmaals aan Catharina zou proberen op te dringen, maar daar zou ze een stokje voor steken. Ze zou de zwager van Catharina bij zich op het hof ontbieden en hem laten voelen dat ze wist wat hij op zijn kerfstok had. Ze zou hem haar stilzwijgen aanbieden in ruil voor zijn belofte Catharina met rust te laten.

Grootjuffrouw Amandine voelde dat ze weer greep op de situatie kreeg. Ze had er goede hoop op dat het begijnhof er zonder kleerscheuren vanaf zou komen. Alleen één zwakke plek was er nog. Ooit zou er ontdekt worden dat de kanunnik verdwenen was, God weet waarom dat nog niet was gebeurd. De spullen van de kanunnik zouden nagekeken worden. Wie weet wat hij over de zaak Overbroeke op papier had gezet?

Grootjuffrouw Amandine wist dat het niet kon worden uitgesteld. Eigenlijk had ze het meteen moeten doen nadat Catharina haar geheim had opgebiecht. Ze moest zo vlug mogelijk in het kanunnikenhuis binnendringen, en alles vernietigen wat naar Overbroeke, naar Catharina of naar het begijnhof kon leiden.

Het was een taak die ze zich voor die dag stelde. Kon ze meteen een bezoekje brengen aan de decaan van het kanunnikenkapittel. Die had nog belasting van het begijnhof te goed én een verslag over de straf van Catharina.

Ze schoof de natte spullen onder een kast en besloot alles vanavond, als Clara naar bed was, in het haardvuur te verbranden.

Ze stond zich af te vragen of het te vroeg was om een bezoek te brengen aan de decaan, toen juffrouw Clara thuiskwam van de mis. Ze liet meteen ook een bezoeker binnen.

'Heer Lesage', groette de grootjuffrouw. 'Ik verwachtte u al.'

Dat was niet gelogen. Ze was dan wel op haar beslissing teruggekomen, toch had ze nog enige reserve. Toen Lesage haar de nieuwe regeling voorstelde, viel ook die weg.

Barbara was, zoals hij al had vermoed, niet ontevreden met de nieuwe regeling. Wel slaagde ze erin twéé wekelijkse ontmoetingen in plaats van de ene die hij had voorgesteld, door te drukken. Ze was als een kind zo blij dat die uitjes haar eentonige leven gingen onderbreken.

Er was een vraag die hij niet wilde stellen, maar ze brandde hem op de lippen. Uiteindelijk bezweek hij. Het kon toch geen kwaad nog één keer, de laatste keer, naar haar te informeren? Daarna zou hij haar vergeten.

'Hoe gaat het met juffrouw Catharina?'

Barbara's gezicht betrok.

'Wat denk je?'

Het was geen vraag, het was een snauw. Lesage keek haar verbaasd aan. Waar had hij die toon aan verdiend?

'Is het niet goed met haar?'

'Jij zorgt ervoor dat je haar voor de hele stad in opspraak brengt en dan denk jij dat het goed met haar gaat! Daar moet je een man voor zijn!'

'Maar wat is er dan met haar?'

'Ze is gestraft.'

Pas toen Barbara in het lang en het breed had uitgelegd waaruit de straf bestond, drong de ernst van het gebeuren tot hem door.

'Maar wat heeft ze gedaan dat ze dat verdient?' vroeg hij.

'Ze heeft zich onzedelijk gedragen... met jou!'

Lesage schudde het hoofd.

'Onzin.'

'Zeg dat tegen de pastoor, tegen het kanunnikenkapittel, tegen het volk, tegen de andere begijnen... en dan was er ook nog een kip.'

'Een kip?'

Lesage stond op. Hij moest naar Catharina toe om haar te zeggen dat ze geen straf verdiende, dat hij zou eisen dat ze in eer werd hersteld. En wat was dat met die kip?

45

Tilly was op weg naar de markt, maar in plaats van de kortste weg te nemen liep ze langs het Tuinstraatje waar ze wist dat Joris woonde. Het was een onhandige omweg, eigenlijk had ze er niets te zoeken. Het paste echter in haar plan om haar omgang met Joris een zetje te geven.

Ze had te veel honingkoeken gebakken, met opzet, en nu bracht ze er een deel van naar Joris' vader. Een geschenkje voor haar toekomstige schoonvader, dat moest kunnen.

Joris wist van niks. Hij was op dit ogenblik bezig in de tuin van het kanunnikenhuis. Straks zou ze het hem als verrassing vertellen en hem ook een honingkoek geven. Hij zou dan beseffen dat ze een goede vrouw voor hem zou zijn en een goede schoondochter voor zijn vader. Ze had een beetje gespaard en met het jaargeld dat ze van haar kanunnik nog moest krijgen, was dat een goed begin voor een eigen huishouden.

Het Tuinstraatje bestond, zoals de naam het al verraadde, merendeels uit tuinen en was eigenlijk maar een doorgang. Achteraan stond een rijtje lage eenkamerwoningen, zo bouwvallig dat alleen het feit dat ze tegen elkaar aanleunden, hen belette om te vallen. In een ervan woonde een leerlooier. Ze rook de scherpe, misselijkmakende geur die uit de kuipen opsteeg.

Ze wist niet welk huisje ze moest hebben en klopte op goed geluk op een van de haveloze deuren aan.

'Wat moet je?'

De stem kwam van achter haar en Tilly draaide zich geschrokken om. Een vrouw met een zware, opbollende boezem, amper bedekt door een keurslijfje, stond vlak achter haar in haar nek te hijgen.

De vrouw had haar best gedaan om met kleurige linten haar kleding op te vrolijken, maar ze kon niet verbergen dat ze op vele plaatsen gelapt waren. Ze zag er verlopen uit.

Tilly besefte met een schok met welk soort vrouw ze te maken had toen ze het vogelkooitje naast de deur opmerkte. In plaats van dat er een vogel in zat, stond er een kaars in. De kaars was gedoofd, zou aangestoken worden als de bewoonster aan het werk ging. De vrouw was niet meer of minder dan een lichtekooi, een hoer.

Tilly rook haar adem en een scherpe zweetgeur. Ze zette walgend enkele passen opzij en stamelde dat ze het huis van Joris zocht.

'Joris, he?'

De vrouw nam haar van top tot teen op, grijnsde en begon plastisch de lichamelijke kwaliteiten van de tuinman te beschrijven. Ze genoot toen het jonge, frisse gezichtje voor haar van afgrijzen vertrok en deed er nog een schepje bovenop door ook nog zijn bedprestaties te bejubelen.

'Hé! Het is maar een grapje! Ik ben Jana, de zus van Joris', riep ze toen Tilly als een verschrikt diertje wegrende.

De jonge vrouw hoorde haar niet en ze ging schouderophalend het huisje in. Ze verliet het weer aan de achterzijde en stootte de achterdeur van het buurhuisje open.

Ze liep op haar tenen naar een alkoof waarin een oude man luidruchtig ademhaalde. Zijn hoofd leek op een doodshoofd, het gele vel over de beenderen gespannen, doffe ogen diep in de zwarte oogkassen, de tandeloze mond wijd opengesperd.

'Vader, ik ben het', zei ze zacht.

Ze nam een doekje uit een kom met water en begon zijn voorhoofd te betten.

46

De decaan van het kapittel vond het nodig haar te onderhouden over de heikele politieke situatie van de laatste jaren. Hij had het over de landvoogd Fuentes, die de fout had begaan de Spaanse bezetting in Brabant te verminderen en zo de poort naar Lier voor de staatsen wagenwijd open had gezet. De aanval die door iedereen 'de Lierse furie' werd genoemd, was daardoor voor een deel zijn verantwoordelijkheid.

Hij fulmineerde tegen de manier waarop de aanvallers als beeldenstormers in de grote kerk hadden huisgehouden en de relieken van Sint-Gummarus hadden onteerd. Gelukkig had een gasthuiszuster de tegenwoordigheid van geest gehad om de beenderen onmiddellijk te verzamelen.

Er waren nieuwe beelden voor de lege sokkels, nieuwe altaren, retabels, schilderijen en glasramen besteld. Het kostte allemaal handenvol geld. Grootjuffrouw Amandine hoorde hem van ver aankomen.

'We hebben een nieuw reliekschrijn laten maken. Het zal aan de poorters van Lier getoond worden in een processie om te herdenken dat we vorig jaar de ketters hebben verjaagd. De processie der furie! Ze zal plaatshebben op 14 oktober. We hebben nog precies een maand. Het kapittel verwacht dat het begijnhof meebetaalt aan de kosten voor het reliekschrijn.'

Het hart zonk grootjuffrouw Amandine in de schoenen toen ze het bedrag hoorde.

'Te betalen op de dag van de processie.'

Ze wees erop dat de begijnen al verscheidene belastingen betaalden. Had ze hem niet net een geldbeurs overhandigd? Natuurlijk wilden ze bijdragen, maar zonder de draagkracht van het hof te overschrijden.

'De begijnhofkerk heeft ook onder de aanval geleden. Het regent er zelfs binnen omdat er glasramen stuk zijn gegooid. Het huis van God moet hersteld worden, dat kost geld. U weet dat de laatste jaren het aantal begijnen sterk is verminderd.'

De decaan wist wel dat ze zou onderhandelen. Hij kende haar als een sluwe vrouw, keihard als het noodzakelijk was. Daarom had hij zijn eis opzettelijk hoog gelegd. Grootmoedig noemde hij een kleiner, maar nog altijd aanzienlijk bedrag.

Nog legde ze er zich niet bij neer. Ze drong aan, spiegelde hem voor dat haar begijnen door de onlusten van het laatste decennium op de rand van de armoede stonden.

'Grootjuffrouw Amandine, ik ben er zeker van dat het met die armoede wel meevalt. De mombeers van de begijnen hebben nog altijd handenvol werk met het beheer van jullie eigendommen en financiën. Maar ik wil mijn goedwil laten zien. Ik wil inderdaad niet dat het in jullie huis van God binnenregent.'

Hij verminderde het bedrag nog een beetje en zag dat ze het hoofd boog ten teken dat ze er zich bij neerlegde. Hij had wat hij zich van in het begin had voorgenomen te krijgen en lachte in zijn vuistje. Eigenlijk genoot hij hier wel van. Het was een spelletje dat hij altijd won.

'U kunt gaan', zei hij.

Grootjuffrouw Amandine wist dat ze had verloren, dat ze

met geen mogelijkheid kon winnen. Terwijl ze somber het huis uit liep, schoot het haar te binnen dat de decaan niet had gevraagd naar de bestraffing van juffrouw Catharina.

Blijkbaar was hij zo in beslag genomen door de organisatie van de processie dat hij het hele schandaal al was vergeten. Dat was toch iets om tevreden mee te zijn. Misschien verklaarde dat ook waarom er geen aandacht werd geschonken aan de afwezigheid van kanunnik Dodoens?

Ze bleef staan en keek naar het huis van Dodoens, dat aan de overkant achter het kerkhof lag. Ze besloot een verkennend bezoekje te brengen aan Tilly, die huishoudster was bij kanunnik Verhaert, de buurman van Dodoens.

Tilly was vast en zeker met de huishoudster van Dodoens beste maatjes, zo was Tilly, een gezellige babbelkous. Als zij niet wist hoe de toestand was, wist niemand het.

Vastberaden haastte Amandine zich naar de woning van kanunnik Verhaert. Ze klopte aan.

47

Het ene ogenblik was een bed nog gewoon een bed, het andere ogenblik was het een doodsbed. Uiterlijk was er niet veel veranderd. Nog altijd spande het gele vel over de knokige jukbeenderen, staarden de ogen dof naar de gebarsten zoldering en stond de mond van de oude man op het bed wijd opengesperd. Het enige verschil was dat er na een laatste doodsrochel een stilte in de kamer was gevallen.

Joris keek naar de oude man die zijn vader was. Hij huilde niet, maar binnen in hem worstelden tegengestelde gevoelens met elkaar. Er was verdriet, maar ook opluchting omdat het lijden van de oude man voorbij was. Daarnaast was er het besef dat er een periode in zijn leven was afgesloten en dat hij vrij was een nieuwe weg in te slaan.

Niets bond hem hier nog. Jana, zijn zuster, slaagde erin haar eigen kostje bij elkaar te scharrelen, op een manier die hij niet kon goedkeuren, maar wat moest ze anders? Voor haar hoefde hij niet te blijven.

Tilly was er ook nog. Het was een goed kind, maar niet de vrouw waarmee hij een gezin wilde stichten. Die vrouw leefde niet meer. Toch niet in de letterlijke zin van het woord.

Ze leefde nog wel in zijn hart en zijn geest. Hij dacht aan haar als hij met Tilly vrijde. 's Nachts verscheen ze in zijn dromen. Ze was bij hem terwijl hij een veldje omspitte of struiken snoeide. Hij ademde haar.

Soms sneed hij een bloem voor haar af. Dan stond hij er schutterig mee in zijn handen, want hij wist niet waar de bloem neer te leggen. Zijn geliefde had niet eens een graf.

Op een dag was ze verdwenen. Weggegaan, volgens kanunnik Dodoens, die verontwaardigd uitriep dat hij in de steek was gelaten. Schandalig zoals huispersoneel tegenwoordig deed waar het zin in had!

Maar Joris wist dat ze nooit weg zou gaan zonder er met hem over te praten. Waar moest ze naartoe gaan? Ze was wees. Ze had alleen hem. Ze hadden plannen gemaakt om over een paar jaar te trouwen, als ze genoeg geld hadden gespaard. De eerste weken na haar verdwijning had hij nog gehoopt, maar stilaan was de zekerheid gegroeid dat ze niet meer leefde.

Hij zou nog wachten tot na de begrafenis van zijn vader vooraleer hij Lier de rug toekeerde. Hier slaagde hij er niet in te vergeten, misschien dat er ergens een plaats was waar hij tot rust kon komen en een nieuw leven kon beginnen.

Hij wist ook al hoe hij aan de kost zou komen. Het platteland werd geplaagd door wolven. Jagers kregen een premie voor elke wolf die ze doodmaakten, twaalf stuivers voor een grote en zes voor een kleine. Hij werd wolvenjager tot hij wist of het leven nog iets goeds voor hem op stapel had staan.

De achterdeur klepperde. Jana stoof de kamer in.

'Ze komt dadelijk.'

'Ze' was een zwartzuster die de dode zou komen afleggen.

'Heb je geld voor haar?'

Jana zette een kruisbeeld naast het doodsbed en een kaars. Joris zocht onder zijn eigen stromatras in de andere hoek van de kamer. Hij legde een paar munten naast het kruisbeeld.

'Is dat genoeg?'

'En voor de begrafenis?'

'Ik betaal.'

Het werd natuurlijk een goedkope begrafenis, maar hij liet zijn vader niet als een armoedzaaier in een massagraf stoppen. Hij had voor zichzelf gezworen dat hij ten minste van zijn vader zou weten waar die begraven lag!

Die gedachte bracht hem weer bij die andere dode. Er was één plaats waar hij nog niet naar haar had gezocht, omdat het niet vanzelfsprekend was dat hij daar zou komen. Nu hij binnenkort toch vertrok, had hij niets meer te verliezen.

Hij wilde niet wachten tot na de begrafenis van zijn vader.

Eigenlijk kon hij zelfs geen minuut meer wachten.

'Ik moet nog iets doen', zei hij en liep het huis uit.

'Moet dat nu?' riep Jana geërgerd.

Ze wist wel dat Joris niet kon helpen bij het afleggen van de overledene, maar ze had gehoopt dat hij tenminste een buffer zou zijn tussen haar en de zuster die ze verwachtte. Ze vreesde het commentaar dat de non ongetwijfeld op haar levenswijze zou leveren. Maar nu was Joris er vanonder gemuisd.

Mannen! Ze waren er nooit als je ze nodig had.

48

'Kanunnik Dodoens is op reis, grootjuffrouw', zei Tilly.

'En zijn huishoudster? Is zij thuis?'

Het was de tijd dat dienstboden boodschappen deden. Amandine hoopte dat het huis verlaten zou zijn.

'Die is weg, grootjuffrouw.'

'Wat bedoel je?'

De jonge vrouw boog zich vertrouwelijk naar de begijn toe.

'Misschien is ze met de kanunnik mee.'

Ze had erover lopen denken en fantaseren. Wie weet welke spannende dingen Maria meemaakte, terwijl zij toch maar in zo'n klein nest als Lier vastzat bij een oude, saaie kanunnik?

'Heb je redenen om dat te denken?'

Het klonk nogal streng en Tilly vreesde plots dat ze met haar opmerking te ver was gegaan. Gelukkig was ze niet écht over Maria en Dodoens beginnen te roddelen. Ze keek berouwvol.

'Geen enkele, grootjuffrouw. Natuurlijk is ze niet écht met hem mee. Stel je voor.'

Ze kon niet vermoeden dat de grootjuffrouw zich alleen maar streng voordeed. Eigenlijk had Amandine moeite om niet te glimlachen. Wat een meevaller! Als Maria weg was, hoefde ze zich niet te haasten, kon ze rustig alle hoekjes en gaatjes van het kanunnikenhuis doorzoeken.

Voor de vorm vroeg de grootjuffrouw nog of Tilly het naar haar zin had en informeerde ze naar het lichamelijk welzijn van kanunnik Verhaert.

Tilly had maar dát nodig om als het opkomende tij van de Nete een onstuitbare woordenvloed te produceren.

'Ik heb niet veel tijd, Tilly', onderbrak de grootjuffrouw haar vlug. 'Ik ben blij dat het goed met je gaat én met kanunnik Verhaert, natuurlijk.'

Ze liep weg. Tilly keek haar nog even na, een beetje op haar tenen getrapt omdat ze haar uitleg niet had kunnen afmaken.

Ze sloot de deur en vroeg zich af wat de grootjuffrouw eigenlijk was komen doen. Als ze Dodoens nodig had, waarom klopte ze dan bij haar aan?

Tilly haalde de schouders op. Met begijnen wist je maar nooit. Ze kon er zich beter niet in verdiepen.

Grootjuffrouw Amandine draaide een paadje in. Het was een achteruitgang voor een rij huizen. Ze telde de tuinen tot ze uitkwam bij de tuin van Dodoens. Er was geen levende ziel te bespeuren.

Ze liep door het hek. Eerst was er een boomgaard, daarna een moestuin en ten slotte een bloementuin die aan het huis grensde.

Het huis zou natuurlijk afgesloten zijn, maar ze vertrouwde op de mogelijkheden van haar sleutelbos.

Ze had geluk. De achterdeur was zelfs niet afgesloten.

Amandine bleef twijfelend staan met de klink in haar handen. Had Tilly zich vergist en was Maria wel thuis? Ze voelde zich een beetje belachelijk zoals ze daar stond. Nu ze zover was, moest ze maar doorzetten.

Voorzichtig stootte ze de deur open en liep ze zonder het minste geluid te maken door een bijkeuken met de bakoven naar de grote keuken. Daar hing een geur van verderf.

Grootjuffrouw Amandine keek afkeurend naar de beschimmelde etensresten in de potten en schalen, naar de opgedroogde vlekken van gemorste drank, naar de vuile vloer waarop uitwerpselen een spoor van ongedierte trokken. Niet vreemd dat het er stonk. Later, als alles afgelopen was, zou ze Maria eens uitnodigen en haar uitleggen wat er van een goede huishoudster werd verwacht.

Ze bleef niet lang in de keuken rondhangen, maar zocht verder in het huis naar de vertrekken van de kanunnik.

De keuken gaf toegang tot een eetkamer. De tafel was gedekt alsof de kanunnik elk ogenblik thuis kon komen voor zijn avondmaal. Het haardvuur had gebrand, maar de houtmand zat nog barstensvol voorraad, klaar om een hele avond te stoken.

Vooraan gelijkvloers was er een grote ontvangstruimte met een glimmend gewreven, houten lambrisering. Deze kamer was zoals de eetkamer netjes aangeveegd, maar er lag een fijn laagje stof over de geboende kasten, stoelen en over het grote tafelblad.

Amandine betwijfelde of de kanunnik hier papieren zou bewaren. Toch trok ze de kasten open, maar die bevatten alleen serviesgoed en tafellinnen. Alles schoon en netjes gestapeld. Ook boven was alles keurig aan kant, bed opgemaakt, hout in de haarden gestapeld, klaar om aan te steken.

Het verschil tussen de toestand van de keuken en de rest van de woning was tot haar verbazing wel heel groot. Ze vroeg zich af wat er zich in het hoofd van zo'n jong ding als Maria afspeelde. Vond ze het niet nodig de keuken, die ze als haar eigen terrein beschouwde, schoon te houden en liet ze daarom dat deel van het huis verslonzen?

Als het fijne laagje stof er niet was geweest, dat ook boven als een fluwelen vlies over alles heen lag, zou ze het hebben geloofd. Nu zorgde datzelfde laagje ervoor dat een gevoel van onrust groeide, boven op de onbehaaglijkheid die het binnendringen in iemands woning met zich meebrengt.

Ze liet er zich echter niet door van de taak die ze zichzelf had gesteld afbrengen. Eindelijk vond ze in de schrijftafel wat ze zocht.

In een grootboek met een lederen kaft hield de kanunnik nieuwtjes bij die hem interessant leken. Wie weet waar hij ze overal bijeensprokkelde?

Hij spaarde niemand.

Er was een opsomming van de natuurlijke kinderen van enkele medekanunniken, namen van hun minnaressen en details over hun liefdesleven die Amandine aan het blozen brachten.

De decaan werd vernoemd in verband met een omkoop-affaire. Interessant!

Er waren pagina's gewijd aan poorters van de stad. Hij had het over de abdis van de abdij van Nazareth, over een monnik uit het kartuizerklooster en ja, ook over de begijnen.

Ze zag zichzelf beschreven als sluw en niet te onderschatten.

En daar was het dan... een aantal pagina's over Johan Overbroeke. Driemaal onderstreept stond naast die naam geschreven: echtgenoot van de begijn juffrouw Catharina Overbroeke.

Amandine las met stijgende ergernis. Dodoens wist alles. De calvinistische sympathieën van Johan, diens verraad tijdens de Lierse furie, zijn uitwijking naar het noorden waar hij nu in Breda woonde als Johannes Broek, zijn begrafenis op het kerkhof bij de grote kerk, hoewel hij nog springlevend was. Van één ding was hij nog niet op de hoogte: wie er dan wél in het graf lag als het Johan niet was.

De laatste notitie ging over een gepland bezoek aan de Broekhoeve om het personeel en de familie Overbroeke daarover te ondervragen.

Het bevestigde haar vermoeden. Dodoens was op onderzoek uitgegaan, maar had de zwager van Catharina onderschat. Die had niet geaarzeld om de man die het familiegeheim uit wilde brengen, te doden.

Had de ontmoeting op het begijnhof plaatsgehad? Het moest wel. Ze kon zich niet voorstellen dat Balthazar de moeite zou hebben gedaan om het lichaam naar het begijnhof te vervoeren, alleen maar omdat hij Catharina een hak wilde zetten of omdat het hem grappig leek of schunnig of... wie weet hoe zo'n kerel dacht. Eigenlijk was dat ook niet belangrijk meer. Ze had gevonden wat ze zocht en dat was het enige wat telde. Nu kon ze beter weggaan.

Ze wilde de bladzijden over Catharina en haar echtgenoot uit het boek scheuren, maar bedacht zich. Ze besloot het hele boek mee te nemen. Het zou iemand kunnen opvallen dat er bladzijden misten. Dat kon ze zich niet veroorloven. Bovendien... kon de inhoud misschien nog van pas komen. Ze zou het thuis veilig wegsluiten en het zou alleen nog tevoorschijn komen als het noodzakelijk was voor het welzijn van de begijnen en de groei en het voortbestaan van het hof.

Grootjuffrouw Amandine verborg het boek onder haar bovenkleed. Ze verliet de kamer, liep de trap af, de gang door naar de keuken.

Daar bleef ze staan om zich nogmaals aan de vuile boel te ergeren. De geur was erger geworden. Het stonk. Dit kon niet meer afkomstig zijn van de beschimmelde resten in de kookpannen of van muizenkeutels.

Toen hoorde ze het: iemand stond zijn ziel uit zijn lichaam te kotsen. Het klonk gedempt, leek vanuit de diepte te komen.

Ze keek in de richting van het geluid, zag dat er nu een deur op een kier stond. Was dat de kelderdeur?

Een onafgebroken sliert dikke, zwarte vliegen schoof door de kier en kringelde de keuken in. Elk beschikbaar oppervlak zat al onder een wriemelende, zwarte koek.

Amandine sloeg gruwend naar de vliegen die op haar habijt neerstreken.

Voetstappen roffelden op de keldertrap. Een gedaante viel de keuken binnen. Amandine hapte naar adem. Ze hield met moeite een kreet van schrik in.

De ander schreeuwde het echter uit bij het zien van de begijn, alsof hij een geest zag.

Ze herkende na een moment van verwarring de jonge tuinman die enkele tuintjes in het begijnhof onderhield.

'Joris?'

Als een paard dat op hol geslagen is, stormde de jongeman blindelings de tuin in.

'Joris!'

Ze holde hem achterna, maar ze zag hem al in de verte in de boomgaard rennen, als een op hol geslagen veulen. Geen sprake van dat ze hem nog zou kunnen inhalen.

Zuchtend draaide ze zich om, bleef weifelend staan. Zou ze weer de keuken in gaan? De keldertrap af naar wat dat daar lag te vergaan?

Ze hoefde het niet te zien om het te weten. De geur, de vliegen en de reactie van de jongeman spraken voor zich.

Het stond haar tegen alleen op onderzoek uit te gaan. Bovendien zou het niet verstandig zijn. Het was altijd beter dat er getuigen bij waren.

49

De eredienst was al een tijdje afgelopen. De pastoor en de begijnen hadden de kerk verlaten en waren aan hun dagelijkse bezigheden gegaan. Alleen de kerkmeesteres drentelde er nog rond. Ze doofde de kaarsen.

Het was een goedhartige vrouw, die medelijden had met de begijn die op de koude plavuizen in een plas water geknield lag.

Ze vroeg zich af wat ze kon doen om het de boeteling een beetje makkelijker te maken. Ze kon haar bijvoorbeeld uit die waterplas halen, of zelfs uit die natte kleding.

Om niet beticht te worden van ongepaste afzwakking van de strafmaat sprak ze streng, zelfs brutaal.

'Kijk wat je hebt gedaan, domme koe. Je hebt het huis van God veranderd in een slijkpoel. Schuif op, zodat ik de boel hier kan dweilen. Denk je dat ik niets beters te doen heb?'

'Het spijt me, juffrouw Martha', zei Catharina.

Ze knielde gehoorzaam een eindje verder neer.

De kerkmeesteres ging mopperend aan het werk, schoot nogmaals boos uit.

'Wat doe je nu? Je maakt het daar weer nat. Denk je dan alleen maar aan jezelf?'

'Het spijt me.'

'Spijt, spijt... daar ben ik niet mee geholpen.'

Ze wierp de boeteling een koorhemd toe.

'Die natte spullen uit en trek dit aan.'

'Maar...'

'Niets te maren. Het huis van God is geen badhuis. Vlug, zeg ik je. Komt er nog iets van of moet ik het voor je doen?'

De kerkmeesteres kwam dreigend op haar toe. Verbouwereerd legde Catharina de falie van Barbara af, die ook al vochtig was geworden, stroopte het natte onderkleed van haar lichaam en bedekte haastig haar naaktheid met het koorhemd.

Toen ze zag dat de kerkmeesteres een tapijtje aansleepte en dat op de gedweilde plek neerlegde, begreep ze waar de vrouw mee bezig was. Het ontroerde haar. Ze hield met moeite haar tranen in.

'Hier!' blafte de kerkmeesteres.

Ze duwde Catharina op het tapijtje op haar knieën.

'Zou je niet beginnen bidden? Of ga je hier je tijd zitten verprutsen?'

Catharina voelde hoe er een droge falie om haar schouders werd gelegd.

'Dank je, juffrouw Martha', fluisterde ze.

Vanuit haar ooghoeken zag ze dat de vrouw met de natte mantel van Barbara over de arm de kerk verliet.

Droog en versterkt door het medeleven van de kerkmeesteres hief Catharina een lofzang aan.

Lesage zag de kerkmeesteres uit de kerk komen. Hij wachtte tot ze in het huis dat voor haar functie voorbehouden was en recht tegenover de kerk lag, zou verdwijnen.

De vrouw kwam echter zijn kant uit.

'Heer Lesage', knikte ze koel. 'Heeft u nog niet genoeg onheil over het hof gebracht?'

Hij ging niet in op de vraag, groette slechts beleefd. Tot zijn verbazing zag hij haar in de woning van Barbara binnengaan. Even twijfelde hij of hij op zijn stappen terug zou keren, maar zijn bezorgdheid om Catharina won het van zijn nieuwsgierigheid. Haastig liep hij de kerk in.

Ze zong. Haar stem breekbaar, ijle klanken die verloren gingen in de ruimte, maar hem kippenvel bezorgden. Het lied vulde hem met liefde. Zijn hart groeide tot het op barsten stond. Het bonkte in zijn borst.

Plots wist hij dat hij haar niet wilde en kon vergeten. Het voornemen om niet meer op het hof te komen, was onzin. Dit was de vrouw die voor hem bestemd was. Hij moest haar zien, haar beter leren kennen. Misschien zou ze wel van hem gaan houden en zijn vrouw worden.

Toen de laatste klanken uitstierven, beende hij naar voor, naar het altaar, de blik gericht op de knielende gestalte.

Ze keek over haar schouder.

Vergiste hij zich of lichtte haar blik vreugdevol op? Het maakte hem echter niet blij, omdat het leek op een kaarsenstompje dat nog even flikkert vooraleer het einde van de wiek is bereikt en het onherroepelijk uitdooft.

Hij zag de natte haarslierten, haar afgetrokken gelaat.

Een doffe woede welde in hem op.

'Kom mee', zei hij.

Hij liet haar geen ogenblik langer in de koude kerk zitten.

'Ga weg, heer Lesage.'

'Catharina, dit heb je niet verdiend.'

'O, jawel.'

Het klonk heel beslist.

'Dit is onzin. Sta op en ga met me mee.'

'Ik wil bidden, zoals mij is opgelegd. Laat mij alleen.'

'Catharina!'

Hij boog zich over haar heen, legde zijn handen onder haar ellebogen, wilde haar dwingen op te staan. Hij herhaalde haar naam, smekend nu.

'Heb je niet gehoord wat de dame zegt?'

De stem kwam van achter hem, sneed ijzig door de ruimte van de kerk.

Lesage draaide zich om. Hij wist meteen wie de man was die met gekruiste armen en een uitdagende grijns naar hem stond te kijken.

'Balthazar Overbroeke?'

'Godfried Lesage?'

Overbroeke was een krachtige man, knap op een dierlijke manier. Vrouwen vonden hem waarschijnlijk aantrekkelijk. Lesage vond hem weerzinwekkend.

'Hoe durft u zich hier te vertonen?'

'Ik heb alle recht om hier te zijn, Lesage. Ik wil mijn schoonzuster spreken. Familiezaken. Onder vier ogen.'

Lesage schudde verontwaardigd het hoofd.

'Geen denken aan. Ik laat haar niet door jou lastigvallen of erger nog. Je deinst er niet voor terug mensen neer te slaan, te vermoorden. Wie weet wat je met haar van plan bent? Denk je werkelijk dat ik dat zal toestaan?'

'Ik? Vermoord ik mensen? Als ik het goed gehoord heb, zat iemand die hier nu aanwezig is, gisteren nog in de gevangenis op beschuldiging van moord. Volgens mij was ik dat niet.'

'Durf je te beweren dat jij het niet was die in mijn huis is binnengedrongen?'

'Is er iemand in je huis binnengedrongen? De insluiper heeft je toch geen pijn gedaan?' grijnsde Balthazar schijnheilig.

'En die man die je de nek hebt gebroken, nog nooit gezien zeker?' zei Lesage sarcastisch.

'Je haalt me de woorden uit de mond. Kunnen we dan nu afscheid nemen, Lesage? Het was me een waar genoegen, maar ik heb geen tijd en geen zin om met jou van gedachten te wisselen. Tot een volgende keer, Lesage!'

Balthazar maakte spottend een hoofse buiging.

Lesage deed een hernieuwde poging om Catharina op te laten staan, maar ze schudde zijn hand van zich af.

'Neen, Godfried. Ik ga nergens naartoe.'

'Daar is het gat van de timmerman', wees Balthazar naar de deur. 'Doe nu voor één keer wat de dame zegt.'

'Jij moet ook gaan, Balthazar. Ik heb je niets meer te zeggen. Ik wil je nooit meer zien. Ga weg. Onmiddellijk', zei Catharina.

'Je hoort wat de dame zegt', grijnsde Lesage nu op zijn beurt.

'Hou jij je grote bek!'

Balthazar balde de vuisten, deed een dreigende pas naar Lesage toe.

'Als je je zin niet krijgt, valt het masker af en komt de ware aard van het beestje tevoorschijn. Wat ga je doen? Op mijn gezicht slaan?'

Lesage bleef onwrikbaar staan, gespannen als een veer, klaar om zich te verdedigen als het nodig zou zijn. Maar de actie van Balthazar verraste hem omdat die niet tegen hem was gericht.

Als een kat sprong Balthazar tot bij Catharina. Hij rukte haar omhoog en zette haar een dolk op de keel.

'Niet verroeren, mijn liefje. Zeg tegen je minnaar dat hij mooi blijft staan waar hij staat of dat ik je anders de strot doorsnijd.'

Catharina kreunde. Ze hing slap in de arm van Balthazar, voelde de punt van de dolk in haar hals prikken.

'Laat haar los', gromde Lesage.

'Maar natuurlijk! Als jij braaf doet wat ik zeg!'

'Vecht als een man, niet als een lafaard die een zwakke vrouw nodig heeft om zich achter te verbergen. Laat haar gaan. We gaan naar buiten en vechten het uit. Man tegen man.'

'Jij gaat in de sacristie. Nu!'

Godfried verroerde geen vin.

'Denk je dat ik het niet meen?'

Balthazar zette zijn woorden kracht bij door de druk van het mes op te drijven. Catharina gilde. Een bloeddruppel gleed over haar keel tot op het witte koorhemd waar het een bloedrode vlek maakte.

'Ik zal niet aarzelen haar de hals door te snijden, dus wat doe je?'

Lesage gehoorzaamde. Even overwoog hij een kandelaar van het altaar te nemen om ermee te slaan, maar hij hield zich in. Het zou ongetwijfeld de dood van Catharina betekenen.

'Naar binnen. Vooruit.'

Trillend van ingehouden woede schoof Lesage de sacristie in. Balthazar was hem tot in de deuropening gevolgd, Catharina voor zich uit duwend. Lesage zag dat er nog meer bloed over haar keel vloeide.

'Haal dat mes weg. Ik gehoorzaam toch? Het is niet nodig haar pijn te doen!'

'Ik doe wat ik wil. Als ik er zin in heb, laat ik haar gillen van de pijn. Met je gezicht naar de muur.'

Met tegenzin gehoorzaamde Lesage. Het grimmige gezicht van de ander stond onverzettelijk. Hij wist wat de minste weerstand van zijn kant voor Catharina zou betekenen.

Hij zette zich schrap, want hij wist wat er ging komen. Toch kwam de klap op zijn hoofd nog onverwacht. Hij knikte door de knieën en schoof langs de muur tot op de vloer.

Toen hij zag dat Lesage niet meer bewoog, voerde Balthazar Catharina mee de sacristie uit. Hij trok de zware deur dicht en draaide de sleutel om.

'En nu wij, liefje. Je gaat met me mee en als je één kik durft te geven, plof ik het mes in je.'

Het leek Catharina of ze verdoofd was, niets meer kon voelen, horen of zien. Haar benen weigerden dienst.

Balthazar vloekte toen hij haar voelde wegzakken. Hij ondersteunde haar. Het mes hield hij dreigend tegen haar lende aan, verborgen onder de mantel.

Zo strompelden ze naar de uitgang tot bij het paard dat bij de kerk stond vastgebonden.

Hij steeg op, trok haar voor zich op het zadel en draafde het begijnhof uit.

Juffrouw Theresa, die net thuiskwam met een mand boodschappen, zag het paard voorbijflitsen en geloofde haar ogen niet. Had ze werkelijk gezien wat ze dacht gezien te hebben of speelde haar geest nogmaals een spelletje met haar? Had ze alweer waandenkbeelden?

Het kon toch niet dat ze een halfnaakte Catharina in de armen van een man op een paard het begijnhof uit had zien rijden? Ze was werkelijk bezig gek te worden.

Theresa besloot er haar mond over te houden, ze belandde niet graag weer in de infirmerie, vastgebonden op een bed. Onzeker liep ze haar woning in.

Ze zette zich in de gemakkelijke stoel bij het vuur. Wat was er toch met haar aan de hand? Hoe kon ze er nog zeker van zijn dat wat ze zag geen inbeelding was?

50

Grootjuffrouw Amandine trok aan de bel. De deur draaide bijna onmiddellijk open, omdat Tilly net bezig was de gang te boenen. Ze zag aan de gelaatsuitdrukking van de jonge vrouw dat ze liever niet gestoord werd.

'Is kanunnik Verhaert thuis, Tilly?'

Jawel, die was thuis, maar hij zat een dutje te doen in zijn gemakkelijke stoel naast het haardvuur.

'Hij kan nu niemand ontvangen, grootjuffrouw.'

'Het is belangrijk, Tilly.'

Onwillig deed Tilly een pas achteruit, schoof met haar voet de pot boenwas en haar boendoek aan de kant en liet de grootjuffrouw binnen.

'Ik ga even kijken of hij voor u een uitzondering wil maken.'

Kanunnik Verhaert was wakker geworden door de bel en zat nu in zijn brevier te lezen.

'De grootjuffrouw van het begijnhof vraagt u te spreken.'

'Laat haar maar binnen, Tilly.'

Grootjuffrouw Amandine groette beleefd. Kanunnik Verhaert kende ze als een zachtmoedig, eerlijk man. Net het tegengestelde van Dodoens. Toch durfde ze hem niet naar waarheid te vertellen dat ze in het buurhuis was binnengedrongen. Het grootboek dat ze onder haar kleed droeg en dat in haar maag drukte, gaf haar geen kans te vergeten wat er op het spel stond.

Ze was van plan de waarheid geweld aan te doen. Ze had de laatste dagen al zoveel zonden vergaard, dat een leugentje er nog wel bij kon.

'Ik maak me bezorgd over de jonge dienstmeid van kanunnik Dodoens. Ze had plannen om begijn te worden en wilde mij erover spreken. Ze kwam echter niet op de afspraak opdagen. Omdat ik toch bij de decaan moest zijn, besloot ik een praatje met haar te gaan maken, maar ze maakt de deur niet open. Ik heb wat rondgevraagd: niemand heeft haar de laatste dagen gezien.'

Verhaert zuchtte.

'Dodoens is op reis en dat meisje denkt, nu er niemand meer is om toe te zien, aan niets anders dan aan plezier maken en uitgaan. Wie weet waar ze is? In een of andere kroeg? Ik vrees dat Dodoens haar zal moeten ontslaan als hij terugkomt.'

'Misschien is ze ziek, zo ziek dat ze de deur niet kan openmaken.'

'Onzin.'

Dat klonk wel heel beslist, maar toch rees er twijfel bij de kanunnik.

'Maar misschien moet er iemand voor de zekerheid gaan kijken', voegde hij eraan toe. 'Alleen... ik heb geen sleutel.'

'Misschien weet Tilly een oplossing?'

Hij rinkelde met een belletje en Tilly verscheen zo vlug dat de grootjuffrouw haar ervan verdacht aan de deur te hebben staan luisteren.

'Ik kan langs achter', zei Tilly.

'En dan laat je mij langs voor naar binnen. Of wilt u mij vergezellen, eerwaarde? Misschien is het beter dat er een man bij is, men weet maar nooit wat men aantreft.'

Kanunnik Verhaert stond met krakende knieën op.

'Vooruit dan maar, al ben ik er bijna zeker van dat het meisje volkomen is losgeslagen.'

Grootjuffrouw Amandine beet op haar tanden. Ze was daarover graag in discussie gegaan, maar op dit ogenblik was er maar één ding belangrijk: kijken wat er in die kelder lag.

Kanunnik Calcoen stond voor het raam van zijn schrijfkamer. Vandaar had hij een uitzicht over het kerkplein met het kerkhof en de aanpalende kanunnikenhuizen.

Hij vroeg zich af wat er bij Dodoens gaande was.

Tot zijn verbazing had hij een begijn uit het huis van Dodoens zien komen. Als hij zich niet vergiste, was zij de grootjuffrouw van het begijnhof. Hij had haar vervolgens zien aanbellen bij Verhaert, waar ze in huis was binnengelaten.

Na een korte periode was ze samen met kanunnik Verhaert weer naar buiten gekomen. Nu stonden die twee voor de huisdeur van Dodoens te wachten. Ze stonden daar maar, met hun gezichten naar de deur. Toch belden ze niet aan. Vreemd.

Ze hoefden niet lang te wachten bij de voordeur van het huis van Dodoens.

Tilly zag groen van afschuw.

'Wat is er?' vroeg de kanunnik bezorgd.

De jonge vrouw kon geen woord uitbrengen, met trillende vinger wees ze naar het einde van de gang.

Ze drongen zich langs haar heen de woning in.

'Mijn God', riep de kanunnik toen hij de keuken binnenkwam.

Hij hield een slip van zijn pelerine voor zijn neus voor de stank.

Grootjuffrouw Amandine zag dat het nog erger geworden was met de vliegen. Door hun binnenkomen gestoord vlogen ze op, waardoor de kamer gevuld werd met gezoem.

'Waar komt die stank vandaan?'

De kanunnik gruwde. Hij wilde maar dat hij niet op het verzoek van de grootjuffrouw was ingegaan, dan was hem dit bespaard gebleven.

De grootjuffrouw wees naar de kelderdeur die wijd openstond.

'Licht... we moeten een kaars hebben. Tilly?'

Tilly, die nog in de gang stond, kwam schoorvoetend binnen en stak met bevende handen een kaars aan.

'Jij gaat eerst', zei de kanunnik tegen de jonge vrouw.

'Ik ga wel eerst', zei de grootjuffrouw vlug.

Daar was Tilly niet rouwig om. Er lag iets wat erg dood was in de kelder en daar wilde ze niets mee te maken hebben.

'Leg jij buiten het kelderluik open.'

Grootjuffrouw Amandine haalde diep adem en terwijl Tilly zich naar buiten haastte, zette ze haar eerste stappen op de keldertrap.

Ze voelde de kanunnik achter haar aan komen, moeizaam, zwaar ademhalend alsof hij een berg afdaalde na een loodzware klim.

Knarsend draaide het kelderluik open. Er drong nu een beetje daglicht naar binnen. Samen met het licht van de kaars was het genoeg om het verschrikkelijke beeld dat zich voor hen ontvouwde, voor eeuwig in hun geheugen te branden.

Grootjuffrouw Amandine had al vermoed dat Maria hier lag, maar ze had moeite om het vrolijke meisje te herkennen in de verwrongen gestalte op de keldervloer.

Ze lag op haar rug, één been opgetrokken, het achterhoofd vastgekoekt in een donkerbruine massa. Het zachte vlees van wangen en dijen was aangevreten door ratten. Ze hoorde het ongedierte, dat weggevlucht was bij hun binnenkomst, ritselen tussen de rommel wat dieper in de kelder.

Er had een brandje gewoed. Samen met de geur van ontbinding vormde de stank van roet een mengsel dat deed kokhalzen. Amandine probeerde haar opstandige maag in bedwang te houden.

Kanunnik Verhaert, die nog halverwege de trap stond, keek met zijn bijziende ogen recht in de tapijtrol die scheefgezakt en zwartgeblakerd tegen een wijnvat hing.

Hij maakte een verschrikt geluid en wees: 'Wat is dat?'

Eerst dacht hij dat het een reusachtige spin was. Zo'n groot exemplaar had hij nog nooit gezien. Het leek alsof het dier van tussen het tapijt kwam gekropen en klaar zat om de grootjuffrouw te bespringen.

De grootjuffrouw stond als versteend naar de spin te kijken, haar ogen vol afschuw en ongeloof. Ze maakte een angstig, piepend geluidje, waardoor de kanunnik eraan werd herinnerd dat hij de man was en de grootjuffrouw moest verdedigen als die spin...

Maar de kanunnik twijfelde. Zulke grote spinnen bestonden niet. Wat was dat ding dan? Hij wilde maar dat zijn ogen nog jong waren en zijn gezichtsvermogen scherp. Nu zat er maar één ding op...

Hij vermande zich, daalde verder de trap af en liep recht op het zwarte, knokige ding af, dat van een spin veranderde in de beenderen van een hand. De hand zat vast aan een arm waaraan nog flarden vlees hingen.

Terwijl hij naderbij liep, botste zijn voet ergens tegenaan. Het was een schedel die een paar keer omrolde en tegen het lijk van Maria tot stilstand kwam, in de hoek tussen haar ene opgetrokken blote dij en haar heup.

De ogen van de kanunnik werden onweerstaanbaar aangetrokken door het toefje schaamhaar dat van onder de rand van het korte, dunne jurkje kwam piepen. Het jurkje was ooit stralend wit geweest, maar het zat nu onder de vlekken.

Zowel de kanunnik als de grootjuffrouw konden geen woord uitbrengen. Ze stonden daar maar, overweldigd door afschuw en ongeloof.

Een kreet sneed door de stilte. De nieuwsgierigheid had het gewonnen van de afschuw en Tilly stond kokhalzend op de trap.

Ze begon hysterisch te lachen.

'Zijn kleine engel! Zijn eigen kleine engel! Daar ligt ze nu!'

De hysterie van Tilly bracht de twee anderen tot het besef dat er gehandeld moest worden.

De grootjuffrouw schoot de trap op en hielp Tilly, die nu luid snikte, de keuken in. Ze zette haar neer op een bank en praatte op haar in tot de jonge vrouw bedaarde.

'Wat bedoelde je met zijn kleine engel?' vroeg ze even later.

Tilly begon weer onbedaarlijk te snikken.

'Zo noemde hij haar: zijn kleine engel. Maar ze was ook de appel van het Kwade. Het ene moment een engel, het andere het Kwade. Maria vond dat grappig. Wij... wij lachten er samen om.'

'Een appel?' vroeg Amandine verbaasd.

Ze kende de appel van goed en kwaad uit het Bijbelverhaal. Die appel had Adam en Eva niet veel goeds gebracht.

'En wat doe je met een appel? Erin bijten? Helemaal opeten?'

Kanunnik Verhaert hoorde de stem van de jonge vrouw, die nu hard en woedend klonk. Hij hoorde haar praten over de kleine engel en de appel van het Kwade en hij hoorde in zijn herinnering Dodoens biechten.

De conclusies die zich opdrongen, vervulden hem zo mogelijk met nog meer afschuw dan het afgrijselijke toneel aan zijn voeten. Was Dodoens verdwenen omdat hij te ver was gegaan met Maria? Was hij haar achterna gegaan in de kelder en had hij zich aan haar willen opdringen? Was ze ongelukkig gevallen of had hij haar geslagen? De stille getuigen in de kelder konden het hem niet vertellen.

Hij legde de tapijtrol neer en wikkelde hem open. Het halfvergane skelet van een tengere gestalte lag daar als een aanklacht voor hem. Rond de knoken hingen nog flarden van een dunne, witte stof van wat eens een kort jurkje was geweest.

Een gevoel van schuld borrelde in hem op. Had hij het biechtgeheim maar niet zo ernstig genomen en met de decaan over Dodoens gepraat, dan had die maatregelen kunnen nemen.

Voor het eerste meisje was het te laat geweest, maar Maria had hij kunnen redden. Het eerste meisje... ze was toch wel het eerste? Wie weet hoe lang was Dodoens al met die praktijken bezig?

Verhaert liet zijn blikken over de rommel glijden die in de kelder was opgestapeld. Hij hoopte maar dat ze niet nog meer griezelige verrassingen zouden vinden als ze de boel onderzochten.

Een ijskoude hand sloot zich om zijn hart. Dodoens was niet meer of niet minder dan een moordenaar die nu op de vlucht was. Wat een schande voor het kanunnikenkapittel. Hij moest de decaan erbij halen. Meteen!

Terwijl de kanunnik naar boven stommelde, hoorde hij Tilly uitroepen: 'Hij pakte ze! Daar, nu weet u het! Hij pakte ze! Niet meteen, maar daar draaide het op de duur op uit! Hij pakte ze op z'n hondjes!'

'Tilly!'

Kanunnik Verhaert stond in de opening van de kelderdeur en beet haar toe dat ze moest zwijgen. Dat hij niet wilde dat ze nog ooit zulke woorden gebruikte!

'Ik wil geen huishoudster die onfatsoenlijke woorden gebruikt of onfatsoenlijke gedachten heeft. Wil je dat ik je ontsla?'

'Het spijt me, eerwaarde. Het spijt me zo', stamelde Tilly verschrikt.

Stel je voor dat ze hierdoor haar werk kwijtspeelde. Waar moest ze dan naartoe?

'Ik begrijp wel dat je van streek bent', zei de kanunnik zachter. 'Maar nu moet je er niet meer over praten. Je moet het nu aan mij en de decaan overlaten om alles te regelen. Je moet alles vergeten, anders word je er ziek van en kun je je werk niet goed meer doen. Beloof je dat?'

Tilly knikte.

'Ik wil het horen.'

'Ik zal er met niemand over praten.'

'En er zelfs niet meer over nadenken!'

'Dat zou maar tijdverspilling zijn. Ik begrijp het toch niet', zei Tilly.

'Goed, Tilly, ga nu maar weer aan het werk.'

De jonge vrouw holde bijna de keuken uit.

Grootjuffrouw Amandine keek haar peinzend na. Ze begreep wat er was gebeurd: Tilly was handig het zwijgen opgelegd. Ze wachtte af of nu hetzelfde met haar zou gebeuren. Lang hoefde ze niet te wachten.

De stem van de kanunnik klonk stijf, afstandelijk.

'Ik verzoek u de woning te verlaten, grootjuffrouw. Ik zal het nodige doen om het hier op te lossen.'

'Zoals u wenst, eerwaarde. Zal ik de baljuw voor u waarschuwen?'

'Dit valt onder het kerkelijk recht, grootjuffrouw. Bedankt voor het vriendelijke aanbod, maar het is niet nodig.'

'Goed, dan ga ik maar.'

'Ik ben er zeker van dat de decaan rekent op uw discretie.'

'Daar ben ik ook zeker van,' zei de grootjuffrouw, 'ik zal eens bekijken wat ik op dat punt voor hem kan doen. Goedendag, eerwaarde.'

Grootjuffrouw Amandine liep door de gang naar buiten, de kanunnik met een onzeker gevoel achterlatend. Wat bedoelde ze met 'ik zal eens bekijken wat ik op dat punt voor hem kan doen'? Ging ze nu haar mond houden of niet?

Buiten botste Amandine tegen kanunnik Calcoen aan. De man stond nadenkend naar de voordeur te staren.

'Vertel mij eens, grootjuffrouw, wat gebeurt er daarbinnen?'

'Het is niet aan mij daar iets over te vertellen, eerwaarde', zei de grootjuffrouw.

Ze haastte zich weg. Zijn blik brandde in haar rug.

51

Tweemaal neergeslagen worden in nog geen week tijd, het was niet goed voor het zelfvertrouwen, laat staan voor het arme lichaam dat het allemaal te verduren kreeg.

Lesage deed er schamper over: het overkwam alleen mensen die zich met anderen bemoeiden. Het resultaat was een bloederig gat in zijn achterhoofd. Het was onrechtvaardig. Hij was écht niet van plan geweest zich nog met haar in te laten, maar het leek wel alsof hij door haar aangezogen werd.

Kon hij het helpen dat hij alleen maar aan háár dacht? Zoals nu. Het enige wat hij kon denken, was: waar is ze? Wáár is ze? Wát heeft hij met haar gedaan?

Hij knipperde met zijn ogen, omdat hij alles dubbel zag. Bovendien leek zijn omgeving op en neer te dansen, ook de koude, blauwzwarte plavuizen waarop hij zat te wachten tot hij zich in staat voelde op te staan.

Het beterde langzaam en toen zijn omgeving tot rust kwam, werkte hij zich steunend tegen de muur overeind.

Die inspanning leverde hem barstende hoofdpijn op. Toen hij ook nog naar de deur strompelde in plaats van braaf te blijven staan, leek het alsof zijn hoofd elk ogenblik open kon splijten als een overrijpe mispel.

De deur zat potdicht. Iemand had de sleutel omgedraaid. Tweemaal raden wie. Hij bonsde op het zware hout en schreeuwde, hoewel elke beweging en elke ademtocht een pijnscheut door zijn lichaam joeg.

Hij was al aan het denken dat hij een andere oplossing moest zoeken, toen de sleutel knarsend in het slot werd omgedraaid.

De deur werd op een voorzichtige kier geopend.

Er verscheen een oog.

'Is daar iemand?' zei een angstige stem.

Lesage herkende de stem.

'Juffrouw Theresa?'

Nu werd de deur helemaal opengetrokken. Jufrouw Theresa keek hem verbaasd aan.

'Bent u echt?' vroeg ze.

Haar twijfel over of wat ze gezien had écht was of een waanbeeld had haar niet losgelaten. Ze moest het weten! Ze had haar makkelijke stoel in de steek gelaten en was met een bang hart de kerk in gelopen. Als Catharina er nog zat, was zij werkelijk bezig gek te worden.

Maar Catharina was verdwenen. Hoe ze ook met haar ogen knipperde, de jonge begijn blééf verdwenen.

Toen had ze het gebons gehoord. Het klonk onheilspellend. Het duurde even voor ze genoeg moed had verzameld en tot bij de deur van de sacristie durfde te gaan.

Theresa keek nieuwsgierig naar de man die wankelend in de deuropening stond. Er zat bloed op zijn achterhoofd en kleren.

Ze sperde haar ogen wijd open.

'Wat doet u hier? Weet u dat Catharina weg is?'

Maar Lesage had geen tijd voor uitleg.

'Catharina is meegenomen door haar zwager, zeg dat tegen de grootjuffrouw', beet hij haar toe.

Nu hij in actie kon komen, vergat hij zijn pijn. Hij beende de kerk uit en zocht zijn paard op. Spoorslags reed hij het begijnhof uit.

Theresa was hem achterna geheld en keek hem op de trappen van de kerk na.

Ze wist het nu zeker: ze beeldde zich niets in. Het was allemaal écht. Die gewonde man die ze uit de sacristie had verlost en Catharina die verdwenen was... Dat was allemaal werkelijkheid.

Ze had zich daarstraks niets verbeeld, toen ze Catharina in de armen van een man het begijnhof af had zien rijden. Meegenomen door haar zwager?

Catharina had niet om hulp geschreeuwd toen ze haar zag. Dat had ze toch makkelijk kunnen doen? Maar nee, ze had geen teken gegeven dat ze hulp nodig had. Dat was het bewijs dat Catharina vrijwillig met de man was meegereden.

Ze snoof minachtend. Ze had het altijd wel geweten: juffrouw Catharina was lichtzinnig. Geen vrouw om begijn te zijn.

Gesterkt door het besef dat er niets meer aan haar verstand mankeerde, liep ze recht naar de woning van de grootjuffrouw. Ze zou daar haar beklag gaan doen!

De grootjuffrouw was echter niet aanwezig en de oude Clara wilde haar niet binnenlaten om te wachten.

Juffrouw Theresa keerde mopperend naar haar huisje terug.

52

Zijn gewicht drukte haar tegen de hals van het paard aan, haar hoofd rustte tegen de borstelige manen. Hij lag gebogen over haar heen in een poging één met het paard te worden, waardoor het dier nog aan snelheid zou kunnen winnen.

Ze voelde zijn adem in haar nek, hortend en stotend alsof hij zelf de krachtinspanning van het dier moest leveren. Nu en dan slaakte hij een kreet en tikte hij tegen de flank van het paard om het nog op te zwepen. Het dier galoppeerde niet, het vloog, het schuim op de lippen.

Die snelheid hielden ze al aan sinds ze de stad uit waren. Balthazar stuurde het paard niet over de weg, maar door het open veld dat hij kende als zijn broekzak.

De dolk had in haar rug gepord tot ze de stadspoort achter zich lieten. Het had haar belet om hulp te roepen toen het nog kon.

Balthazar klakte met zijn tong, zijn armspieren spanden zich. Catharina voelde hoe het paard zich verhief en in een langgerekte beweging over een hindernis sprong, een beek of een hek. Ze sloot de ogen, ongeïnteresseerd.

Catharina was niet meer bang. Vreemd was dat. Het leek wel of er een grens was aan angst. Als je eroverheen ging, werd je gevoelloos. Ze liet alles maar gebeuren, zolang ze op het paard zat, was ze veilig. Dat was het enige wat ze nog besefte.

Er kwam een einde aan dat valse gevoel van veiligheid. Toen de paardenhoeven over hout daverden, wist ze dat ze de hoeve hadden bereikt. Ze werd van de rug van het paard getild.

Balthazar leek haar te ondersteunen, alleen zij voelde zijn ijzeren greep, onnodig hard met de bedoeling haar pijn te doen. Haar gezicht vertrok. Ze kreunde.

'Mevrouw, mijn schoonzuster, is ziek', zei Balthazar kort-af tegen een paar stalknechten die toe kwamen gesneld. 'Ik breng haar naar binnen. Zorg voor het paard.'

Het dier dampte, vlokken schuim bedekten zijn hoofd, hals en borst. Het werd de stal in gevoerd waar het gewassen en geroskamd zou worden, gevoed en gedrenkt. Vertroeteld.

Catharina wilde dat ze een paard was, dan zou ze niet hardhandig door een schijnheilig glimlachende Balthazar, die geruststellend naar de kokkin en de dienstmeisjes knikte, naar het binnenste van de hoeve worden gebracht, naar de werkkamer van wijlen vader Overbroeke.

'Catharina! Wat is er met haar?' riep de kokkin hem na.

'Moe van de reis.'

'Ik zal iets te eten en te drinken brengen.'

Ze begon al te redderen, liep naar de voorraadkast.

'Nu niet. Ik bel wel als ze eraan toe is. Nu moet ze met rust gelaten worden.'

Dat laatste klonk te kortaf, een breuk in het masker. De kokkin ervoer het als een saus die van het ene moment op het andere schift. Het ene ogenblik geloof je dat het een prachtige saus wordt, het andere ogenblik weet je dat hij alleen maar goed is om weg te gieten. Hij loog.

'Catharina?'

Ze liep hen verontrust achterna, maar er was al niemand meer te zien. Ze hoorde de deur van de werkkamer sluiten, de grendel erop schuiven.

Een ijskoude hand klemde zich rond haar hart.

Ze hijgde toen ze weer in de keuken kwam. Het dienstmeisje snelde op haar toe, dwong haar te gaan zitten.

'Wat is er?'

De kokkin sloot de ogen. Het enige wat ze kon denken, was dat hij niets goeds van plan was en dat ze iets moest doen. Ze kon alleen niet zo gauw bedenken wat dan wel.

De oude vrouw knikkebolde. Door de plotse beweging van haar hoofd schrok ze wakker. Ze vermande zich. Ze had nooit overdag geslapen. Ze ging daar nu ook niet mee beginnen. Een kussentje in haar rug, armleuningen aan haar stoel, dat waren allemaal kleine toegevingen die ze aan de ouderdom had gedaan, maar daar liet ze het bij. Ze had zichzelf nooit verwend. Waarom zou ze dat dan nu wel doen?

Ze rechtte haar rug en nam het borduurwerkje op dat op haar schoot lag. Haar ogen waren niet zo best meer en daardoor de steekjes ook niet meer zo fijn. Dat laatste wist ze wel, maar ze dacht dat het er nog wel mee door kon. De waarheid was dat het nergens meer op leek. De dienstmeisjes maakten er grappen over, lachten dat de borduurlappen van de meesteres alleen goed waren als schoteldoeken.

Er werd op de kamerdeur geklopt. De kokkin schuifelde de kamer in, nerveus pulkend aan haar schort.

'Wat is er?'

Het was hoogst ongewoon dat de kokkin op dit ogenblik van de dag haar keuken verliet.

'Catharina, mevrouw.'

'Ik wil die naam niet meer horen.'

De ogen van weduwe Overbroeke spuwden vuur.

'Ze is hier.'

'Hoe durft ze? Zeg haar onmiddellijk te vertrekken. Ik wil haar niet ontvangen.'

'Ik denk dat ze dat niet kan, mevrouw. Vertrekken, bedoel ik. Meneer Balthazar... hij... ze is bij hem in de werkkamer van wijlen meneer.'

'De brutaliteit. Zich tot hem richten, omdat ze wéét dat ik haar niet meer wil zien!'

'Meneer Balthazar heeft haar hierheen gebracht. Op zijn paard.'

'Onmogelijk!'

De woedende uitvallen van de meesteres waren legendarisch op de hoeve. Het gebeurde zelden, maar als het gebeurde, kon je beter niet bij haar in de buurt zijn. De kokkin herkende de gloed in de ogen van de oude vrouw, deinsde onbewust terug naar de deur, maar haar bekommerdheid om Catharina won het van haar vrees.

'Ik heb de grendel op de deur horen schuiven. Ik geloof niet dat Catharina... ik denk veeleer dat meneer de grendel...'

Ze durfde haar zin niet af te maken, wachtte angstig af, maar de uitbarsting kwam niet. Ze werd er overmoedig van.

'Zal ik aankloppen en vragen of hij de deur openmaakt?'

'Neen', snauwde de oude vrouw. 'Ik regel het wel. Ga nu maar. Wie weet wat er allemaal op het fornuis aan staat te branden? Wat doe je hier nog?'

'Ja, mevrouw.'

De kokkin ging achterwaarts de kamer uit. De oude vrouw hield zich sterk tot de deur dichtviel, toen ontsnapte haar een schorre kreet. Ze zakte als een pudding in elkaar, het gezicht vertrokken van woede, maar ook van vrees.

Zo bleef ze even zitten. Toen stond ze op en ging ze naar de deur, schuifelend zoals een zeer oude vrouw dat doet. Het leek wel alsof ze de laatste minuut tien jaar ouder was geworden.

Ze ging de gang in, sloeg een hoek om en bleef staan voor

de glanzend gewreven deur van de werkkamer. Langzaam duwde ze de klink naar beneden, maar de deur gaf niet mee.

Ze legde haar oor tegen het hout. Aan haar gehoor mankeerde nog niets. Ze kon het meeste verstaan, gedempt dat wel, maar wat ze verstond, vervulde haar met weerzin. Zelfs de meest liefhebbende moeder denkt over haar zoon met afschuw als ze hem, terwijl hij een vrouw verkracht, hoort opscheppen dat hij een man de hals heeft gebroken.

Ze bonsde met beide handen op de deur.

'Doe open! Ik wil dat je onmiddellijk de deur opent!'

53

Balthazar gromde van genot toen zijn zaad in haar spoot. Ze verzette zich allang niet meer. Dat maakte zijn voldoening nog groter. Ze wist nu wie er de baas was.

Haar melkwitte borsten vertoonden rode striemen en tandafdrukken waar hij haar geknepen en gebeten had. Haar lippen bloedden, omdat zijn gulzige mond hardhandig de hare open had gebroken.

Ze lag op de schrijftafel, waar hij haar had neergegooid, haar kleren aan flarden had gescheurd, haar benen open had gewrikt en zijn geslacht bij haar naar binnen had geramd.

Hij trok zich uit haar terug, maakte zijn kledij in orde, terwijl het bonzen op de deur eindelijk tot hem doordrong. Met een nonchalant armgebaar alsof hij rommel van tafel veegde, schoof hij haar van het tafelblad.

Ze viel op de vloer, bleef er kreunend liggen.

'Sta op, hoer, en maak je kleding in orde. Of wil je dat mijn moeder je zo ziet?'

Hij schopte haar overeind. Wankelend stond ze op haar benen; ze trok de flarden van het koorhemd over haar boezem. Hij gooide haar mantel om haar heen.

'Glimlach tegen mevrouw je schoonmoeder.'

Balthazar schoof de grendel weg en opende de deur.

Zijn moeder keek hem kil aan.

'Moeder?'

Haar ogen gleden over Catharina.

'Ga weg. Onmiddellijk.'

Catharina schuifelde de kamer uit. Ze moest zich vast-houden aan de muur, wilde ze niet door haar benen zakken.

'Je mag een knecht vragen je naar het begijnhof te voe-ren.'

Pas toen Catharina het einde van de lange gang had be-reikt, ging de oude vrouw de werkkamer in. Ze sloot de deur en zette zich in de armstoel achter de tafel. Ze keek haar zoon koud aan.

'Je pakt het meest noodzakelijke in, zadelt een paard en verlaat de hoeve. Ik wil je hier nooit meer zien.'

'Ik ga nergens naartoe. Ik ben je zoon. Mijn plaats is hier!'

'Ik heb geen zoon meer.'

Woede welde bij hem op. Het oude mens had niet het recht hem weg te sturen; wat kon een zwakke, oude vrouw doen als hij niet ging?

'Als je niet vertrekt, zorg ik er eigenhandig voor dat de baljuw te weten komt dat jij een man op het begijnhof hebt vermoord. Ik heb er je daarnet over horen opschep-pen. Catharina zal het ongetwijfeld bevestigen. Ik zal geen traan om je laten als je aan de galg bungelt.'

Hij deed een woedende stap in haar richting, hief zijn arm op om haar een slag te geven.

'Moedermoord. Is dat wat je nu van plan bent? Wil je echt branden in de hel? En hoe denk je dat stil te houden? Er hoeft slechts een van de bedienden te praten en je hangt.'

Vloekend liet hij de arm zakken.

'Goed, ik vertrek. Niet omdat jij het zegt, maar omdat ik het zelf wil. Het wordt tijd dat ik een beetje van de wereld zie, maar ik kom terug en dan neem ik dat wat mij als zoon toekomt.'

Hij draaide zich om en beende de kamer uit.

De oude vrouw huilde geluidloos.

Niet lang nadat Balthazar vertrokken was, de zadeltassen volgepropt met zijn bezittingen, zijn geldbeurs zwaar want hij had alle geld dat hij had kunnen vinden meegenomen, reed een andere ruiter het erf op.

Omdat Balthazar richting Antwerpen was gereden – hij wilde beginnen met zijn 'overleden' broer een bezoek te brengen – had Lesage, die van Lier kwam, hem niet ontmoet. Dat was maar goed ook, want het was ongetwijfeld op een vechtpartij uitgedraaid.

Lesage was door het dolle heen van ongerustheid. Hij nam niet eens de tijd om zijn paard vast te maken. Zonder aan te kloppen, drong hij de hoeve binnen.

'Hé, wat krijgen we nu?'

De kokkin hief dreigend een braadpan op naar de woesteling. Het dienstmeisje dat aan het braadspit bezig was een lamsbout te bedruipen, gilde het uit.

'Waar is ze? Catharina! Waar is ze? Wat heeft hij met haar gedaan?'

'Weg! Ze is weg!' schreeuwde de kokkin.

Ze zette dreigend enkele passen vooruit, de braadpan in de aanslag.

'Waar is ze naartoe?'

'Wie bent u dat ik dat aan uw neus zou hangen?'

'Godfried Lesage. Ik ben een mombeer van het begijnhof. Geloof me, ik heb het goed met haar voor.'

De kokkin liet de braadpan zakken. Er was iets aan hem waardoor ze hem geloofde.

'Een knecht voert haar naar het begijnhof.'

'Dat kan niet. Dan had ik haar moeten zien!'

'Ook als ze achter op de kar ligt, toegedekt met een deken?'

Lesage groef in zijn herinnering. Hij was verschillende karren gepasseerd, geen enkele had zijn aandacht getrokken, maar hij was dan ook vervuld geweest van die ene gedachte, dat hij snel moest zijn wilde hij haar redden.

Ze had dus best op een van die karren kunnen liggen. Het bewees wel dat het niet goed met haar ging. Ze zou toch niet...?

'Is ze... ze leeft toch nog?'

'Ja', zei de kokkin. 'Ze leeft.'

'Waar is Balthazar?'

'Vertrokken. Mevrouw heeft hem bevolen de hoeve te verlaten.'

Hij kon nog niet ver weg zijn. Lesage moest vechten tegen de drang om hem rekenschap te gaan vragen. Als hij wilde, haalde hij hem nog in.

Zijn bezorgdheid om Catharina won het. Ooit zou hij Balthazar de rekening presenteren, maar niet nu.

Veel kalmer en beleefder dan hij gekomen was, nam hij afscheid.

54

Een boerenkar bolderde door de hoofdstraat van het hof.

'Oh!'

De voerder trok de teugel aan en het paard hield in. Hij sprong van de bok en liep naar achter. Op wat strooisel lag een deken met daaronder een gestalte waarvan alleen enkele rode haarslierten zichtbaar waren.

De begijnen werden erdoor aangetrokken als vliegen naar een restje zoet bier.

Toen de knecht de deken wegtrok, werden er helpende handen uitgestoken, bijna te veel handen.

Ze ondersteunden Catharina, droegen haar het huis in, hielpen haar in bed, dekten haar toe, voelden aan haar voorhoofd. Er parelden zweetdruppels op.

'Ze gloeit.'

'Van de koorts.'

'Heeft ze koorts?'

Catharina ademde vlug als een vogeltje. Soms kreeg ze een hoestbui en dan moesten ze haar rechtop zetten.

'Ik heb nog zo gezegd dat het beter was dat ze zich eerst omkleedde voor ze naar de kerk ging.'

'Ik heb dat ook gezegd.'

'Ik ook.'

'Jij?'

Ze wisten allemaal dat niemand iets ten voordele van Catharina had gezegd.

'Ik heb het wel gedácht. Eerlijk waar.'

Ja, ze hadden allemaal gedacht dat het beter was dat Catharina zich eerst omkleedde vooraleer ze haar boetedoening afwerkte. Met natte kleren rondlopen was niet alleen onbehaaglijk, zeker in deze kille herfstdagen, maar je werd er ook ziek van. En kijk, hadden ze geen gelijk gekregen?

'Het was de beslissing van de grootjuffrouw.'

'Ja, het was haar beslissing.'

Het collectieve schuldgevoel was gesust, nu een zondebok voor de ziekte van Catharina naar voor was geschoven. Over het andere dat haar overkomen was, werd merkwaardig weinig gezegd.

Catharina had hen niets verteld, maar ze hadden de verwondingen op haar borsten wel gezien en haar weinige kleding die aan flarden was gescheurd. En had Theresa het niet over de man die Catharina weg had gevoerd?

Theresa had zich na haar eerste schrik om erover te praten, laten gaan en had alles heel plastisch beschreven. Volgens haar had Catharina gesparteld en geschreeuwd om hulp, maar de man was zo groot en sterk en wild, een beest!

De begijnen kenden Theresa. Ze namen haar verhaal voor wat het waard was, maar het maakte het plaatje wel rond. Ze begrepen allemaal wat er met Catharina was gebeurd, ze voelden allemaal haar pijn in hun eigen lichaam. Haar schaamte werd hun schaamte. Het was niet nodig erover te praten.

Ze vroegen zich liever af of ze misschien een sterke bouillon voor de zieke zouden koken. Of ze beter nog een kussen onder haar hoofd staken. En kon er iemand het vuur opporren, want kijk, Catharina rilde.

Catharina onderging het allemaal willoos. Het gepraat van de begijnen vloeide ineen tot gezoem. Wat later hoorde ze zelfs dat niet meer. Ze zonk weg in een onrustige slaap.

Ze merkte niet dat Lesage eiste haar te mogen zien, maar door een muur van begijnen werd afgescheept.

Ze merkte het ook niet dat de grootjuffrouw erbij kwam en iedereen wegzond, waarna ze naast het bed bleef zitten, geduldig wachtend tot Catharina wakker zou worden.

Water. Ze droomde van water. Catharina droomde dat het gek was over water te dromen. Ze moest erom lachen.

Het zat rondom haar, ook boven haar en beneden haar en het voelde zijig aan. Niet bedreigend of zo, zelfs niet nat. Belachelijk, water hoorde nat te zijn. Het voelde aan alsof een vriend haar in de armen hield en beschermde tegen Balthazar, die haar wilde pakken.

Hij stak begerig zijn handen naar haar uit, want hij zag haar zitten in dat doorschijnende water en hij dacht dat haar grijpen spotgemakkelijk was. Hij grijnsde vals, maar ze had geen schijntje angst, want ze wist wat er ging gebeuren en ja... Zijn handen botsten tegen het water aan dat als een metersdikke muur onverwacht stevig en ondoordringbaar was.

Hij slaakte een kreet en wreef zijn pijnlijke vuisten. Hij vloekte en noemde het water Lesage.

Catharina vond het amusant dat Balthazar niet eens meer de naam van water wist. Ze lachte hem uit.

'Je kunt me niets meer doen.'

Het water rimpelde, vaagde hem weg. Ze voelde zich van hem bevrijd, onaantastbaar, vrij.

Genietend wentelde ze zich in het water dat, nu het bewoog, alle kleuren van de regenboog kreeg. Azuurblauw, zongeel, karmozijn, indigo, noem maar op. Ze waren er allemaal.

Ze kon hen intenser maken of ijler, naar believen. Als ze steeg, werden ze lichter, als ze zich liet zakken, werden ze donkerder, voller, tot ze allemaal één werden in het donkerste zwart op de bodem van de put.

Daar bleef ze niet lang omdat ze nog iets moest doen, iets belangrijks. Alleen kon ze zich niet herinneren wat.

'Weet jij wat, Godfried?' vroeg ze.

Nu sprak ze het water ook al met zijn naam aan. Ze liet zichzelf helemaal tot aan de oppervlakte schieten. Haar hoofd dobberde op het water alsof het een eigen leven leidde, alsof het niet meer aan haar lichaam vastzat.

Een eindje van haar vandaan dreef er iets. Het leek wel een hand die naar haar zwaaide.

Catharina voelde dat ze kon bewegen als een vis, in het water dat nu stroomde als een rivier. Ze schoot voorwaarts, waardoor haar hoofd weer op haar hals terechtkwam tot bij de hand die aan een bundel vastzat.

Ze nam de bundel in de armen, stak hem boven het water uit en keek. Het was de heilige Maagd die haar vriendelijk aankeek terwijl het water van haar af stroomde in beekjes.

'Het Kindje wordt nat', zei de Maagd. 'Daar wordt het ziek van.'

'Het heeft koorts en het hoest', zei Catharina. 'Hoor maar!'

Het Kindje hoestte blaffend.

Plotseling werd het heel belangrijk dat ze uit het water ontsnapte, omdat het Kind ziek was.

'Laat me gaan, Godfried', zei ze tegen het water.

Dat was eerst onwillig, maar toen ze het herhaalde, een beetje luider, liet het water haar gaan. Ze spoelde op de oever aan tussen het riet met de Maagd en het Kindje in haar armen.

'Kom, ik zorg voor je', zei ze.

'Dank je', zei de Maagd.

De grootjuffrouw ontwaakte. Ze zat nog steeds in de armstoel naast het bed van Catharina. Ze voelde zich geradbraakt. Door het raam zag ze dat het al licht was. Ze had langer geslapen dan ze had gewild en ze in die armstoel voor mogelijk had gehouden.

Aan de buitengeluiden te horen waren de poorten al geopend en was zelfs de ochtendmis al voorbij.

Catharina sliep rustig. De koortsblos op haar wangen was verdwenen. Haar ademhaling ging regelmatiger. De koorts was gedaald.

De grootjuffrouw herinnerde zich hoe Catharina had liggen woelen en ijlen. Ze had haar de naam Lesage verschillende keren horen noemen.

Ze verliet de kamer om aan een dringende lichamelijke behoefte te voldoen en toen ze terugkeerde, staarde Catharina haar aan.

'Ik heb mijn straf niet vol gemaakt', zei ze.

Haar stem klonk nog zwak.

'Het is genoeg geweest, Catharina.'

'Ik zal de mij opgelegde boete afwerken. Als ik mij beter voel. Misschien morgen.'

'Stil nu maar. Ik scheld je de rest kwijt.'

De gebeurtenissen van de laatste dagen hadden sporen achtergelaten op het gelaat van Catharina. Er zaten donkere wallen onder haar ogen. Haar huid was grauw. Haar haren hadden niet meer de kleur van glanzend koper, maar van verdord stro.

Grootjuffrouw Amandine voelde zich schuldig, omdat ze een van haar begijnen niet had kunnen beschermen tegen de vijandige buitenwereld. Om het goed te maken, omringde ze de zieke met haar zorgen, liet haar drinken, schudde de hoofdkussens op, zei dat Catharina niets meer te vrezen had. Die zwager van haar was met de noorderzon vertrokken, weggestuurd door zijn eigen moeder. Ze kon dus rustig slapen. Alles was in orde.

'Ik moet nu weg. Zal het even gaan alleen? Ik zal iemand naar je toe zenden.'

'Magdalena...'

'Natuurlijk', zei de grootjuffrouw.

Waarom had ze niet aan de gasthuiszuster gedacht? Ze zou onmiddellijk iemand naar het gasthuis sturen om haar te halen.

'Dank je', zei Catharina.

De grootjuffrouw liep bij Barbara aan en zond haar weg om Magdalena te halen. Daarna haastte ze zich naar haar woning, verzonken in gedachten. Ze vroeg zichzelf af of wat ze tegen Catharina had gezegd de waarheid was: was nu werkelijk alles in orde?

Catharina staarde naar de zoldering en was in gedachten bij de droom die ze zich zo gedetailleerd herinnerde dat het leek alsof hij echt was gebeurd.

55

'Ik ben zo blij dat u er bent', zei Clara, die haar binnenliet.

De oude begijn wrong zenuwachtig haar handen.

'Ik hoop dat ik het goed heb gedaan.'

'Wat heb je goed gedaan, Clara?'

'De decaan zit al een poos op u te wachten in uw schrijf-kamer.'

Grootjuffrouw Amandine schrok. Ze dacht aan het groot-boek, waarvoor ze nog geen tijd had gehad om het goed te verbergen. Ze had het gewoon in een la van haar schrijftafel gelegd. Ze dacht aan de natte bundel kleren onder de kast. Als de decaan maar niet had rondgesnuffeld.

'Ik heb hem zo goed mogelijk gezelschap gehouden.'

Clara werd steeds maar zenuwachtiger omdat de groot-juffrouw zweeg en zo raar keek. Had ze het dan toch ver-keerd gedaan? Was ze haar bevoegdheid te buiten gegaan? Had ze onbeleefd gehandeld?

'Het spijt me, grootjuffrouw.'

Het huilen stond haar nader dan het lachen.

'Stil maar, Clara. Je hebt het uitstekend gedaan', zei de grootjuffrouw, die nu toch oog had voor de toestand van het oude begijntje. 'Laat ons nu maar alleen.'

Opgelucht, want als Clara de decaan gezelschap had ge-houden, zou hij het niet gewaagd hebben rond te snuffe-len, haastte ze zich haar schrijfkamer in.

'Wees welkom, hoogeerwaarde. Het spijt me dat ik niet aanwezig was om u te ontvangen. Maar allerlei taken op het hof eisten mijn aanwezigheid.'

'Ik kom onverwacht. U hoeft zich niet te verontschuldigen', zei de decaan zoetsappig.

Hij zat breeduit in de bezoekersstoel. Ze zette zich aan de andere kant van de schrijftafel. Haar blik gleed even over de lade die over de volledige breedte van de tafel doorliep. De lade zat dicht zoals het hoorde.

Ze keek ook even naar de kast waaronder de bundel kleren verborgen lag. Er was niets van te zien, zelfs geen spoortje vochtigheid. Ze was bang geweest dat er water van onder de kast was gelopen. Dat zou misschien zijn nieuwsgierigheid hebben gewekt. Het was er droog.

Gerustgesteld kon ze nu al haar aandacht aan haar bezoeker wijden.

'Ik denk dat ik maar meteen ter zake kom. Ik heb ook nog een heleboel verplichtingen', begon de decaan. 'Wat betreft hetgeen we in de kelder van kanunnik Dodoens aangetroffen hebben...'

'De lijken van twee meisjes.'

Vier, dacht de decaan. Het waren er vier in allerlei stadia van ontbinding. Ze hadden hen aangetroffen toen ze de kelder ontruimden, maar dat zou hij niet aan haar neus hangen.

'Ja, de lijken van de arme meisjes die zo ongelukkig waren van de trap te vallen.'

De grootjuffrouw sperde de ogen ver open. Gingen ze het zo spelen? Verongelukt door van de keldertrap te vallen?

'Waarbij het ene meisje in haar val erin slaagde zich in een tapijt te wikkelen', zei ze kil.

'Welk tapijt?'

Zwijgend keken ze elkaar aan. De grootjuffrouw was niet van plan als eerste haar ogen neer te slaan of de stilte te doorbreken.

'De meisjes worden op onze kosten, maar wel in stilte begraven. Kanunnik Dodoens is weg, op de vlucht. Als hij terugkeert, wordt hij gestraft voor wat hij op zijn geweten heeft. Daar geef ik mijn woord van eer op.'

Hij keert niet meer terug, dacht Amandine, als je dat eens wist! De decaan keek de vrouw voor hem aan. Ze zweeg nog steeds, koppig, een onverzettelijke blik in de ogen.

'Voor de buitenwereld is er alleen sprake van de dood van het laatste meisje. Over het andere meisje wordt er niet gerept. Kan ik op uw discretie rekenen?'

'Ik zou daarover eerst de Heer raad moeten vragen in Zijn woning, waar het binnenregent door de glasramen die we nog niet hebben kunnen herstellen.'

'Het is een schande dat u niet genoeg middelen hebt om de kerk weer in orde te brengen. Ik zal u ontslaan van de bijdrage voor het nieuwe reliekschrijn en dit jaar wordt het begijnhof ook ontheven van de kerstbelasting.'

'De Heer zal tevreden zijn dat zijn huis weer droog is. Als de Heer tevreden is, ben ik dat ook. U zorgt dus voor de begrafenis van de verongelukte meisjes?'

'Dat beloof ik.'

'En ik word ervan op de hoogte gebracht waar ze begraven liggen, zodat ik hun graf kan laten onderhouden?'

'Dat is mogelijk.'

'En u laat gedurende tien jaar een jaargetijde voor hen opdragen in de grote kerk?'

'Daar zal ik voor zorgen.'

'Goed. Maria is ongelukkig ten val gekomen. Van een ander meisje, laat staan van een tapijt, herinner ik mij niets.'

'Dan verstaan we mekaar, grootjuffrouw.'

De decaan stond op, knikte en verliet de kamer.

Grootjuffrouw Amandine hoorde hoe Clara haar oude benen geweld aandeed om naar de voordeur te spurten en de decaan uit te laten. Even later kwam Clara binnen, een geagiteerde blos op de verrimpelde wangen.

'Is er nog iets tot uw dienst, grootjuffrouw?'

'Laat me nu maar wat alleen, Clara.'

Toen ze er zeker van was dat Clara uit de buurt was, sloot ze het grootboek weg in een geheim vak in haar schrijftafel. De bergplaats was met zoveel vakmanschap gemaakt dat zelfs kenners het bestaan ervan niet zouden vermoeden. Nu kon niemand er per toeval op stoten en iemand die er bewust naar zou zoeken, zou het niet vinden.

Daarna zette ze zich bij het vuur om na te denken. Ze zuchtte. Zou ze ooit met zekerheid weten wie de kanunnik had vermoord? Misschien was het beter het los te laten...

56

'Ik weet hoe we het moeten doen, Magdalena!'

Maar Magdalena was in gedachten met andere dingen bezig.

'Waarom hebben ze mij niet onmiddellijk verwittigd?'

'Magdalena, hoor je niet wat ik zeg?'

Jaja, ze hoorde het wel! Alleen drong het niet tot haar door. Haar verontwaardiging vormde een muur. Die moest ze eerst kwijt.

Ze spuide haar ergernis.

'Je had wel dood kunnen gaan zonder dat ik erbij was!'

Juffrouw Barbara was haar komen halen. Deze keer niet voor een verzwikte enkel. Ze zag meteen dat het ernst was aan de manier waarop de jonge begijn hijgend de ziekenzaal kwam binnengestormd. Ze hoorde het aan haar gehakkel.

'Zuster Magdalena... u moet... meekomen. Catharina... heeft u nodig.'

Ze had meteen alles laten vallen en had zich mopperend naar het begijnhof gehaast.

Barbara had geprobeerd haar te kalmeren.

'De infirmeriemeesteres heeft Catharina een drank gegeven tegen de koorts. De grootjuffrouw zelf heeft de hele nacht bij haar gewaakt. We hebben goed voor haar gezorgd, zuster Magdalena! Maar ik had aan u moeten denken. Dat is waar. Ik had u meteen moeten verwittigen.'

'Het is al goed.'

Maar het werd pas goed, nu ze aan Catharina zelf haar ergernis kwijt kon en ze tot haar grote opluchting zag dat de zieke rechtop zat in bed.

'Zo vlug ga ik niet dood. Ik voel me al beter. Nog een beetje slapjes, maar er is niets aan de hand dat niet met rust op te lossen valt.'

Magdalena zette zich neer, kalm nu.

'Magdalena, wil je nu naar me luisteren?'

'Ja', zei Magdalena.

'Water', zei Catharina.

'Wil je drinken?'

'Neen. Water is de oplossing.'

'Misschien heb je toch nog hoge koorts en ben je aan het ijlen?' grapte Magdalena. 'Of hou je mij voor de gek?'

Catharina boog zich naar haar toe, een opgewonden blosje op de wangen, de ogen glinsterend.

'Ik heb het gedroomd. Misschien... misschien heeft ze mij op die manier zelf gezegd hoe ze het wilde.'

'Wie? Je spreekt in raadsels.'

'De heilige Maagd, natuurlijk. Denk je dat het kan? Dat ze het zelf... ik bedoel...'

'Catharina, wil je nu eindelijk eens duidelijk uitleggen wat je bedoelt?'

Dat deed Catharina. Magdalena luisterde met stijgende verbazing.

'Wat denk je?'

'Het is riskant.'

'Niets doen is ook niet zonder gevaar. Je zegt zo vaak dat je wilt dat het beeld bij jullie weg is.'

'Ja. Het kan er niet blijven.'

'Wel dan!'

Ze werden er allebei emotioneel van. Nadat ze een potje

hadden gehuild, bleven ze een tijdje stil bij elkaar zitten, allebei diep in gedachten.

'Je beseft toch dat jij het moet opknappen? In je eentje? Zul je het aankunnen?'

'Waarover denk je dat ik al de hele tijd aan het nadenken ben? Ik heb geen keuze. Ik moet het aankunnen, Catharina.'

'Dank je, Magdalena.'

Ze bleef lange tijd bij Catharina. Soms praatten ze, knoopten ze de laatste losse eindjes van het plan aan elkaar. Soms sliep Catharina. Magdalena kookte pap. Ze aten en praatten nogmaals.

Toen de grootjuffrouw kwam, namen ze zonder woorden afscheid, ze hoefden elkaar niets meer te zeggen.

57

Amandine aarzelde of de vrouw nog meer aan zou kunnen. Maar als er iemand recht op had alles te weten, was het dan niet Catharina? Alles? Neen, niet alles. Ze had besloten over het grootboek te zwijgen.

'Er zijn dingen gebeurd, waar je nog niets van af weet', zei ze.

'Wat kan er nu nog meer gebeurd zijn? Is het nog niet genoeg geweest?'

Het klonk zo zielig dat de grootjuffrouw begon te twijfelen. De draagkracht van een mens was niet onbeperkt. Misschien moest ze het Catharina toch maar besparen.

Catharina zag de grootjuffrouw aarzelen. Als het belangrijk was, wilde ze het weten!

'Alstublieft, vertelt u het mij.'

'Ik moet er zeker van zijn dat het onder ons blijft. Geen woord hierover. Tegen niemand. Ook niet tegen Magdalena.'

Catharina beloofde het.

'Zelfs niet tegen Magdalena.'

'Er zijn verschrikkelijke dingen in de woning van kanunnik Dodoens ontdekt.'

Terwijl ze vertelde over de afschuwelijke vondst in de kelder en over wat Tilly had gezegd over dat engelengedoe, maakten net als toen gevoelens van afkeer zich van haar meester.

Catharina werd zo mogelijk nog bleker dan ze al was.

'Zijn kleine engel... Barbara had het er ook over', zei ze opgewonden.

Het duurde even vooraleer het tot de grootjuffrouw doordrong. Had ze dat goed gehoord?

'Wat zeg je?'

'Barbara heeft het me in vertrouwen verteld. Hij hing een of ander verhaaltje op over dat ze gezondigd had en vergiffenis moest vragen aan God. Ze moest haar sluier afzetten en haar bovenkleed uittrekken, dan zou ze er als een engel uitzien en zou God haar onmiddellijk vergeven!'

Het was nu de beurt aan grootjuffrouw Amandine om te verbleken.

'Hij was hier dus ook bezig met zijn praktijken', zei ze vol afschuw. 'Ben je er zeker van dat hij haar niet heeft aangeraakt?'

Catharina zuchtte. Hoe kon ze daar zeker van zijn? Ze was er niet bij geweest.

'Ze zei dat hij alleen naar haar keek. Ik geloof haar, grootjuffrouw.'

'Ze had er niet op in mogen gaan. Ze had hem moeten wegsturen!'

'Kanunnik Dodoens kon zeer overtuigend zijn.'

'Ja. Dat kon hij, als hij niet was gestopt, zou het...'

Grootjuffrouw Amandine stokte... daar zei ze zoal iets... Als hij niet was gestopt... Dat was het: iemand had gemerkt wat hij met Barbara deed en stopte hem voor hij verder kon gaan. Hij werd in zijn blote kont achtergelaten om hem na zijn dood met schande te overladen zodat iedereen te weten zou komen waarmee hij bezig was geweest. Maar wie... wie...? De zwager van Catharina had met Barbara en dat hele engelengedoe niets te maken. Had ze dan de hele tijd een verkeerde verdachte voor ogen gehad? Er was dus iemand anders...

'Was Lesage nog op het hof toen het gebeurde?'

Hij had als taak Barbara te beschermen. Als hij had gemerkt wat er gebeurde, was het bijna vanzelfsprekend dat hij zijn pupil had gewroken.

'Godfried zou nooit... niet op deze manier', zei Catharina heftig.

Ze had dezelfde gedachtegang gevolgd als de grootjuffrouw, maar onmiddellijk de conclusie verworpen.

'Misschien niet... misschien wel... de mens is een raar beestje, Catharina.'

'Godfried is geen moordenaar.'

Het gekwelde gezicht van Catharina en de laatste woorden die uitgeschreeuwd werden, maakten Amandine duidelijk dat wat ze vermoedde waar was.

'Je houdt van hem', zei ze. 'Je kunt niet meer nuchter over hem oordelen. Laat dat maar aan mij over.'

Catharina bloosde, boog het hoofd, beschaamd omdat haar gevoelens open en bloot te kijk stonden.

'Je weet toch dat je nooit zijn echtgenote kunt worden?'

'Dat weet ik', fluisterde Catharina. 'Hoe zou ik dat kunnen vergeten?'

De grootjuffrouw stond op.

'Ik moet dit allemaal eens rustig overdenken. Bedankt dat je mij in vertrouwen hebt genomen. Laat alles aan mij over, Catharina. Ik handel dit wel af. Zorg jij maar dat je vlug weer de oude bent.'

Catharina liet zich verslagen in de kussens van het bed wegzakken en vroeg zich af of het waar was dat liefde blind maakt. Was Godfried een moordenaar?

Balthazar had in ieder geval de kanunnik niet vermoord. Dat wist ze al van haar bezoek aan de Broekhoeve. Ze hoorde het hem nog zeggen: 'Wie zou ik dan verdomme vermoord moeten hebben?'

Zijn verbazing was niet gespeeld geweest. Ze kende Balthazar goed genoeg om dat te weten. Als hij het niet was, wie bleef er dan nog over? Godfried? Neen... hij niet... hoewel... Hij had wél de kanunnik hardhandig Barbara's huis uit gegooid. Dat had ze niet aan de grootjuffrouw verteld. Gelukkig maar, anders was die nog meer van Godfrieds schuld overtuigd geweest. Barbara had gezegd dat Godfried al lang weg was toen de kanunnik terugkeerde, maar sprak Barbara de waarheid? Ze wilde graag geloven van wel. Alles in haar verzette zich ertegen dat Lesage schuldig zou zijn. Maar wie was het dan wel? Er bleef nog één naam over... Johan... Johannes Broek.

Als het Johan was geweest, zat die al lang weer in het Noorden. Ze zou het nooit kunnen bewijzen, maar intussen kon er wel een onschuldig man in zijn plaats beschuldigd worden en opgehangen. Of neen... natuurlijk niet. Er was geen lijk. Voor de buitenwereld had er niet eens een misdaad plaatsgehad. Dodoens was op reis. Niemand zou Godfried ophangen.

Gerustgesteld liet ze zich wegzinken in een troostende slaap.

58

Het kon niet meer uitgesteld worden. Ze moest het nu onmiddellijk doen! Eigenlijk begreep ze niet van zichzelf dat ze zo lichtzinnig was geweest bewijzen te laten rondslingeren. Zij die altijd in alles zo precies was.

Haastig liep ze haar woning in. Ze draaide de deur achter zich op slot en bleef er even met gesloten ogen tegen leunen om haar kalmte te herwinnen.

Ze vroeg zich af of hij aan haar had gemerkt dat ze een slecht geweten had.

Hij liep voor haar uit toen zij uit de Benedictie des Heeren kwam.

Even leek het alsof ze een geestesverschijning zag lopen. Hij was even groot. Hij liep op dezelfde manier, met afgemeten passen en zijn hoofd draaide ook steeds van links naar rechts, alsof zijn ogen niets wilden missen van wat zich op het begijnhof afspeelde en natuurlijk droeg hij ook dezelfde kanunnikenkleding.

Zo had ze Dodoens vaak door het hof zien lopen. Nu liep hij daar weer! De schrik was haar om het hart geslagen. Natuurlijk wist ze dat het Dodoens niet was. Het was kanunnik Calcoen, zag ze toen hij bleef staan, zich omdraaide en haar aansprak. Ze herinnerde zich het gesprek woord voor woord.

Hij ging meteen in de aanval.

'Ik voer een onderzoek naar ketterij op het begijnhof', zei hij.

Voor de eerste keer in haar leven was ze niet bij machte een woord uit te brengen.

'Samen met kanunnik Dodoens.'

Ze stamelde iets nietszeggend.

'U bent onlangs nog in zijn woning geweest.'

'In het gezelschap van kanunnik Verhaert, maar ik vrees dat ik daarover niets mag zeggen. Ik moet u naar de decaan verwijzen.'

Calcoen groef de grond onder haar voeten weg.

'Eerst kwam u er alleen naar buiten.'

Ze hapte naar adem.

'U belde bij kanunnik Verhaert aan en even later begaf u zich samen met Verhaert naar de woning van Dodoens. Daar werd u beiden door een jonge vrouw, de huishoudster van Verhaert, binnengelaten.'

Hij wachtte op uitleg, maar die kwam niet. Ze hield zich van de domme. Hij had immers geen vraag gesteld?

'Wat deed u daar eerst alleen?'

'Ik mag daar werkelijk niets over zeggen.'

Het was niet meer dan gestamel, een grootjuffrouw van een begijnhof onwaardig.

'Heeft u iets uit de woning meegenomen?'

Ze herpakte zich, veinsde verontwaardiging.

'Wat zou ik meenemen?'

'Bewijzen van ketterij en van verraad.'

Plots leek haar zelfvertrouwen weer te groeien.

'Ik zeg u dat begijnen zich niet bezighouden met verraad of ketterij. Dus hoe zouden daar bewijzen van kunnen zijn? En als die er niet zijn, hoe zou ik ze dan kunnen meenemen?'

'Logisch geredeneerd, tenminste... als het uitgangspunt

juist zou zijn. Maar dat is het niet. Dodoens heeft mij verzekerd dat hij bewijzen had. Hij moest alleen nog een en ander verifiëren. Ik heb ernaar gezocht, maar niets gevonden.'

'Waarschijnlijk omdat ze er niet waren.'

'U heeft nog steeds niet uitgelegd waarom u eerst alleen uit de woning kwam?'

'Ik herhaal dat ik er niet over kan spreken. Richt u tot uw decaan.'

Calcoen grijnsde.

'Ik kom wel achter de waarheid, grootjuffrouw. Binnenkort is kanunnik Dodoens terug en intussen hou ik hier mijn ogen open.'

'Ik verzeker u dat wij niets te verbergen hebben, eerwaarde. Als u mij nu wilt verontschuldigen, ik heb nog werk te doen.'

Hij had een minachtend gebaar gemaakt en zijn wandeling door het begijnhof voortgezet. Zelf had ze geprobeerd haar waardigheid te bewaren door met rustige pas naar huis te gaan, al had ze liever vol afschuw van hem weg willen rennen.

Nu was ze veilig voor zijn blikken, maar ze wist dat hij zou blijven zoeken en wroeten tot hij het beu zou worden, omdat Dodoens maar niet terugkeerde. Daarom moest ze eerst doen wat ze door de verwarrende drukte van de laatste dagen steeds maar uitgesteld had: de kleren van Dodoens verbranden. Ze mocht niet de kans lopen dat die Calcoen onder ogen kwamen.

Ze knielde bij de kast, tastte in het ijle. Ze keek. Er lag niets meer.

Grootjuffrouw Amandine hapte naar adem. Wie had ze weggenomen? Eén vreselijk moment dacht ze aan de decaan, maar ze riep zichzelf tot de orde. De decaan zou haar onmiddellijk rekenschap hebben gevraagd! Clara? Natuurlijk... Clara had gepoetst en was op de bundel kleren gestoten. Wat had ze ermee gedaan?

Ze liep de kamer uit naar de keuken.

'Clara?'

De keuken had maar een klein raam en in deze tijd van het jaar was het er al vroeg schemerig. Clara had de lamp niet ontstoken. Alleen wat lage vlammen in de haard verspreidden wat licht. De oude begijn zat ernaast in een gemakkelijke stoel te dommelen.

'Clara? Heb jij...'

Ze stokte, schreeuwde het uit. Daar in een hoek van de keuken stond de kanunnik, stijf rechtop.

Het oude begijntje kwam uit haar stoel.

'Grootjuffrouw? Is er iets?'

Ze ontstak een kaars en nog een. Ze ontstak de olielamp.

Naargelang het licht groeide, werd het beeld van de kanunnik duidelijker, tot het werd wat het was: kleren op een hanger.

'Ik heb alles gewassen en gestreken en geborsteld. Er is wel één vlek die ik er niet uit krijg. Morgen probeer ik het nog eens.'

Ze keek verbaasd naar haar meesteres, omdat die veel te hard lachte. Zo had ze de grootjuffrouw nog nooit horen lachen. Het klonk ook helemaal niet blij en het duurde een tijd voor de grootjuffrouw bedaarde.

'Ik weet een goed middeltje tegen vlekken.'

'U, grootjuffrouw?'

Clara wilde niet hoogmoedig zijn, maar van het huishouden wist de grootjuffrouw niets, dus het zou haar verbazen...

'Zal ik bewijzen dat ik die lastige vlek wegkrijg?'

Clara wilde niet oneerbiedig zijn, maar ja... ze wilde het wel eens zien.

'Goed kijken. Eerst doe je het volgende.'

Amandine stookte het haardvuur hoog op.

'En dan doe je dit.'

Ze nam de kleren van de hanger en gooide ze op het vuur.

'Het enige wat je nu nog moet doen, is wachten. Twijfel je er nu nog aan of de vlek weg zal zijn?'

Het oude begijntje glimlachte.

'Mag ik dat voortaan altijd op deze manier doen?' vroeg ze langs haar neus weg. 'Ook met uw beste falie?'

Ze schoten allebei in de lach. Deze keer was het een echte lach, een waar je blij van werd.

'Clara, je mag nooit over die kleren praten. Tegen niemand. Die kleren zijn hier nooit binnen geweest en je hebt ze dus ook niet gezien.'

'Zoals u wilt, grootjuffrouw, maar dan is er nog iets dat we op het vuur moeten gooien.'

'Wat dan?'

Clara nam een voorwerp van de kast.

'Dit! Het zat tussen de kleren.'

Ze wilde het ding op het vuur gooien, maar de grootjuffrouw hield haar tegen.

'Wacht, Clara. Geef eens hier.'

Grootjuffrouw Amandine vroeg zich af hoe ze het roestige metaal met het eindje afgebroken steel had kunnen vergeten. Een schoffel. Gereedschap om in een tuin te werken.

Alle stukken vielen plots op hun plaats. Ze begreep niet waarom ze het niet eerder had doorgehad.

Waarom had ze geen belang gehecht aan de jongeman die ze uit de kelder had zien wegvluchten? Joris, die tuinen onderhield, ook sommige tuintjes van het begijnhof.

Ze had hem ook al eens in het tuintje van Barbara zien werken.

Had hij de kanunnik bij Barbara bezig gezien? Had hij in een ridderlijk gevoel de kanunnik afgestraft, omdat hij zelf iets voor Barbara voelde? Omdat hij haar wilde wreken? Wat deed een jongeman allemaal niet als hij verliefd was?

Ze moest Joris maar eens een bezoekje gaan brengen.

Toen ze zich naar de poort van het hof haastte, liep Lesage haar voorbij. Ze verwachtte dat hij het huis van Barbara in zou gaan, maar hij verkoos de overkant.

Ze fronste het voorhoofd. Catharina en Lesage. Hopelijk gebruikten die twee hun verstand. Ze zag dat hij werd afgescheept door de begijn die zich op het ogenblik over Catharina ontfermde.

Ze hoopte dat de man het beu zou worden en zijn pogingen zou staken. Misschien moest ze hem bij zich ontbieden en hem duidelijk maken dat ze hem niet meer op het hof wilde zien. Had hij dat niet zelf voorgesteld? Ze zou hem aan die afspraak houden. Maar dat was iets voor morgen, nu moest ze een ander varkentje wassen.

59

Er was veel volk in het huisje, maar dat zou niet lang meer duren. De eersten dropen al af nu de dodenwake was afgelopen en ze geen jenever meer kregen. De kruik was leeg en er was geen tweede en ook geen geld om er een te gaan kopen.

Toen de laatste vertrok, kwam er een nieuwe bezoekster binnen. Een begijn. Jana, die wilde beginnen met opruimen, moest zich inhouden om haar niet de deur te wijzen.

'De wake is afgelopen,' zei ze geërgerd, 'maar u kunt vader nog wel even groeten, als het maar niet te lang duurt.'

De begijn prevelde een gebed bij het doodsbed. Jana hield de voordeur wagenwijd open, maar tot haar grote ergernis was de begijn niet van plan al te vertrekken.

'Wat moet u hier nu nog?'

'Ik wil Joris mijn deelneming betuigen.'

'Hij is daar', zuchtte de jonge vrouw.

Ze trok de voordeur dicht en wees naar de achterdeur.

'U kunt dan ineens langs achter weggaan.'

Het klonk niet alleen onbeleefd, het was ook zo bedoeld. Grootjuffrouw Amandine was er zeker van dat de jonge vrouw nooit op deze manier tegen een non zou hebben gepraat.

Normaal zou ze haar op haar plaats hebben gezet, maar ze had geen zin om te staan discussiëren bij een doodsbed.

Ze had trouwens wel wat anders aan het hoofd. Dus gehoorzaamde ze gedwee en verdween ze door de achterdeur.

Er was geen echte tuin, alleen een strook zand met erachter een rijtje bouwvallige gemakhuisjes en wat schuurtjes.

Ze keek links en rechts. Ofwel zat Joris in een van de huisjes zijn behoefte te doen, ofwel had die vrouw zich vergist, ofwel had ze zomaar iets gezegd omdat ze die lastige begijn kwijt wilde.

Ze besloot even te wachten.

Joris hing tegen de zijgevel van het laatste schuurtje te piekeren over zijn toekomst. Toen hij hun achterdeur open hoorde knarsen, keek hij even om de hoek en zag hij haar staan: de grootjuffrouw van het begijnhof!

Als hij haar op het begijnhof tegenkwam, durfde hij haar amper te groeten omdat ze altijd zo streng keek en nu stond ze daar in hoogsteigen persoon bij hun krakkemikkige achterdeur.

Bliksemsnel trok hij zijn hoofd terug. Hij bleef roerloos staan. Hopelijk had ze hem niet opgemerkt. Kwam ze hem vragen wat hij in de kelder van Dodoens deed? Waarom hij was weggevlucht?

Hij was niet van plan er een verklaring voor te geven. Hij wilde er niet één woord over kwijt.

Ze zou hem onder druk zetten en hij zou beginnen te stamelen en rood worden. Ze zou hem de pieren uit de neus halen!

Hoe zou hij stand kunnen houden? Hij zou er niet in slagen. Zo eenvoudig was het. Dus zat er niets anders op dan ervoor te zorgen dat hij uit haar handen bleef.

Behoedzaam gluurde hij nogmaals om de hoek. Ze keek net de andere kant op. Daarvan profiteerde hij om bliksemsnel de strook zand over te steken naar de zijgevel van het huis van de leerlooier. Vandaar kon hij langs het pad weg.

Het zou gelukt zijn als de grootjuffrouw niet vanuit haar ooghoeken een beweging had opgevangen.

Twijfelend of ze geen kat had zien wegschieten, liep ze de zandstrook over en draaide bij de laatste woning de hoek om. Weer was er die schichtige beweging, nu wat verder op het pad dat zich langs de tuinen slingerde.

Neen, dat was geen kat. Daar had iemand wel heel veel haast. Ze kon al vermoeden wie. Ze versnelde haar pas.

Joris vloekte. Dat mens had hem gezien! Als hij het pad bleef volgen, kreeg ze hem dadelijk helemaal in de gaten, want er was een strook waar het pad kaarsrecht tussen twee stenen hofmuren liep. Daar had hij geen enkele beschutting meer.

Er waren eerst nog twee tuinen. De laatste was die van kanunnik Verhaert, maar hij wilde Tilly niet tegen het lijf lopen. Met Tilly had hij het wel gehad. Daarvoor lag de tuin van Dodoens. Die lag er verlaten bij.

Hij kende de tuin als zijn broekzak. Hij kon er zich makkelijk verbergen tot die begijn goed en wel voorbij was en hij in omgekeerde richting weer naar huis kon. Die redenering schoot hem in een oogwenk door het hoofd en hij voerde het plan onmiddellijk uit. Hij holde de tuin in.

Grootjuffrouw Amandine was niet meer van de jongsten, maar kon nog aardig uit de voeten. Bovendien was ze bij de pinken en toen ze de hofmuur zag opdoemen en geen spoor meer van de jongeman zag, liet ze haar oog gaan over de tuinen waar ze nu langs liep.

Ze herkende de eerste als die van Dodoens. De aanblik riep herinneringen in haar wakker die ze liever niet meer onder ogen zag, maar ze aarzelde niet. Ze duwde het tuinpoortje open.

Toen zag ze een merelkoppeltje opvliegen.

Ze liep in de richting van de struik waarin ze hadden gezeten. De struik stond tegen een schuurtje aan. Vergiste ze
zich of zag ze even een glimp van een gezicht voor het raam?

Ze ging tot bij de deur, aarzelde. Zou ze het wagen binnen te gaan? Een kat in het nauw maakt rare sprongen... Als
ze het goed had, had de jongeman daarbinnen al eens een
mens gedood. Neen, ze zou hier buiten blijven staan en
wachten tot hij vrijwillig naar buiten kwam.

'Ik weet dat je daar bent, Joris. Ik wil met je praten.'

Er kwam geen antwoord.

'Ik ga niet weg vooraleer we hebben gepraat. Desnoods
wacht ik hier de hele nacht.'

Het leek alsof de tuin de adem inhield.

'Joris?'

Grootjuffrouw Amandine zuchtte. Het zou hier een tijdje gaan duren. Zoveel was duidelijk.

60

Ze knielde op de rand van de kuil en lichtte de bundel bij het voeteneinde op. Elke keer weer verraste het gewicht haar. Het beeld moest wel gemaakt zijn van het allerbeste en zwaarste eikenhout om zo zwaar te wegen. Ze boog nog verder naar voor, verschoof haar handen tot ze onder het middenstuk zaten, kromde haar rug en trok de bundel uit de kuil.

Vanzelfsprekend moest ze even naar de inhoud kijken.

'Ave Maria.'

Ze prevelde het weesgegroet. De Maagd glimlachte zoals altijd, maar Magdalena verbeeldde zich dat ze er deze keer tevredenheid mee uitdrukte. Er zat ook iets stralends in de met fijne penseelstreken geschilderde ogen, dat er anders niet in zat.

'Ik kom U halen.'

Magdalena legde de opening dicht met de vloerplanken en schoof de rommel op zijn gewone plaats. Ze keek bezorgd rond of er iets te zien was dat haar zou kunnen verraden. Dat was er niet en over enkele dagen zou stof verbergen dat er dingen verplaatst waren.

Het zeildoek liet ze achter. Ze propte het tussen de rommel. Het beeld droeg ze de trap op.

Er lag een nieuwe choleralijder in het huisje. Een jonge knaap deze keer. Hij had over het beddengoed heen gebraakt. De zurige geur van het braaksel en de stank van zijn ziekte benamen haar de adem. Ze hoorde hem onrustig woelen.

'Zuster?'

Met pijn in het hart negeerde ze hem. Hij zou nog even moeten wachten.

Voor het cholerahuisje had ze een kruiwagen staan. Hij lag boordevol windels die stijf stonden van opgedroogd pus en bloed. Ze verborg het beeld eronder op de bodem van de kruiwagen.

Ze liep weer het huisje in en veegde met een doek de ergste smeerboel weg. Ze gaf de jongen te drinken en suste hem.

'Het komt allemaal goed als de Heer het wil.'

'En als Hij het niet wil?'

'Dat is alleen aan Hem. Slaap nu maar.'

Ze bleef bij hem zitten, gebeden prevelend, tot ze door het raam zag dat de ochtend was aangebroken. De jongeman sliep.

Magdalena stond op, stijf van het zitten. Buiten stond de kruiwagen met de vuile windels te wachten. Ze had de doek met het braaksel van de zieke erbovenop gelegd. Hoe meer de inhoud van de kruiwagen stonk en er afzichtelijk uitzag, hoe minder iemand geneigd zou zijn er dicht bij te komen, laat staan erin te woelen.

Ze had de vorige dag haar medezusters verteld dat ze vandaag zou gaan wassen, niet op de gewone plaats dicht bij het gasthuis, maar bij het bleekveld van het begijnhof.

'Dan kan ik nog eens bij Catharina op bezoek gaan terwijl de windels liggen te bleken.'

De overste had het toegestaan op voorwaarde dat ze niet de hele dag afwezig zou zijn.

'Ik vertrek onmiddellijk na de metten.'

'Dan kun je tegen de sext terug zijn.'

Magdalena had liever nog wat langer tijd gehad dan tot het middaggebed, maar ze had gehoorzaam verzekerd dat ze zich eraan zou houden.

De zusters verzamelden zich voor de metten in de ijskoude kapel, huiverend en nog bleek van de slaap. Magdalena bad en zong met nog meer overtuiging dan anders. Ze wilde er niet over denken of ze al dan niet op het punt stond een zonde te begaan. Daar had ze achteraf nog tijd genoeg voor.

Terwijl haar medezusters zich naar hun taken spoedden, duwde ze de kruiwagen door een zijpoortje de straat op. Het was nog schemerig en achter de ramen van de huizen brandden er nog olielampen en kaarsen.

De winkeliers klapten de luiken van hun winkels open en stalden hun waren uit. Er werden nachtemmers geledigd in de open afvoergoot die midden op de straat liep. Sommigen kieperden de inhoud in de vlieten of in het water van de Nete.

Toen ze de Hogebrug over liep, zag ze dat er op de rivier ook al bedrijvigheid was. Een schip geladen met hout lag aangemeerd bij De Tiber, een pakhuis waarvan het dak gedeeltelijk open was, zodat de wind vrij door het gebouw kon spelen om nat hout te drogen. De boomstammen werden omhoog getakeld en verdwenen een voor een in het gebouw.

Magdalena duwde de kruiwagen langs de Grote Markt, richting Eekelpoort. De voorbijgangers groetten haar vriendelijk. Gasthuiszusters werden algemeen gerespecteerd.

Bij de poort was het ook al druk. Tussen het poortgebouw en de Corneliustoren was de stadsmuur onderbroken. De stadsgracht die bij de toren uitmondde in de Nete, diende er als aanlegkade. Er was op dit vroege uur al heel wat bedrijvigheid in de haven.

Het werd rustiger naarmate Magdalena het begijnhof naderde. De ingangspoort was nog gesloten.

Ze volgde de hofmuur tot de bleekweide voor haar lag, grijsgroen in het ochtendlicht. Er waren nog geen begijnen aan het werk. Volgens Catharina waren ze rond deze tijd allemaal in de kerk voor de dagelijkse mis.

'Daarom moet je het precies dan doen, Magdalena!' had Catharina haar op het hart gedrukt. 'En kijk goed uit dat niemand je ziet!'

Op de Nete voer een binnenschip voorbij richting stadscentrum. Toen het de bocht maakte aan de Corneliustoren om aan te meren, verdween het uit het zicht. Ze was alleen.

Magdalena nam het beeld in de armen, legde het tussen het riet op de oever, het voeteneind nog net in het water. Ze schikte het zo dat het leek alsof het was aangespoeld. Ze goot er water overheen. Genoeg water. Het moest lijken alsof het een lange weg in het water had afgelegd vooraleer aan te spoelen. Ze smeerde modder op het Kindje en op het kleed van de heilige Maagd.

Toen ze tevreden was over het resultaat, duwde ze de kruiwagen een eind verder. Ze begon windels te wassen alsof ze alleen daarvoor gekomen was.

61

Juffrouw Theresa en juffrouw Ernestine stonden naast het bed van Catharina. Ze waren allebei oprecht bezorgd, zelfs juffrouw Theresa. Enkele dagen geleden lag ze zelf nog in een ziekbed en nu ze Catharina daar zo bleek zag liggen, staken de spoken van toen de kop op en daar werd ze onzeker en sentimenteel van.

'Hoe is het nu met je?' vroeg Ernestine bezorgd.

'Als we iets voor je kunnen doen...' zei Theresa.

'We gaan wassen. We kunnen dit voor je meenemen', zei Ernestine.

Terwijl ze het zei, bukte ze zich over wat vuile doeken die in een hoek lagen en gebruikt waren om Catharina te wassen en het koortszweet van haar gezicht te vegen.

'Het is helemaal geen moeite', verzekerde Ernestine.

'Dank je', glimlachte Catharina. 'Dadelijk komt Barbara mijn ochtendpap koken en de vloer vegen. Juffrouw Bernardine heeft beloofd om mij te komen voorlezen en nu jullie... en ik... ik lig hier maar lui in bed. Maar morgen zal ik vast en zeker in staat zijn...'

Om op te staan, wilde ze zeggen, maar een hoestbui maakte het onmogelijk haar zin af te maken.

'Blijf maar in bed tot je helemaal beter bent', zei Ernestine. 'Die hoest klinkt nog lelijk.'

'Ik kom straks nog weleens kijken of ik iets kan doen', zei Theresa.

'Slaap maar lekker. Daar genees je van', zei Ernestine.

Beide vrouwen liepen de kamer uit.

Catharina sloot de ogen. Ze volgde hen in gedachten, zag hen in haar verbeelding de manden met vuil linnengoed opnemen. Waarschijnlijk hadden ze die bij het tuinpoortje laten staan. Pratend over koetjes en kalfjes zouden ze naar het Netepoortje lopen. Juffrouw Ernestine zou misschien een beetje hijgen. Omdat ze zo dik was, werd ze vlug kortademig en juffrouw Theresa hield er altijd flink de pas in. Ernestine zou haar best moeten doen om haar bij te houden.

Ze zag hen in haar verbeelding door het poortje lopen naar de oever van de Nete en daar ... Als alles goed was, zat Magdalena daar te wassen.

Catharina glimlachte bij de mogelijkheid dat het Ernestine en Theresa zouden zijn die de wonderbaarlijke ontdekking zouden doen.

Theresa... ook zij had de laatste dagen geleden... Zou het niet juist zijn dat net zij de eer zou hebben om...

'Heb je lekker geslapen?'

Catharina schrok op.

'Wat? O, jij bent het.'

Barbara kwam glimlachend de kamer in.

'Heb je honger?'

'Honger?'

'Ja, weet je wel, dat knagende gevoel vanbinnen, dat je eraan herinnert dat het lichaam voedsel nodig heeft?' grinnikte Barbara. 'Je moet eten om beter te worden. Of denk je dat je hier voor altijd kunt blijven liggen en bediend worden?'

'Lijkt me best leuk.'

'Geen denken aan. Hier! Pap! Opeten tot de laatste hap! Dat is een bevel!'

Catharina bracht de kom naar haar mond, terwijl Barbara streng toekeek.

'Dat is beter... helemaal leeg... goed zo. Er is iemand die je wil spreken.'

'Wie?'

'Godfried.'

'Lesage? Onmogelijk!'

'Hij zegt dat hij deze keer niet weggaat zonder dat hij je gezien heeft.'

'Waar is hij dan?'

'In mijn woning. Hij wacht daar.'

Catharina schudde heftig het hoofd.

'Ik kan hem niet ontvangen.'

'Hij is hier al drie keer geweest. Elke keer heeft men hem weggestuurd.'

'Stuur hem nogmaals weg. Zeg dat hij niet meer moet komen, dat ik hem niets te zeggen heb.'

'Waarom zeg je hem dat niet zelf?'

'Omdat het niet betaamt dat ik hem ontvang in mijn slaapkamer.'

'Het zou je goed doen om even in de keuken in de armstoel bij het haardvuur te zitten, terwijl ik de slaapkamer veeg.'

'Nee... ik...'

'Hij dreigt ermee desnoods de deur in te trappen.'

'Dat meent hij niet.'

'Denk eens aan het schandaal dat dát zal geven!'

'Daarom zou Lesage dat nooit doen. Hij is te fatsoenlijk om...'

'Je bedoelt dat hij een goed mens is.'

'Ja, hij zou nooit...'

'En omdat hij een goed mens is, wil je hem niet ontvangen! Eigenaardig! Dus als hij een slecht mens was, dan...'

'Ik bedoel alleen maar...'

'Hij zal koppig blijven terugkomen. Ik ken Godfried!... Zal ik je uit bed helpen? Nee? Catharina! Ik wist niet dat je een lafaard was!'

'Ben ik ook niet!'

'Dan kom je dus nu uit bed...'

Het vuur in de haard knetterde en gaf een aangename warmte af. Catharina voelde het niet. In plaats van ervan te genieten, zat ze stijf rechtop te wachten. Toen de deur openging en ze hem zag binnenkomen, verstijfde ze nog meer.

Barbara schoot langs Lesage heen, greep de bezem en verdween met een glimlachje naar de opkamer, waar ze begon schoon te maken. Ze sloot de kamerdeur achter zich, zodat Catharina en Lesage alleen waren.

Hij keek haar bezorgd aan. Wat hij zag, maakte hem van streek. Ze zag er zo breekbaar uit.

'Hoe gaat het met u?'

Zijn stem trilde een beetje. Ook hij was nerveus.

'Beter, dank u.'

'Juffrouw Catharina... ik...'

Hij geraakte niet uit zijn woorden. Catharina besloot zelf het heft in handen te nemen.

'Heer Lesage, ik wil u bedanken voor alles wat u voor mij hebt gedaan.'

'Ik deed niets bijzonders.'

'Jawel, dat deed u wel. Ik ben u daar heel dankbaar voor en ik zal het nooit vergeten. Ik zal voor uw zielenheil bidden. Elke dag.'

Deze woorden gaven hem moed. Hij meende in haar ogen dezelfde liefde te lezen als die in zijn borst brandde en hem dag en nacht bezighield.

'Juffrouw Catharina, ik heb een verzoek.'

'Ik luister, heer Lesage.'

Hij keek haar recht in de ogen.

'Ik vraag u mijn vrouw te worden', zei hij stijf.

Het was alsof de grond onder haar wegzonk. Ze greep de leuningen van de armstoel beet. Haar hoofd tolde. Een chaos van gevoelens overmeesterde haar.

Lesage zag haar verwarring, zag een blos vanuit haar hals haar wangen kleuren. Het gaf hem hoop.

'Ik koester diepe gevoelens van respect en liefde voor u. Mag ik zo vrij zijn te vragen of u die gevoelens kunt beantwoorden?' vroeg hij.

'Ik heb u leren kennen als een achtenswaardig man.'

Ze zweeg.

'Neemt u mij niet kwalijk... Dat is geen antwoord op mijn vraag.'

'Ik koester dezelfde gevoelens voor u. Is dat wel een antwoord?' zei ze.

'Dan...' begon hij juichend.

Ze hield hem met een gebaar tegen.

'Maar dat wil niet zeggen dat ik aan die gevoelens toegeef.'

'U bent nog te zwak. U kunt nog niet helder nadenken! Vergeef me mijn ongeduld. Ik had u er nu nog niet mee lastig mogen vallen.'

'Ik kan uw echtgenote niet worden, heer Lesage. Het spijt me.'

'Ik begrijp het niet. Mag ik naar de reden vragen?'

'Ik kan u geen reden geven.'

'Juffrouw Catharina, als u twijfelt aan de ernst van mijn gevoelens, ik verzeker u dat ze oprecht en diep zijn.'

'Dit wordt te pijnlijk. Ik wil dat u nu vertrekt.'

Lesage bleef als versteend staan. Op zijn gelaat worstelde teleurstelling met opstandigheid. Hij liet zich niet zomaar wegsturen als een jonge knaap!

Catharina besefte dat ze hem toch iets meer moest geven.

'Als ik nog zou huwen, zou het met u zijn. Kan dat een troost zijn? Maar ik zal nooit een andere echtgenoot nemen. Kunnen we nu afscheid nemen? Als vrienden?'

Godfried Lesage maakte een buiging.

'Het ga u goed, juffrouw Catharina.'

Hij draaide zich om en liep stijf de woning uit.

Catharina liet zich met een zucht tegen de leuning van de armstoel zakken. Ze voelde zich doodmoe en zwak en vooral verdrietig.

'Is hij weg? Wat moest hij?'

Barbara kwam de keuken in. Ze brandde van nieuwsgierigheid.

'Niets bijzonders. Hij wilde weten hoe het met mij was.'

'Is dat alles? Ik geloof je niet.'

'Het is alles. Help je mij in bed?'

Terwijl Barbara haar naar de slaapkamer bracht en onderstopte, bestookte ze haar met vragen, maar Catharina beantwoordde er niet één van.

62

Juffrouw Ernestine en juffrouw Theresa waren ervan overtuigd dat ze eerst zouden zijn. Dat was belangrijk omdat ze allebei een voorkeur hadden voor een bepaalde plek op de oever. Soms leek het of alle begijnen tegelijk de was wilden doen en dan was er strijd om de beste plekken, waar je niet gehinderd werd door oeverplanten en waar je niet te diep voorover hoefde te buigen om het linnen te spoelen.

Ze praatten over koetjes en kalfjes en ook over Catharina, maar niet veel. Het nieuwe was er al van af.

Toen ze het bleekveld op kwamen, zagen ze tot hun verbazing dat er al iemand bezig was.

'Dat is geen begijn', zei juffrouw Ernestine.

Ze herkenden het witte habijt, de witte kap.

'Een gasthuiszuster', zei juffrouw Theresa. 'Waarom komt ze hier wassen?'

'Ik zie al wie ze is', zei juffrouw Ernestine. 'Ze is familie van Catharina.'

Nu wist Theresa het ook.

'Haar zuster', knikte ze. 'Ze zit op mijn plek.'

Magdalena zag vanuit haar ooghoeken de begijnen aankomen. Ze wachtte tot ze vlakbij waren vooraleer ze van haar werk opkeek. Ze groette hen vriendelijk.

'Goedemorgen, zuster', zei de dikste begijn.

De andere zei niets. Ze staarde vol afkeer naar de kruiwagen, die nog halfvol besmeurde, stinkende windels lag. Ze deinsde achteruit.

'Ga daar weg, Ernestine.'

Juffrouw Ernestine zag en rook het nu ook.

'Krijgt u die nog schoon?' vroeg ze geïnteresseerd.

'Met hard schrobben', zei Magdalena.

Ze toonde haar afgebeulde, rode handen.

'Ik protesteer', zei juffrouw Theresa.

'Kom nu, Theresa', suste Ernestine. 'Je moet niet boos zijn omdat ze op je plek zit. Je mag de mijne hebben.'

'Daar gaat het niet om', zei Theresa koel. 'Ze vergiftigt het water met die smeerboel. Ze brengt ziektes naar hier.'

'Oooooohhhh!'

Juffrouw Ernestine deinsde nu ook verschrikt achteruit.

'Het gasthuis ligt vlak bij de Nete. Jullie hebben daar een wasplaats. Je hebt hier niets te zoeken, zuster. Ga onmiddellijk weg.'

'Maar Theresa!' fluisterde Ernestine. 'Je kunt haar niet zomaar wegsturen. Waar zit je gevoel voor naastenliefde? Ze zal wel een reden hebben.'

'Ik zit hier omdat ik bij Catharina wil zijn terwijl de was ligt te bleken', zei Magdalena.

Ernestine knikte gretig.

'Zie je wel dat ze een goede reden heeft', fluisterde ze tegen Theresa. Hardop zei ze: 'Maar natuurlijk, zuster. Blijft u gerust zitten.'

'Dank u. Wat denkt u ervan, juffrouw?'

Ze richtte zich tot de andere begijn, die nog steeds stuurs keek.

'Als u rekening houdt met de stroming van het water bij de keuze van uw wasplaats, hoeft er geen probleem te zijn', voegde ze er nog aan toe.

Juffrouw Theresa zag wat ze bedoelde. Het hoogtij was over het hoogtepunt heen en het water was aan het keren. Als ze haar plek zodanig koos dat het Netewater eerst voorbij haar stroomde en dan pas langs de gasthuiszuster, werd alle vuiligheid uit de windels weggevoerd zonder dat haar wasgoed ermee in aanraking kwam.

'Goed', knikte ze.

Ze liep een eindje richting Corneliustoren.

'Kom je mee, Ernestine?'

Juffrouw Ernestine klemde haar wasmand tegen haar buik en schommelde achter Theresa aan.

Magdalena boog zich diep over haar werk in een poging haar opwinding te verbergen. Het liep beter dan ze had verwacht. De begijnen konden er niet naast kijken!

Toch leek het nog lang te duren. Eindelijk hoorde ze een verraste kreet. Haar hart bonsde in haar keel. Ze dwong zich nog niet op te kijken.

Pas toen de begijnen haar riepen, rechtte ze haar rug.

'Is er iets?' vroeg ze onschuldig.

Zowel juffrouw Theresa als juffrouw Ernestine knielden in de modder bij het Mariabeeld. Ze lachten en huilden en baden en praatten, alles tegelijk.

'Is dat een Mariabeeld uit de begijnhofkerk?' vroeg Magdalena onschuldig. 'Is het misschien gestolen?'

'Niet bij ons! Ook niet uit de andere kerken in de stad. Ik heb het nog nooit ergens gezien', zei jufrouw Theresa opgewonden.

Juffrouw Ernestine streek liefkozend over het hout.

'Het is helemaal nat en vies.'

'Het heeft in het water gelegen. Dat zie je toch? Het is hier aangespoeld.'

Magdalena bemoeide zich niet met het gesprek. Ze luisterde en probeerde niet te verraden hoe tevreden ze wel was.

'Wie weet waar het vandaan komt?'

'Het is ergens uit een kerk geroofd, natuurlijk.'

'Ja, door de staatsen... die heiligschenners!'

'Waarschijnlijk hebben ze het in het water gesmeten om het te onteren!'

'De Nete heeft de heilige Maagd hierheen gebracht, bij ons.'

'Misschien wilde ze dat zelf... naar ons toe komen.'

'Het is een teken.'

'Een wonderlijk teken!'

De begijnen namen het beeld in de armen en zetten het wat verder rechtop. Ze wreven het met lappen uit hun wasmand droog en schoon. Ze streelden over de mantel van Maria, over de wang van het Kindje. Ze konden er niet genoeg van krijgen.

Magdalena trok zich terug tot op haar wasplek.

Er kwamen nog meer begijnen het bleekveld op. De verwarring werd nu compleet.

'Waar is de grootjuffrouw?' riep iemand.

'We moeten de grootjuffrouw halen.'

'Het moet hier niet blijven staan', zei Theresa.

Ze wilden allemaal helpen dragen, maar Theresa duwde hen weg. Dit kwam haar toe. Zij had het beeld gevonden. Dat juffrouw Ernestine er ook bij was, vergat ze gemakshalve.

Het beeld was zwaar en ze kon er niet vlug mee lopen, maar dat wilde ze toch niet. Ze was zich bewust van de ernst, van de plechtigheid van het moment, dan liep je statig en langzaam.

In processie liepen de begijnen achter haar aan het hof in. Ze zongen. Ze baden.

Zweetdruppels van de inspanning parelden op Theresa's

gezicht. Ze kon niet meer, maar ze had haar doel bereikt.

Moeizaam plaatste ze het beeld op de hoogste trede van de trap naar de kerkingang.

Ze viel op haar knieën en alle begijnen volgden haar voorbeeld.

'Wees gegroet, Maria, vol van genade...'

Magdalena waste windels, spreidde ze uit op het bleekveld om te drogen. Als ze klaar was, zou ze bij Catharina gaan zitten en haar zeggen dat het voorbij was.

63

Ze haalde iets uit haar mouw en gooide het voor zijn voeten neer.

'Heb je al een nieuwe schoffel?'

Hij huiverde, kon zijn ogen maar moeilijk van het verroeste ding losmaken. Grootjuffrouw Amandine las wanhoop in zijn houding, de moedeloos afgezakte schouders, het gebogen hoofd.

Het had eindeloos lang geduurd voor ze hem had kunnen overreden uit het schuurtje te komen. Intussen was het donker geworden – gelukkig scheen de maan – en voelde ze zich verkleumen tot op het bot.

Uiteindelijk was hij in de deuropening verschenen.

'Laat mij met rust!'

Nu staarde hij naar het roestige stuk metaal dat in het maanlicht nog armetieriger leek dan het al was. Hij ademde zwaar en transpireerde, hoewel ook hij het koud moest hebben.

Ze had medelijden met hem, omdat hij nog zo jong was en nu al zijn leven had verknoeid, maar dat toonde ze niet. Nog niet. Eerst moest ze alles uit zijn mond horen.

'Ben je verliefd op juffrouw Barbara?'

'Ik? Op juffrouw Barbara. Helemaal niet!'

'Je mag het mij gerust vertellen.'

Joris keek oprecht verbaasd: waar had ze het over?

De grootjuffrouw was even de kluts kwijt. Had ze het dan toch verkeerd voor?

Ze probeerde een andere invalshoek.

'Waarom heb je hem naakt achtergelaten?'

'Omdat...'

Bijna had hij zich verraden.

'Wie zou ik naakt hebben achtergelaten?'

'Wat wilde je daarnet zeggen. Omdat...'

'Ik zei helemaal niet omdat!'

'Joris... waar ben je bang voor?'

Zij had makkelijk praten! Waar was hij bang voor? Om aan de galg te bengelen natuurlijk!

'Ik ben nergens bang voor!'

'Ook niet om de waarheid te vertellen? Heb je je nooit afgevraagd waar het lichaam naartoe is? Geen lijk, geen moordenaar. Je hoeft nergens bang voor te zijn, Joris. Niemand kan je iets doen. Ik ook niet. Alleen... wil ik het weten. Daarom vraag ik het nog eens: waarom heb je hem naakt achtergelaten?'

Eigenlijk was hij opgelucht dat hij de last die op hem drukte, met iemand kon delen.

'Omdat ik wilde dat iedereen wist wat voor iemand hij was. Ik wilde dat er een schandaal losbarstte. Dat de hele stad over hem zou spreken, dat er in de kroeg grappen werden gemaakt over zijn blote kont, dat ze spotliedjes over hem zouden zingen in het hele land.'

Maar daar was hij in mislukt. Het lijk van de kanunnik leek wel van de aardbodem verdwenen. Er werd met geen woord over gerept. Soms dacht hij zelfs dat hij het maar had gedroomd.

'Heb je dan geen ogenblik gedacht aan de gevolgen voor de goede naam van de begijnen?'

De grootjuffrouw las in zijn verbaasde ogen dat hij er inderdaad niet bij stil had gestaan. Ze zuchtte. De jeugd dacht niet vaak verder dan zichzelf.

'Maar ik ben echt niet verliefd op juffrouw Barbara!'

'Als je het niet voor juffrouw Barbara deed, voor wie dan wel?'

Toen kwam het er allemaal uit, één lange stroom.

Hij had het over zijn jeugdliefde, zijn Grietje, die bij kanunnik Dodoens huishoudster werd en elke dag ongelukkiger leek te worden. Ze had het soms over engelen en over een appel. Op een dag was ze verdwenen. Spoorloos. Hij had overal naar haar gezocht.

En toen kwam Maria, lachebek Maria, flapuit Maria die in geuren en kleuren aan Tilly vertelde wat de kanunnik zoal uitspookte.

Toen had hij begrepen wat de engel en de appel inhielden, wat het was waar Grietje mee had geworsteld. Het had hem verschrikkelijk boos gemaakt. Woest. Maar hij had zich ingehouden. Had geprobeerd alles te vergeten.

'Eerlijk waar! Ik had alles uit mijn hoofd gezet!'

Maar op een keer was hij in het tuintje van juffrouw Barbara bezig.

Als hij geen buikkrampen had gehad en zich niet in haar gemakhuisje had moeten terugtrekken, was er waarschijnlijk niets gebeurd, want dan had de kanunnik hem opgemerkt. Maar nu had Dodoens gedacht dat hij het rijk voor zich alleen had.

'Toen ik hem met mijn eigen ogen bezig zag bij juffrouw Barbara... toen ik hem tegen haar hoorde praten over zijn kleine engel... toen knapte er iets in me. Het leek wel alsof ik iemand anders werd. Ik wachtte hem op en sloeg met mijn schoffel tot hij niet meer bewoog. Ik heb hem onder een struik verborgen.

's Nachts ben ik teruggekomen, heb hem uitgekleed en

over de waterput gehangen. Later kreeg ik wroeging, was ik zelfs blij dat er geen opschudding van kwam, al begreep ik niet hoe dat mogelijk was... maar toen Maria verdwenen bleek te zijn, vroeg ik mij af of Dodoens... meisjes verdwijnen zomaar niet. Daarom ben ik in zijn huis gaan zoeken. De geur... ik heb niet lang hoeven te zoeken. Maria was er en nog een tweede... Grietje denk ik, of wat er nog van haar over was.'

Hij huilde, meer kind nog dan man.

'Ik ben een moordenaar, grootjuffrouw. Het ergste is dat ik er geen spijt van heb. Geen greintje spijt! Waarschijnlijk is dat mijn ergste zonde. Ik moet wel een zeer slecht mens zijn. Maar dat wil ik niet. Ik wil geen slecht mens zijn. U moet mij geloven.'

'Neen, Joris', zei de grootjuffrouw zacht. 'Je bent niet slecht. Alleen zwak. Nee, zelfs dat niet...'

'Wat moet ik doen?' jammerde de jongeman. 'Zeg het mij, alsjeblieft. Leg mij een straf op.'

'Goed, ik leg je een straf op. Ik beveel je op bedevaart te gaan naar Santiago de Compostela. Je mag het daar biechten bij een Spaanse biechtvader. Voor de rest mag je er met niemand ook maar één woord over spreken. Als dat achter de rug is, kun je een nieuw leven beginnen. Hier of ergens anders. Dat zie je dan maar. Je vertrekt onmiddellijk nadat je je vader begraven hebt.'

Joris knikte.

'Dat is morgen.'

De grootjuffrouw legde haar hand op zijn hoofd in een zegenend gebaar.

'Ik zal er ook nooit met iemand over praten', zei ze.

Toen ging ze de nacht in.

Ze liet zichzelf binnen langs de grote ingangspoort en bracht de rest van de nacht biddend voor het grote christusbeeld door.

Clara vond haar daar en berispte haar.

'U heeft de hele nacht niet geslapen.'

Clara stopte haar in bed en scheepte iedereen af die aan de deur kwam tot ze het grote nieuws hoorde.

Toen kon ze zich niet meer inhouden. Ze liep naar de slaapkamer van de grootjuffrouw en riep: 'Er is een wonder gebeurd! Een echt wonder!'

64

Theresa had de plaats gekozen. Vlak bij de ingangspoort, net binnen het hof. Daar moest het beeld hangen. Als ze uit het raam van haar voorkamer keek, zou ze het nog net kunnen zien. Dat had ze al vaak gecontroleerd. Op het ogenblik was een man bezig een afdakje voor het beeld te timmeren.

Eerst had ze gevraagd of het Mariabeeld aan de gevel van haar eigen woning kon worden gehangen, maar dat had de grootjuffrouw geweigerd.

'Het moet duidelijk zijn dat Maria het hele hof beschermt, Theresa.'

Toen had ze dus deze plaats gekozen. Alle bezoekers van het hof zouden onmiddellijk met het beeld geconfronteerd worden. Ze zouden er niet naast kunnen kijken.

Theresa had een naam voorgesteld: Onze-Lieve-Vrouw van Remedie.

'Ze is gekomen om ons te beschermen. Ze zal een remedie zijn tegen alle kwaad dat het begijnhof bedreigt.'

Daar had de grootjuffrouw mee ingestemd.

Theresa had een tekst in haar hoofd voor een onderschrift. Ze kon niet schrijven, maar juffrouw Bernardine wel. Ze dicteerde en Bernardine schilderde haar woorden op een stuk hout. Het resultaat was een tikkeltje beverig, maar de boodschap was duidelijk en dat was wat telde.

Toen de man klaar was met het afdak, bevestigde hij de planken met de tekst.

Iedereen kon nu lezen hoe het beeld op wonderbaarlijke wijze in het begijnhof terecht was gekomen.

O honingzoete beeld
Uit Holland langs de baren
Der zee hier aangespoeld
En in ons stad gevaren
Ons tegen Oorlog en Pest bevrijd
In allen nood
Ons moeder van remedie zijt.

Toen Catharina het voor de eerste keer las, kon ze het niet helpen. Ze schoot oneerbiedig in een lach.
'Ik vind er niets lachwekkends aan.'
Catharina schrok. De grootjuffrouw stond vlakbij.
'Bescherming tegen het Kwaad kunnen we wel gebruiken.'
Ze keek Catharina doordringend aan.
'Of heb jij dat niet nodig?'
Catharina sloeg beschaamd de ogen neer.
'Vergeef me.'
'Onze-Lieve-Vrouw van Remedie kan je de kracht geven om je belofte te houden. Weet je nog dat je gezworen hebt te zwijgen?'
'Hoe zou ik dat ooit kunnen vergeten?' zei Catharina bitter.
'Goed, dan begrijpen we elkaar. Het gevaar is nog niet geweken.'
'Wat? Wat zegt u? Wat bedoelt u? Is er iets gebeurd?'
De grootjuffrouw maakte een sussend gebaar. Ze zag Calcoen een eindje verder misprijzend naar hen staan kijken.
'Ik bedoel alleen maar dat we steeds op onze hoede moeten blijven. Altijd.'

Catharina volgde haar blik.

'Ja,' zei ze, 'altijd.'

'Ik weet wie de moordenaar van Dodoens is.'

'Is het...?'

'Neen, die is het niet.'

Catharina kon haar opluchting niet verbergen. Groot-juffrouw Amandine keek haar glimlachend aan. Ze begreep wat er nu door de jonge vrouw heen ging.

'Wie is het dan wel?' vroeg Catharina.

Het enige antwoord dat ze daarop kreeg, was een glimlach.

Verantwoording

Het grootste deel van de personages die in dit boek voorkomen, heeft nooit bestaan. Sommigen had ik makkelijk de naam van een authentiek persoon kunnen geven.

In de archieven is heus wel de échte naam van de begijn die in 1596 grootjuffrouw was, te vinden, maar ik heb bewust vermeden hem te gebruiken. De karaktertrekken van mijn grootjuffrouw Amandine zijn immers niet die van de echte grootjuffrouw.

Hetzelfde geldt voor de pastoor van het begijnhof. Ik ken de naam van de toenmalige pastoor, maar ik gebruik hem niet, omdat ik de arme kerel een drankprobleem in de maag splits. Dus verkies ik een fantasiepastoor, een zonder naam. Mensen verdienen respect, zelfs vele eeuwen na hun dood.

De historische figuren zijn degenen die slechts in de marge van het verhaal opduiken: de Spaanse gouverneur, de leider van de staatsen tijdens de Lierse Furie, de toenmalige burgemeester van Lier.

Hoewel het verhaal uit mijn verbeelding voortspruit, is de omkadering historisch. Tijdens de Lierse Furie in 1595 slaagden de staatsen erin de stad binnen te komen door de hulp van plaatselijke verraders. Natuurlijk heette geen enkele van die verraders Johan Overbroeke.

Het Mariabeeld waarvan sprake is, hangt nog steeds aan de ingangspoort van het Lierse begijnhof. Eind zestiende eeuw was het begijnhof kleiner dan nu en bevond de ingangspoort zich in het begin van de hoofdstraat, die toen Rechtestraat heette en nu Sint-Margarethastraat wordt genoemd.

De woning van Catharina, de Benedictie des Heeren, bestaat nog steeds en is gebouwd rond 1600.

Ik wil er ook nog op wijzen dat begijnen geen religieuzen waren. Het waren vrouwen die in een maatschappij die vrouwen niet toestond alleen te leven, uit noodzaak, omdat ze niet konden of wilden trouwen of omdat ze om allerlei redenen niet bij hun familie wilden blijven wonen, een nieuwe samenlevingsvorm creëerden. Het begijnhof was dus werkelijk een toevluchtsoord voor hen, vandaar de titel van het boek. Om in de ogen van de maatschappij, die toen zwaar door de Kerk werd beïnvloed, aanvaardbaar te zijn, gedroegen ze zich meer en meer als religieuzen. Toch bleef de maatschappij hen met argusogen bekijken en waren beschuldigingen van ketterij en een liederlijk leven nooit ver weg.